UNIVERSO ALIEN

Don Lincoln

UNIVERSO ALIEN

Se os Extraterrestres Existem...
CADÊ ELES?

Tradução
Humberto Moura Neto
Martha Argel

Editora Cultrix
SÃO PAULO

Título do original: *Alien Universe*.
Copyright © 2013 The Johns Hopkins University Press.
Publicado mediante acordo com The Johns Hopkins University Press, Baltimore, Maryland.
Copyright da edição brasileira © 2017 Editora Pensamento-Cultrix Ltda.
Texto de acordo com as novas regras ortográficas da língua portuguesa.
1ª edição 2017.

Todos os direitos reservados. Nenhuma parte desta obra pode ser reproduzida ou usada de qualquer forma ou por qualquer meio, eletrônico ou mecânico, inclusive fotocópias, gravações ou sistema de armazenamento em banco de dados, sem permissão por escrito, exceto nos casos de trechos curtos citados em resenhas críticas ou artigos de revistas.

A Editora Cultrix não se responsabiliza por eventuais mudanças ocorridas nos endereços convencionais ou eletrônicos citados neste livro.

Editor: Adilson Silva Ramachandra
Editora de texto: Denise de Carvalho Rocha
Revisão técnica e edição de texto: Adilson Silva Ramachandra
Gerente editorial: Roseli de S. Ferraz
Produção editorial: Indiara Faria Kayo
Editoração eletrônica: Join Bureau
Revisão: Vivian Miwa Matsushita

Dados Internacionais de Catalogação na Publicação (CIP)
(Câmara Brasileira do Livro, SP, Brasil)

Lincoln, Don
  Universo alien: se os extraterrestres existem – cadê eles? / Don Lincoln ; tradução Humberto Moura Neto, Martha Argel. – São Paulo : Cultrix, 2017.

  Título original: Alien universe.
  ISBN: 978-85-316-1394-4

  1. Ciências 2. Cultura pop 3. Exobiologia 4. Seres extraterrestres - Aspectos sociais 5. Seres extraterrestres na cultura popular 6. Vida em outros planetas I. Título.

17-02951   CDD-576.839

Índices para catálogo sistemático:
  1. Universo : Existência de vida : Astrobiologia 576.839

Direitos de tradução para a língua portuguesa adquiridos com exclusividade pela EDITORA PENSAMENTO-CULTRIX LTDA., que se reserva a propriedade literária desta tradução.
Rua Dr. Mário Vicente, 368 — 04270-000 — São Paulo, SP
Fone: (11) 2066-9000 — Fax: (11) 2066-9008
http://www.editoracultrix.com.br
E-mail: atendimento@editoracultrix.com.br
Foi feito o depósito legal.

SUMÁRIO

Agradecimentos   7

Prólogo   A QUESTÃO   11

Um   ORIGENS   25
Dois   ENCONTROS   51
Três   FICÇÕES   97
Quatro   *BLOCKBUSTERS*   139

        Interlúdio   179

Cinco   FORMAS DE VIDA   183
Seis   ELEMENTOS   217
Sete   VIZINHOS   271

Epílogo   OS VISITANTES   307

Leituras sugeridas   313

AGRADECIMENTOS

Escrever um livro nunca é uma atividade individual. Transformar uma ideia em um produto acabado requer a colaboração de muitas pessoas.

Até a ideia inicial pode incorporar contribuições de muita gente. Este livro não existiria em sua forma atual se não fosse por minha esposa, que me ajudou a organizar minhas ideias inicias de modo coerente. A sugestão de entrelaçar a ideia que estava se formando em nossa cabeça sobre os Alienígenas com as preocupações do público na época foi inteiramente dela, e ela também deixou muito mais clara a apresentação de vários dos tópicos científicos que abordei. Trechos que possam ter restado, e que talvez soem um tanto áridos ao leitor comum, são aqueles onde, em minha teimosia, recusei-me a escutá-la.

Os doutores Hassan Al-Ali, Albert Harrison, Judi Scheppler, Jill Tarter e Erica Zahnle contribuíram com seus conselhos de especialistas, corrigindo concepções equivocadas e erros. Sou muito grato a eles e a Alvaro Amat por suas conexões muito úteis.

Gostaria de agradecer a Patty Hedrick, a doutora Julie Dye e Meredith Carlson pela ajuda na obtenção dos desenhos de Alienígenas, da forma como são imaginados pelas crianças. Agradeço também aos funcionários da biblioteca do Fermilab e da biblioteca pública de Genebra por sua inestimável ajuda em localizar fontes originais. A literatura sobre óvnis está repleta de fraudes e "fatos" fabricados. Para não se deixar levar pelas motivações pessoais dos diversos escritores, é fundamental confirmar tudo com documentos originais.

Sou grato a Linda Allewalt, Meredith Carlson, Sue Dumford, Vida Goldstein, Lori Haseltine, Dee Huie, Nancy Krasinski, Diane Lincoln, Toni Mueller, Robert Shaw e Felicia Svoboda por serem meus leitores beta. Além de detectar incontáveis erros de digitação, eles me ajudaram a encontrar os pontos fracos do manuscrito original, que espero ter eliminado. Michele Callaghan merece menção especial por sua hábil edição de texto. Por fim, gostaria de agradecer a minha relações-públicas, Kathy Alexander, por seus incansáveis esforços.

Embora todas essas pessoas tenham contribuído diretamente para com este livro, nem é necessário dizer que as informações e relatos registrados aqui não teriam sido possíveis sem gerações de historiadores e cientistas. O conhecimento humano é um esforço cumulativo, e o que reuni aqui é, na verdade, resultado do trabalho de centenas de pessoas.

É tradicional, em meus livros, atribuir a um amigo de infância em particular a culpa por quaisquer erros residuais não detectados. No entanto, não seria apropriado mencionar seu nome em um livro sobre Alienígenas, que algumas pessoas acreditam já estarem entre nós. Não seria correto estragar seu disfarce.

UNIVERSO ALIEN

PRÓLOGO

A QUESTÃO

"O início é a parte mais importante de qualquer trabalho."

– Platão

Uma das maiores de todas as questões

De todas as coisas que poderiam mudar a perspectiva da humanidade, uma das maiores seria o contato com vida inteligente proveniente de outro planeta. Na história da humanidade já houve outros episódios de mudança de paradigma. Quando Galileu viu pela primeira vez as luas de Júpiter, por volta de janeiro de 1610, marcou o início do fim da ideia de que a Terra detinha um lugar único e central no Cosmos. A publicação de seu manuscrito *Sidereus Nuncius – O Mensageiro das Estrelas* em Veneza, apenas dois meses mais tarde, começou a difundir a evidência incontestável de que nosso planeta já não podia ser visto como excepcional. O gênio havia sido libertado da lâmpada.

Outra mudança de paradigma ocorreu com a morte do excepcionalismo dos seres humanos, desenvolvida por Charles Darwin e seus contemporâneos. A ideia de que os seres humanos são apenas um ramo da vasta árvore da vida mudou para sempre nossa visão de nós mesmos como uma espécie única que recebeu a Terra como um direito de nascença. Tornamo-nos apenas mais uma espécie de animal que evoluiu, como incontáveis outras. Sem dúvida, animais com o tremendo poder de modificar o planeta, mas ainda assim apenas uma espécie entre muitas; uma espécie que foi moldada pelas mesmas forças que criaram o urso, o tubarão e o canguru. O excepcionalismo humano foi reduzido ao orgulho perene por nossas conquistas intelectuais, científicas, filosóficas e técnicas.

Embora conheçamos outras espécies no planeta que usam ferramentas, e têm um certo grau de inteligência, o fato de não termos descoberto nenhuma espécie que se compare a nós permitiu que algumas pessoas continuem a acreditar que a humanidade é excepcional e que lhe foi concedido, tal como afirma o *Gênesis* bíblico, domínio sobre todos os seres vivos. Até mesmo pessoas não religiosas podem argumentar que a expansão colonialista da nossa espécie a partir da África para o resto do mundo, explorando todos os ambientes e nichos em busca de sobrevivência e desenvolvimento, seria uma espécie de Destino Manifesto* da espécie humana. Levando a um extremo, há quem sonhe com um futuro no qual

---

* Segundo a "Doutrina do Destino Manifesto", o povo norte-americano foi eleito por Deus para levar à América a civilização. Foi utilizada para justificar a conquista do território norte-americano pelos colonos de origem europeia e, a partir do final do século XIX, a expansão da política global imperialista dos Estados Unidos. [N.T.]

os humanos deixem o nosso planeta e se espalhem pelo Cosmos, numa marcha triunfal de conquista galáctica e além.

Mas que tipos de galáxias encontraremos? Deixando de lado as dificuldades práticas muito reais associadas às viagens interestelares, será a nossa galáxia um lugar estéril e sem vida, sendo a Terra o berço único e precioso da vida inteligente? Ou será o universo uma vizinhança cosmopolita, com muitos planetas habitados por espécies intelectual e tecnologicamente semelhantes, ou até mesmo superiores à nossa? Em suma, precisamos fazer uma única pergunta importante.

"Estaremos sós?"

Meu propósito ao escrever este livro foi explorar essa questão. Enquanto pensadores imaginativos vêm há muito especulando sobre a possibilidade e natureza da vida em outros mundos, foi no século XX que a ideia se tornou comum em toda a cultura ocidental. Ao contrário de séculos anteriores, quando discussões de vida alienígena estavam restritas a intelectuais ou acadêmicos, a ideia da existência de Alienígenas penetrou a literatura, os jornais, filmes e outras fontes de informação que o grande público consome. As ideias sobre Alienígenas, óvnis, contatos com extraterrestres, abduções, reprodução biológica entre diferentes espécies, todas existem em graus variados na literatura que está hoje em dia ao alcance de todos.

Isto nos leva à questão fundamental deste livro. Se os Alienígenas existem, qual a sua aparência? Ou, para ser mais específico, como deve ser o aspecto de um ser Alienígena no imaginário popular? Se você entrasse em um café em Greenwich Village, Nova York, e perguntasse ao atendente como são os Alienígenas, o que ele responderia? Ou se parasse para tomar um café numa lanchonete em Los Angeles, que tipo de resposta receberia? E se você fizesse a mesma pergunta há cinquenta anos? Qual seria a resposta?

Note a inicial maiúscula na palavra Alienígena. Escolhi essa grafia para identificar explicitamente os alienígenas inteligentes, com os quais a humanidade poderia, em teoria, competir pela dominação da galáxia no futuro. Estou tendo o cuidado de diferenciar os Alienígenas da vida alienígena em geral, que pode ser muito mais comum no universo. Os Alienígenas podem um dia surgir em nossos céus e dizer: "Levem-me a seu líder", ou atacar a Terra em busca de algum recurso. Um pato alienígena voando feliz nos céus de um mundo que orbita Betelgeuse *não* é o que quero dizer quando uso o termo Alienígena. Um Alienígena seria um ser senciente nesse mesmo mundo que escreveu um poema sobre o pato. Um Alienígena tem que ser inteligente, embora não necessariamente dispor de extensa tecnologia. Um homem das cavernas alienígena conta como Alienígena. Um macaco alienígena, não.

É claro que os conceitos de vida alienígena e o de Alienígenas têm uma ligação estreita, da mesma forma que vida na Terra e humanidade estão ligadas de forma inextrincável. Assim, em alguns pontos deste livro expandiremos a conversa para incluir uma discussão mais genérica de vida alienígena. Mas o foco estará nos Alienígenas, e em como a imagem que a humanidade faz deles evoluiu, e por quê.

Ficção *versus* fatos

Vamos falar um pouco sobre os tópicos que serão discutidos neste livro. Para começar, várias fontes diferentes de informação guiaram a imagem coletiva que fazemos dos Alienígenas. Podemos dividir tais fontes em três categorias: não ficção, ficção e uma terceira na qual a linha divisória entre ficção e não ficção é totalmente indefinida.

A não ficção provém do melhor pensamento científico de uma época. Carl Sagan, com sua famosa expressão "bilhões e bilhões", foi um astrobiólogo, astrônomo e astrofísico muito bem-sucedido como divulgador científico. Ele e seus colegas passaram um tempo considerável refletindo sobre o que nossos conhecimentos de física e química nos dizem sobre como os Alienígenas poderiam ser. Biólogos mais tradicionais estão encontrando formas de vida em ambientes cada vez mais extremos, ampliando nosso conhecimento sobre a versatilidade da vida, tal como ela existe aqui na Terra. No entanto, nem todos os planetas no universo são semelhantes à Terra, e é possível que os Alienígenas sejam radicalmente diferentes dos humanos quanto ao tipo de ar que respiram (se é que respiram), temperatura em que vivem, substâncias químicas necessárias a seu metabolismo e assim por diante. Embora a ciência não tenha uma resposta final sobre como são os Alienígenas, houve um progresso tremendo na compreensão do leque das possibilidades. Vamos, é claro, discutir tais temas científicos neste livro, mas a concepção que o público tem dos Alienígenas tende a vir não das instituições acadêmicas, mas da indústria do entretenimento e da mídia em geral.

"O espaço, a fronteira final" são as palavras de abertura de uma das mais bem-sucedidas séries de ficção científica de todos os tempos, que forneceu a motivação inicial a inúmeros jovens cientistas em formação. Em Jornada nas Estrelas (Star Trek, 1966), a tripulação da nave Enterprise percorre a galáxia em busca de "novas vidas e novas civilizações, audaciosamente indo onde nenhum homem jamais esteve". O universo de Jornada nas Estrelas inclui uma enorme diversidade de espécies, com muitos mundos que abrigam vida e, inclusive, vida inteligente. Na verdade, se não existissem Alienígenas em Jornada nas Estrelas, a série seria muito diferente. Sem os klingons, cardassianos e romulanos, para citar apenas alguns, os humanos voariam pela galáxia em sua nave espacial, tocando aqui e ali alguma rocha estéril, quem sabe encontrando de vez em quando um fungo gelatinoso não senciente habitante de Epsilon Eridani IV. Seria bem menos interessante do que as interações políticas e sociais que dominam as incontáveis tramas da série.

Jornada nas Estrelas não é o único filme ou série de televisão que moldou nossas ideias sobre os Alienígenas. A cena no bar do primeiro filme da trilogia original de Guerra nas Estrelas (Star Wars, 1977), que se passa no espaçoporto de Mos Eisley, no distante planeta Tatooine, exibe um "zoológico" variado e pitoresco de Alienígenas, um "antro miserável de escória e vilania" como diz Ben Kenobi, um dos personagens do filme, convivendo como fariam os humanos em qualquer boteco de esquina (ou num bar frequentado por gangues de motoqueiros). Nos filmes seguintes da franquia Star Wars, muitas outras criaturas vão aparecendo. Jabba, o Hutt, é uma exceção, mas a maior parte dos Alienígenas é vagamente humanoide, criaturas bípedes com membros e características que correspondem, de modo reconhecível, à forma humana.

De fato, a estrutura bípede dos Alienígenas, tanto no cinema como na televisão, moldou a visão que o público tem deles. No passado, os Alienígenas dos filmes precisavam ser bípedes porque eram representados por atores humanos. Com as técnicas de computação gráfica disponíveis hoje em dia, os cineastas já não precisam criar Alienígenas tão parecidos com os seres humanos. No entanto, persiste a questão de criar personagens com os quais a audiência possa se identificar. Acho difícil imaginar um filme de sucesso que conte a história de um amor fatídico envolvendo uma espécie que tenha três gêneros sexuais e a cor e a consistência de gelatina de limão. Uma história assim seria estranha demais para criar empatia no público.

Isso leva a um ponto muito importante. Por mais que os fãs de ficção científica devorem o romance mais recente do escritor do momento, o tamanho da comunidade de entusiastas da ficção científica é relativamente modesto. Mesmo um romance muito popular sobre Alienígenas só alcançará um número reduzido de leitores. A literatura de ficção científica só afetou de maneira ligeira e indireta o público mais amplo. Foram o cinema e a televisão que tiveram o maior impacto na gama de Alienígenas com a qual o grande público está familiarizado. Além das limitações dos atores humanos e da necessidade de criar um personagem com o qual a plateia possa se identificar, as histórias de ficção científica nos filmes precisam ser acessíveis ao público. Por exemplo, *Star Wars* já foi descrito como uma aventura de capa e espada, com uma princesa prisioneira, um príncipe que desconhecia sua linhagem nobre e um rei malvado. *Avatar* (2009) foi chamado de "Dança com Lobos com gente azul" e é considerado como uma crítica pouco velada às interações da civilização ocidental com povos indígenas. E o filme *Alien – O Oitavo Passageiro* (Alien, 1979) é semelhante a *Tubarão* (Jaws, 1975) e a muitos filmes juvenis de horror. Os filmes de ficção científica são muitas vezes uma crítica indireta à sociedade e à política contemporâneas, assim como o romance de George Orwell, *A Revolução dos Bichos* é simplesmente uma metáfora para a revolução soviética (e, de fato, várias outras revoluções humanas).

Vários exemplos de retratos ficcionais de Alienígenas refletem as preocupações da humanidade na época em que os filmes foram feitos. O filme *O Dia em que a Terra Parou* (*The Day the Earth Stood Still*, 1951), no qual um Alienígena e um robô advertem o planeta Terra sobre os perigos das armas nucleares, refletia os medos da América pós-Segunda Guerra. De forma parecida, as histórias de Edgar Rice Burroughs com as aventuras de John Carter no planeta Barsoom (isto é, Marte), em 1912, eram claramente calcadas nos últimos vestígios do pós-colonialismo do final do século XIX. E mesmo muitas das histórias de H. G. Wells refletem tanto o otimismo quanto as preocupações da Era Vitoriana.

Vigiem os céus...

Embora tenhamos discutido rapidamente o efeito tanto do pensamento científico quanto da ficção científica sobre a visão popular dos Alienígenas, resta uma influência final e potente sobre o modo como o público enxerga os Alienígenas, que é uma mescla indefinível de fato e ficção; um mistério envolto em um enigma, com uma mescla de conspiração e fervor religioso adicionados para dar tempero à mistura. Estou me referindo, claro, aos óvnis.

Os objetos voadores não identificados (óvnis), às vezes chamados também de discos voadores, para algumas pessoas são espaçonaves, vindas à Terra como embaixadores, exploradores ou até mesmo como curiosos. Esse é um assunto que desperta paixões intensas, e que envolve desde aqueles que acreditam que não estamos sós aos que pensam que os relatos de óvnis são produto de uma mistura de falsificações feitas por charlatães, malucos e gente bem-intencionada, mas equivocada. Há quem relate ter visto naves Alienígenas, enquanto outras pessoas fazem a afirmação ainda mais impressionante de estarem em contato direto com os extraterrestres. Mais recentemente, há quem diga ter sido abduzido por Alienígenas para propósitos variados, que vão de simples exames biológicos à reprodução entre espécies. Por um lado, não resta dúvida de que as pessoas que relatam tais experiências acreditam piamente nelas; por outro, fica também muito evidente que esse campo está repleto de fraudes, mentiras e vigarices.

Embora muitos dos relatos de óvnis, contatos e abduções, talvez a maioria, possam ser descartados logo de cara, sempre sobram alguns sem solução. Embora "sem solução" não signifique "contato de verdade com Alienígenas", o ar de mistério que persiste com certeza chamou a atenção do público, da mídia e até dos governos. O Projeto Blue Book, da Força Aérea dos Estados Unidos, é apenas o mais conhecido das dúzias de inquéritos iniciados por vários órgãos governamentais sobre o fenômeno dos óvnis.

As matérias jornalísticas sobre encontros com Alienígenas têm um efeito amplificador, em que pessoas que tomam conhecimento dos relatos ficam suscetíveis a fazer relatos adicionais, confirmando-os. É difícil explicar de forma definitiva os acontecimentos. Quem acredita em óvnis dirá que o aumento no número de relatos de encontros com Alienígenas simplesmente reflete um aumento na atividade dos extraterrestres. Os céticos dirão que qualquer aumento no número de relatos reflete apenas uma ilusão coletiva, da mesma forma que um novo relato de avistamento do monstro do Lago Ness ou do Pé Grande inevitavelmente gerará outros.

Qualquer que seja seu lado na questão do contato de Alienígenas com seres humanos, é inegável que as matérias na mídia sobre contatos com extraterrestres geram novos relatos. Da mesma forma, elas fornecem informações para o público, para escritores de ficção científica e cineastas. A indústria do entretenimento então incorpora detalhes dos relatos a seus produtos. Tais histórias fictícias por sua vez alcançam uma audiência maior e transmitem aos espectadores informações sobre o que eles devem esperar. Isto pode induzi-los a fazer relatos adicionais, fechando o ciclo.

O objetivo deste livro não é resolver as questões de (1) vida alienígena, (2) existência de Alienígenas inteligentes, e (3) visita de Alienígenas à Terra. (Mas creio que devo informar minha opinião sobre as três questões: (1) muito provável, (2) provável mas muito rara, e (3) altamente improvável.) O intuito deste livro é discutir o modo como os Alienígenas se fixaram no imaginário popular, tanto no passado quanto no presente.

A Figura P.1 mostra alguns Alienígenas icônicos, que ficaram famosos graças a Hollywood e à mídia. Todos são reconhecíveis pela maioria das pessoas, e a figura central é a mais escolhida pelos adultos quando é pedido que descrevam um Alienígena. Como exercício, pedi a um grande grupo de crianças, com idade entre 4 e 11 anos, para desenharem como achavam que seria um Alienígena. Uma amostra desses desenhos é apresentada na Figura P.2. Essas figuras foram desenhadas de forma independente, mas há semelhanças marcantes. A maioria dos Alienígenas é, sem dúvida, humanoide, com uma certa simetria bilateral. Aqueles sem essas características têm pouca probabilidade de serem Alienígenas viáveis, já que não parecem ser capazes de usar ferramentas. Uma semelhança notável entre os desenhos é que os Alienígenas são sorridentes e felizes. Provavelmente é um reflexo de pais responsáveis, que impedem as crianças de ver demasiados filmes assustadores. Algumas crianças já viram o Alienígena arquetípico, mais conhecido pela mídia como "cinzento": humanoide, com testa alta, queixo pequeno, grandes olhos negros amendoados e sem pálpebras, que se tornou famoso graças a inúmeros relatos de abdução.

No decorrer deste livro, exploraremos a imagem coletiva que a humanidade faz dos Alienígenas. O Capítulo 1 investigará o conceito de Alienígenas anterior a 1900. Nessa era, em geral as especulações sobre extraterrestres constituíam o terreno específico dos cientistas e teólogos. Marte, sendo nosso vizinho planetário mais próximo, é o local natural onde se pode imaginar que existam Alienígenas, e assim dedicarei mais tempo à descrição da ascensão e queda das afirmações sobre vida inteligente nesse planeta.

No Capítulo 2, descrevo histórias "reais" de Alienígenas: óvnis, contatos e abduções. É quase irrelevante se tais histórias são verdadeiras ou não. Pode haver quem proteste, afirmando que esta questão é, sem dúvida, relevante, mas precisamos fazer uma distinção entre a questão da existência real de vida alienígena e o fenômeno social dos Alienígenas como algo profundamente enraizado em nossa cultura. Os Alienígenas, da forma como são retratados pela humanidade, têm sua origem nas histórias que foram veiculadas pela mídia, a partir do final da década de 1940, e da indústria do entretenimento, bem como nos relatos de centenas de pessoas ao redor do mundo. Se essas histórias são, em sua totalidade, reais, fraudes completas, uma interpretação equivocada de fenômenos naturais ou uma manifestação de insanidade não vem

Figura P.1. Os Alienígenas estão entre nós já faz muito tempo. Os Alienígenas icônicos mostrados aqui são familiares para qualquer pessoa com um mínimo de conhecimento de cultura popular. Veja se consegue reconhecê-los; suas identidades são reveladas na última página do livro.

Figura P.2. Enquanto os adultos tiveram muitos anos para aprender que aspecto os Alienígenas "deveriam" ter, as crianças têm muito menos referências. Ainda assim, como demonstram estes desenhos feitos por crianças, algumas já aprenderam a resposta "certa".

ao caso. As histórias, e a forma como penetraram em nossas culturas, são o que importa, e essas histórias moldaram de forma significativa a opinião pública sobre a natureza dos Alienígenas.

Os Capítulos 3 e 4 descrevem a evolução dos Alienígenas na ficção – literatura, rádio, televisão e cinema. É na ficção que os autores podem usar os Alienígenas em situações que são metáforas para as preocupações sociais vigentes. Esta parte é especialmente interessante.

No Capítulo 5, há uma mudança de rumo. Em vez de descrever a opinião histórica sobre os Alienígenas, uso o restante do livro para explorar os esforços modernos para entender como de fato poderia ser um Alienígena. O primeiro passo nesse processo é investigar o que a vida na Terra pode nos dizer. O Capítulo 5 examina os vários reinos da vida terrestre, enquanto o Capítulo 6 amplia o espectro. A bioquímica e a astrobiologia modernas têm muito a dizer sobre os tipos de vida que podem existir "lá fora", ou seja, no universo, incluindo possíveis formas de vida baseadas em elementos diferentes do carbono.

O Capítulo 7 conclui nossa saga. Nele, vamos nos afastar da ficção e da ciência especulativa, e nos concentraremos na simples pergunta: se procurarmos Alienígenas ao redor das estrelas mais próximas, o que encontraremos? Até o presente, apesar de meio século de buscas e das especulações que começaram muito antes, ainda não encontramos nada.

Até encontrarmos Alienígenas, continuaremos a imaginá-los. O modo como os imaginamos nos dirá mais sobre nós mesmos do que sobre eles. Não sei se algum dia encontraremos vida extraterrestre. Mas, até que isso aconteça, por favor, junte-se a mim, contemple o límpido céu noturno e use a imaginação.

UM

ORIGENS

"Que os atuais habitantes de Marte sejam uma raça superior à nossa, é mais do que provável."

– Camille Flammarion

Um disco voador prateado pairando, talvez pontilhado com luzes coloridas. Um diminuto ser cinzento, com olhos grandes, negros, inexpressivos e amendoados. Vozes espectrais, telepáticas. Uma mesa cirúrgica dura e fria. Instrumentos médicos prateados. Cutucões e espetadas, em particular na área da virilha. E, depois, a volta para o lugar de onde você veio, com uma sensação de desconforto e forte de lapso de tempo.

Estes são elementos de inúmeras histórias modernas sobre Alienígenas.

Por mais de setenta anos, a humanidade construiu pouco a pouco uma mitologia em torno dos Alienígenas. Mesmo quem nunca teve uma experiência pessoal com os óvnis, discos voadores ou coisas desse tipo conhece histórias como as citadas aqui. Neste livro, você vai descobrir a origem desses elementos. Como veremos, essa narrativa em especial é recente, construída a partir de algumas histórias originais, e é reforçada ao ser contada repetidas vezes, de uma pessoa a outra pessoa e na mídia. No entanto, embora o fascínio geral do público com a questão da vida extraterrestre tenha crescido muito no último século, mais ou menos, o interesse em si não é algo recente. Neste capítulo, você encontrará estudiosos do Renascimento que fizeram essa pergunta (e alguns que morreram por sua ousadia). Você lerá sobre ideias propostas no século XIX, algumas de boa-fé e outras meras fraudes para gerar publicidade. Você ficará a par do que nossos antepassados pensavam sobre nossos principais vizinhos celestes, a Lua e Marte.

E é assim que começamos.

Discutir a existência de vida extraterrestre significa responder, antes de qualquer coisa, a uma questão diferente, isto é, se existem ou não outros planetas. Afinal, se não houver outros planetas, é difícil até perguntar se existe vida em lugares além da Terra.

A história começa, como muitas vezes acontece, com os antigos gregos. Os escritos de Aristóteles tiveram o impacto mais duradouro sobre a questão, e seu argumento estava baseado na física e na cosmologia como ele mesmo as concebera. Por exemplo, Aristóteles postulou um universo geocêntrico, em que a Terra ficava no centro, sendo circundada por uma esfera de estrelas em posições fixas. Entre as duas havia outras esferas, cada uma carregando, respectivamente, o Sol, a Lua e os planetas móveis. Não se supunha que esses planetas fossem como a Terra. As teorias físicas aristotélicas postulavam quatro elementos – Ar, Fogo, Terra e Água –, cada um com uma afinidade natural. A Terra afundava na direção do planeta, o Fogo fugia na direção contrária, enquanto a Água e o Ar tinham afinidades intermediárias. De acordo com a lógica aristotélica, a implicação é que só podia haver um planeta; do contrário, o elemento Terra não saberia se caía em direção a nosso planeta ou a algum outro. A lógica era simples, e a conclusão obrigatória. (É também uma condenação gritante do papel da lógica pura, sem base empírica, no discurso científico.) Embora existissem ideias alternativas na época, a visão de Aristóteles dominou o pensamento acadêmico por quase 2 mil anos.

Se a questão da vida extraterrestre dependia primeiro da existência de planetas além da Terra, a primeira rachadura na armadura da lógica aristotélica pode ser atribuída a Nicolau Copérnico. Pouco antes de sua morte em 1543, foi publicado seu livro *Da Revolução das Esferas Celestes*. Na obra, Copérnico postulava uma cosmologia bem diferente. Em sua teoria heliocêntrica, o Sol estava no centro do universo e todos os planetas, entre eles o nosso, giravam em torno dele. E, claro, se a Terra não era central para o universo, então provavelmente a humanidade também não era. Copérnico não escreveu sobre as implicações de sua teoria para a questão da vida extraterrestre, mas elas ficaram claras para que outros as explorassem. O frei dominicano Giordano Bruno, nascido apenas cinco anos depois da morte de Copérnico, era uma espécie de *bad boy* católico. Condenado, em 1600, à morte na fogueira por suas heresias religiosas, ele questionou muitas das ideias aceitas na época. Para nossos propósitos, o que interessa é ele ter postulado que, se o Sol era uma estrela cercada de planetas, então todas as estrelas eram sóis cercados de planetas. Se nosso planeta abrigava vida, então outros também deveriam abrigar.

Em *Mensageiro das Estrelas*, publicado em 1610, Galileu Galilei reduziu ainda mais o excepcionalismo da Terra. Ele observou as luas de Júpiter e descreveu a superfície da Lua como tendo montanhas e uma topografia semelhante à da Terra. Seu contemporâneo Johannes Kepler foi ainda mais ousado, sugerindo que a Lua era habitada, com pessoas vivendo em cavernas nas escarpas das crateras. O gênio Alienígena havia sido libertado da lâmpada.

Nos anos seguintes, ocorreram discussões típicas do período entre teólogos, filósofos e os primeiros cientistas. Numa época em que os instrumentos científicos não eram suficientes para resolver o debate (uma situação que perdura até hoje), não é de surpreender que as pessoas inteligentes de então tentassem resolver a questão por meio do raciocínio lógico e que propusessem muitas hipóteses. Não houve nenhum vencedor incontestável no debate da questão sobre outros mundos abrigarem vida ou não. Sabíamos que havia outros planetas em nosso Sistema Solar e que outras estrelas muito provavelmente tinham seus próprios planetas. Mas, num período da história em que as pessoas eruditas acreditavam que a vida provinha de um Criador Divino, e não de processos naturais, é difícil imaginar que pudesse haver algum progresso significativo nessa discussão somente com base na razão.

Dois avanços importantes no conhecimento científico nas décadas de 1850 e 1860 levaram a discussão a um terreno mais sólido. Primeiro, em 1859, Charles Darwin publicou sua teoria da evolução por meio da seleção natural, que teve uma implicação óbvia para a vida extraterrestre, assim como para a vida na Terra. Segundo, foi na década de 1860 que os físicos começaram a fazer um uso sério da espectroscopia. No início, essa técnica utilizava prismas para separar a luz em suas cores constituintes. Por exemplo, o estudo da luz absorvida ou emitida por um gás ajuda os cientistas a determinar sua composição. Em 1868, investigações espectroscópicas da luz emitida pelo Sol revelaram uma linha amarelo-brilhante que não podia ser atribuída a nenhum elemento conhecido, e isso levou o astrônomo e cientista britânico Sir Norman Lockyer a postular que o Sol continha um elemento desconhecido que ele chamou de hélio (em homenagem ao deus grego do sol Hélio). Em essência, a espectroscopia permitia aos cientistas realizar uma análise química sem sequer precisar tocar o objeto em estudo.

Do mesmo modo, os cientistas podiam voltar seus espectroscópios para a luz proveniente de planetas do Sistema Solar. Estudando o espectro, é possível determinar as substâncias presentes na atmosfera de um planeta. A observação de oxigênio, nitrogênio e água indicaria que a atmosfera do planeta seria como a nossa, onde sabemos que a vida existe. Em conjunto com o conhecimento que adquirimos com o estudo da evolução, parece provável que a vida possa surgir onde quer que haja um ambiente favorável. Não é uma argumentação infalível, mas com certeza é plausível, e voltaremos a ela no final do livro. A segunda metade do século XIX marca o ponto no qual as respostas às perguntas sobre vida extraterrestre se tornaram acessíveis por meio do uso de instrumentos científicos mais avançados.

Por essa altura, os telescópios haviam se tornado bons o bastante para permitir o estudo detalhado da superfície da Lua. Ficou claro para todos, salvo alguns excêntricos, que nosso satélite era uma esfera destituída de vida, ou ao menos assim parecia. Sem água, sem atmosfera, nada exceto rochas e crateras. Com a Lua fora da jogada, a atenção dos cientistas se voltou para Marte e Vênus, nossos vizinhos planetários. Num capítulo posterior, voltaremos a encontrar esse fascínio pelos nossos vizinhos planetários em nosso estudo dos Alienígenas na ficção científica.

A Fraude da Lua de 1835

Antes de prosseguir com nossa história da busca da humanidade pela vida alienígena nos planetas mais próximos, é preciso lembrar que este livro não é só sobre o que os cientistas pensaram e pensam, mas também sobre o que o público em geral pensa. Antes que a ciência tivesse a capacidade de descartar totalmente a ideia de vida na Lua, a possibilidade era tida como plausível. Uma série de matérias no jornal *The Sun*, de Nova York, em agosto de 1835, trouxe para os leitores a hipótese de existência de Alienígenas de uma forma dramática e sensacionalista.

Para entender melhor esse episódio, é preciso voltar no tempo cinco anos antes de seu início e entender como era o jornalismo no início do século XIX. Em 1830, os jornais eram diferentes dos que temos hoje, e de modo geral só existiam dois tipos: os jornais políticos e os de negócios. Os primeiros eram publicados por partidos políticos para promover seus programas específicos, enquanto os segundos eram escritos para os homens de negócios, com o propósito de informar aos cidadãos mais abastados o que acontecia na esfera econômica. Equivalentes modernos do segundo tipo seriam o *Wall Street Journal* ou o *Financial Times*. Os jornais eram vendidos por assinatura e custavam seis *cents* por dia ou cerca de 20 dólares por ano. Era uma quantia considerável à época e, portanto, os jornais tendiam a ser lidos pelos endinheirados, e tinham um público de cem ou duzentos leitores. Os jornais eram conservadores, no sentido de que tendiam a endossar aquilo que aparecia em suas páginas. (Embora, politicamente pudessem não ser conservadores – aliás, podiam até ser um tanto radicais.) De certa forma, a publicação de um anúncio era um endosso por parte do jornal.

O mundo mudou em 3 de setembro de 1833, quando Benjamin Day começou a publicar o The Sun, em Nova York. Talvez a mais famosa matéria publicada neste jornal tenha sido o editorial de 1897, "Papai Noel Existe?" (mais conhecida como "Sim, Virginia, Papai Noel Existe"). No entanto, em 1833 o The Sun mudou todo o jogo, pois era vendido a um *cent* o exemplar. Foi o primeiro jornal de Nova York a se tornar conhecido como *"penny press"* [imprensa de um centavo]. Como o preço era mais baixo, a única forma desses jornais não falirem era por meio de um grande volume de vendas. A frase *"Extra, extra, read all about it"* [Extra, extra, leia tudo a respeito] surgiu nessa época. Nos meses anteriores ao caso que relato a seguir, a circulação diária do The Sun havia atingido 20 mil exemplares. Os *penny presses* eram mais parecidos com o que hoje costumamos chamar de tabloides, cheios de boatos e casos policiais repletos de detalhes sórdidos. O fato de publicarem um anúncio com certeza não significava que o endossavam. Os leitores esperavam entretenimento, além de informação. E, como veremos, foi a partir de um jornal desse tipo que se desenrolou um dos primeiros frenesis da mídia. Na sexta-feira, 21 de agosto de 1835, a segunda página do The Sun veiculou uma pequena nota: "Acabamos de saber por um eminente editor desta cidade que Sir John Herschel realizou algumas descobertas astronômicas extraordinárias no Cabo da Boa Esperança, utilizando um enorme telescópio baseado em um princípio totalmente novo".

Sir John Herschel era um excelente cientista e matemático. Filho de Sir William Herschel, o descobridor do planeta Urano, ele construiu um telescópio, com o diâmetro de 46 centímetros e um comprimento focal de 6 metros, que lhe permitiu explorar o céu em grande detalhe. Por seu trabalho científico, foi nomeado Cavaleiro da Ordem Real Guélfica em 1831. No outono de 1834, ele deixou a Inglaterra e partiu para a África do Sul com seu telescópio, com o intuito de estudar o céu austral.

Dada a reputação de Herschel, talvez não fosse surpreendente a publicação de uma notícia sobre seu trabalho, caso tivesse feito um avanço na instrumentação astronômica. O público de 1835 tinha tanto fascínio pelos céus quanto temos hoje. Outros jornais de Nova York não fizeram menção à notícia.

Na terça-feira, 25 de agosto, o *The Sun* começou a publicar uma série de matérias, ao longo de seis dias, descrevendo a observação de vida na superfície da Lua. E não haviam sido observadas apenas formas ordinárias de vida, mas vida inteligente, com uma civilização avançada. No entanto, o primeiro dia foi um pouco mais comum; houve só a descrição de um novo telescópio. A série intitulava-se *Grandes Descobertas Astronômicas Recentes*, por Sir John Herschel, e supostamente seria uma republicação de um suplemento do *Edinburgh Journal of Science*. Em essência, era como se o jornal estivesse republicando um número especial de um periódico científico escocês, embora o editor avisasse aos leitores que alguns detalhes técnicos e matemáticos haviam sido omitidos. O artigo do jornal foi acompanhado de uma nota editorial que dizia: "Nesta manhã damos início à publicação de uma série de trechos do novo suplemento do Edinburgh Journal of Science, que nos foram gentilmente fornecidos por um cavalheiro que é médico, diretamente da Escócia, em consequência de um parágrafo que apareceu na última sexta-feira no Edinburgh Courant. O trecho que hoje publicamos é uma introdução a descobertas celestes de um interesse maior e mais universal do que qualquer outra, em qualquer ciência já conhecida pela raça humana até o presente". Acontece que o Edinburgh Journal of Science havia deixado de ser publicado dois anos antes, mas esse fato não era muito conhecido.

No primeiro dia foi descrito um novo telescópio, com uma lente de 7,2 metros de diâmetro, feita de um vidro excelente. A lente pesava pouco mais de 6 toneladas. Note-se que o maior telescópio com lente (em vez de espelho) construído até então tinha um diâmetro de 1,2 metro. Mas o telescópio ficou ainda mais extravagante. Devido a seu grande tamanho, era capaz até de estudar "a entomologia da Lua, caso haja insetos em sua superfície". Foi uma afirmação de grande impacto. Além do grande telescópio, o excelente desempenho tornava-se possível graças ao uso de um "microscópio de hidro-oxigênio" para tornar a imagem mais clara. Basicamente, afirmava-se que o telescópio estava conectado a um microscópio, e isso lhe dava a capacidade de estudar em detalhe a superfície da Lua.

Quando você lê o artigo original, é impressionante a quantidade de detalhes que o fazem parecer mais autêntico, como o fabricante da lente, o nome do assistente de Herschel, e a relação deste assistente com o famoso pai do astrônomo. Hoje em dia, tal preocupação com os detalhes soa como o trabalho de um repórter investigativo diligente e talentoso. No entanto, como veremos, na verdade era uma deliciosa invenção, contada com detalhes suficientes para convencer os leitores.

O segundo dia da saga começou com uma discussão do motivo pelo qual o telescópio precisava ser posicionado no Hemisfério Sul, mas no final foi ao âmago da questão e descreveu o que Herschel viu ao olhar a superfície da Lua ou, como foi dito no artigo, "já não escondendo de nossos leitores as descobertas mais gerais e mais interessantes feitas em relação ao mundo lunar". O que foi que ele viu?

Bem, a primeira coisa que Herschel observou foi rocha basáltica, mas à medida que a Terra girava, o que entrou no campo de visão dele foi uma plataforma rochosa "toda revestida por uma flor vermelho escura", semelhante às papoulas encontradas nos milharais terrestres. Uma inspeção mais detalhada revelou árvores, mas de uma só espécie, grande e lembrando os teixos da Terra. Vida alienígena havia sido observada, mas só vegetal.

Mais buscas revelaram lindos e enormes cristais, coloridos de roxo e vermelho vibrantes, e paisagens além da imaginação – uma vasta floresta, desta vez com árvores "de todos os tipos imagináveis". O autor relatou manadas contínuas de quadrúpedes marrons que pareciam muito com bisões. Os bisões eram seguidos por cabras-unicórnio cinza-azuladas e gregárias. Pelicanos, grous, uma estranha criatura anfíbia e esférica que rolava ao longo das praias: vida animal tinha sido observada.

O artigo do terceiro dia discorria mais sobre geologia e a primeira observação de vida lunar inteligente, ainda que primitiva, na forma de um castor bípede e sem cauda que carregava a prole nos braços e vivia em pequenas choças. A presença de fumaça na redondeza das choças revelava que os castores haviam dominado o uso do fogo. Segundo o artigo, a questão da existência de vida extraterrestre inteligente havia sido respondida em definitivo, embora o melhor ainda estivesse por vir.

O quarto dia foi talvez o ponto alto da narrativa, quando humanoides inteligentes foram observados. Tinham cerca de um metro e vinte de altura e eram cobertos por pelagem curta e reluzente, de cor cobre, exceto nos rostos, que eram amarelados e parecidos com os dos orangotangos. Também tinham asas. Como as asas eram parecidas com as dos morcegos, o autor chamou as criaturas de Vespertilio-Homo (ou homem-morcego).* Embora os observadores tivessem estudado o comportamento das criaturas, a discussão dessas observações foi adiada para um futuro artigo, mais detalhado. A humanidade já não estava sozinha no universo.

Seria difícil para o quinto dia eclipsar as revelações do dia anterior. As convenções literárias exigiam um desfecho. O artigo discutiu mais geologia, observação de oceanos, ilhas e assim por diante. Entretanto, um vale em particular, com colinas feitas de mármore branco como a neve ou talvez de cristal semitransparente, e adjacente a uma montanha flamejante, se destacou, pois abrigava o que aparentava ser um templo abandonado, de formato triangular e feito de safira pura. O teto era feito de um metal amarelo, e tinha a forma de uma chama. Uma vez que o templo parecia abandonado e tudo o que os observadores viram foram revoadas de pombos lunares pousando nos pináculos dos tetos, não puderam especular a respeito do significado de sua arquitetura. Mais buscas revelaram dois outros templos, situados a alguma distância.

---

* *Vespertilio* (de *vesper*, noite), "morcego", em latim. Mais um detalhe convincente do artigo; o latim é muito usado pelos taxonomistas, cientistas que classificam os seres vivos. [N.T.]

O sexto dia foi o capítulo final da saga dos Vespertilio-Homo. Os astrônomos viram mais homens-morcego, dessa vez mais perto dos templos. Esse povo-morcego era maior que o do dia anterior, mais claro e "em todos os aspectos uma variedade melhorada da raça". Alegres e sociáveis, sentavam-se em grupo para passar o tempo. "Não tivemos a oportunidade de vê-los de fato executar qualquer trabalho produtivo ou atividade artística; e, até onde foi possível julgar, passavam seu tempo recolhendo vários tipos de frutos em bosques, comendo, voando, banhando-se e descansando no alto de precipícios." Com essas observações, conclui-se o informe sobre o estudo dos Vespertilio-Homo.

O artigo prosseguiu, informando que os astrônomos deixaram o telescópio e se recolheram e, ao acordar no dia seguinte, descobriram que o telescópio inadvertidamente havia se alinhado com o Sol e que a imagem resultante havia causado um incêndio. Por sorte, não houve danos sérios, mas foram necessários vários dias para limpar e arrumar tudo, e a essa altura a Lua já não podia ser vista no firmamento noturno. Herschel então se voltou para o estudo dos anéis de Saturno, que ele descobriu serem fragmentos de dois planetas que haviam colidido.

Herschel estava ocupado catalogando as observações das estrelas que havia visto, e assim seus assistentes voltaram a observar a Lua, e desta vez viram uma forma ainda superior de Vespertilio-Homo. "Eram de uma beleza infinitamente maior, e a nossos olhos pareceram quase tão adoráveis quanto as representações genéricas de anjos feitas pelas escolas mais imaginativas de pintores." O autor (um dos assistentes de Herschel) concluiu dizendo que deixaria a discussão sobre esses povos-morcego angelicais para quando o próprio Herschel pudesse escrever algo a respeito.

Não é necessário dizer que o verdadeiro Herschel não teve qualquer participação em tudo isso. Ele na verdade estava fazendo pesquisas no Hemisfério Sul e ficou mais do que irritado quando soube das liberdades que haviam tomado com sua reputação.

Assim terminavam as seis matérias do *The Sun*. Qual a magnitude do impacto que tiveram no público? Bem, de forma bem simples, foi tremenda. O jornal esgotou sua tiragem total de cerca de 20 mil exemplares. Além disso, os jornais concorrentes em Nova York republicaram a história. Só na cidade de Nova York, cerca de 100 mil cópias do artigo foram impressas (numa época em que a população da cidade era de apenas 300 mil habitantes). Sem rádio, ou sequer telégrafo, a história percorreu o país com uma velocidade relativa, embora chegasse a outras grandes cidades da costa leste dos Estados Unidos, como Boston, Filadélfia e Baltimore, em questão de dias. Levou duas semanas para chegar ao Meio-Oeste, e um mês para alcançar a Europa. Jornais franceses e ingleses republicaram o artigo, sem identificar a fonte como um *penny press* dos Estados Unidos. A história foi republicada até em Edimburgo. Dado que o *The Sun* atribuía a fonte original ao *Edinburgh Courant*, presume-se que os escoceses soubessem que se tratava de uma fraude, mas eles a republicaram do mesmo jeito.

Embora a circulação do *The Sun* não tivesse aumentado de maneira notável com a publicação da história, eles imprimiram um panfleto contendo as seis matérias, acompanhadas de várias litografias com representações artísticas das descobertas de Herschel. Uma destas é reproduzida na Figura 1.1. Embora o *The Sun* nunca tenha divulgado quantos panfletos foram vendidos, posteriormente se estimou que foram cerca de 60 mil. Ao custo de doze *cents* por exemplar, o jornal acabou tendo um belo lucro.

Figura 1.1. Esta litografia não constou dos jornais, mas foi incluída no panfleto impresso posteriormente pelo *The Sun* de Nova York, que reunia todos os seis artigos que compunham a fraude da Lua de 1835, além de várias ilustrações que davam ao texto uma ênfase dramática. The Sun, Nova York.

Com 100 mil exemplares da história impressos em Nova York, juntamente com um número muito maior impresso em outras partes dos Estados Unidos e do resto do mundo, a fraude da Lua de 1835 foi um dos primeiros factoides da mídia, e algo que teria sido impossível apenas cinco anos antes. A invenção de impressoras a vapor, junto com papel mais barato, tornou economicamente viável a produção de jornais em grandes quantidades. Quando isto foi combinado com o modelo comercial que vendia jornais por um *penny* e usava, pela primeira vez, garotos vendendo-os nas esquinas, tornou-se possível alcançar muito depressa um grande número de pessoas. A fraude também teve impacto sobre o jornalismo como um todo, dando início a uma discussão sobre a questão dos padrões jornalísticos e se os repórteres tinham a obrigação de dizer a verdade.

Não demorou muito para o relato do *The Sun* ser desmascarado como sendo uma fraude, mas por um breve período o grande público foi cativado pela ideia de vida extraterrestre. Os acadêmicos da época continuaram a debater se a Lua poderia abrigar vida. A evidência contrária era bastante forte, sobretudo porque, quando se observava a Lua passar diante das estrelas, a imagem destas permanecia nítida até o último segundo, sugerindo que a Lua não tinha atmosfera. Se houvesse ar na Lua, a imagem ficaria borrada. No entanto, enquanto o debate se dava nas comunidades acadêmicas, a questão era menos mencionada pelo público. A história do *The Sun* a trouxe para o primeiro plano. Pensar sobre os Alienígenas era agora *mainstream*.

Marte

Enquanto a Grande Fraude da Lua de 1835 foi um evento totalmente fictício, a questão da vida em Marte permaneceu respeitável no meio científico por muito mais tempo. Por um lado, Marte está muito mais longe da Terra, e por isso é bem mais difícil de observar. Além disso, o diâmetro de Marte é o dobro do da Lua, o que torna o planeta mais semelhante à Terra. Já em meados do século XVII, calotas polares haviam sido observadas em Marte e posteriormente foram estudadas com certo detalhe por William Herschel (pai do John Herschel associado à fraude da Lua). De fato, especulações sobre a questão da vida em Marte (sobretudo vida inteligente) haviam atingido seu auge no final do século XIX.

Talvez o melhor jeito de começar nossa história seja com o astrônomo francês Camille Flammarion. Ele era um divulgador científico, embora seus leitores fossem tanto acadêmicos quanto leigos cultos. Seu primeiro livro, *A Pluralidade dos Mundos Habitados*, foi publicado em 1862 e propôs que existiam muitos mundos habitados no universo. Ele não foi o primeiro a aventar essa ideia, mas foi um dos primeiros a sugerir que os extraterrestres pudessem ser de fato estranhos, e não meras versões diferentes de seres humanos. Em dois de seus livros ele propôs várias espécies exóticas, incluindo plantas sencientes.

Seu livro *Astronomia Popular* foi publicado em 1880 e traduzido para o inglês em 1894. O livro está repleto de especulações sobre a vida extraterrestre, tanto lunar quanto marciana, e vendeu mais de 100 mil exemplares em francês. Em seu livro de 1892, *La Planète Mars et ses conditions d'Habitabilité* [O planeta Marte e suas condições para a vida], ele defendeu a ideia de canais marcianos criados por uma civilização avançada.

Flammarion não foi o criador da ideia dos canais marcianos; essa honra cabe ao cientista italiano Giovanni Schiaparelli. E para entender essa história, precisamos conhecer alguns fatos básicos de astronomia.

O período orbital de Marte é de 687 dias terrestres, e sua órbita é altamente excêntrica, variando cerca de 207 e 249 milhões de quilômetros do Sol. Em consequência, mais ou menos a cada dois anos Marte e Terra estão relativamente próximos um do outro, em oposição. O termo significa que Marte está do lado oposto ao do Sol, e portanto pode ser visto no alto do céu à meia-
-noite. Quando a órbita da Terra é levada em consideração, mais ou menos a cada quinze anos os dois planetas estão especialmente

próximos. Devido a esses fatores astronômicos, os anos de 1877, 1892 e 1909 foram de modo especial favoráveis para a observação de Marte, o planeta parecendo duas vezes mais largo do que nos demais anos.

Embora os astrônomos já estivessem observando Marte durante milênios, foi em 1877 que as crônicas marcianas tiveram grande repercussão, pois foi nesse ano que Giovanni Schiaparelli afirmou ter observado "canali" em Marte. A palavra italiana *canali* (canais) foi traduzida para o inglês de maneira equivocada como "canals", palavra que tem importante implicação, pois significa um curso d'água construído artificialmente. Numa época em que o canal de Suez havia sido aberto recentemente (1869) e o canal do Panamá começara a ser escavado (1881), era inevitável que a palavra excitasse a imaginação do público. Nos quinze anos entre as oposições de 1877 e 1892, houve muita especulação sobre a natureza dos canais, e mesmo discussões aguerridas sobre se de fato existiam. Os telescópios da época eram em geral refratores e, portanto, relativamente pequenos. Era um tanto difícil conseguir boa resolução nas imagens da superfície de Marte, desse modo a questão de se de fato canais haviam sido vistos era, por necessidade, subjetiva. Embora as observações nos anos seguintes não fossem feitas sob as mesmas condições excelentes de 1877, outros astrônomos em observatórios de várias partes do mundo também relataram verem canais. Outros não viram, e o debate aumentou o furor em meio à comunidade astronômica.

A questão dos canais artificiais de Marte era premente, e os astrônomos esperavam ansiosos pela próxima oposição do planeta, em 1892, na esperança de poder resolvê-la. O livro de 1892 de Camille Flammarion sobre a possibilidade de vida em Marte e o livro de 1893 de Schiaparelli, *La Vita Sul Pianeta Marte* — literalmente, "A Vida no Planeta Marte — surgiram na hora certa. O livro de Flammarion foi dado como presente de Natal a um futuro cientista — Percival Lawrence Lowell —, e isso teve um impacto grande e imprevisto no debate sobre os canais marcianos e na percepção do público quanto à questão.

Percival nasceu em uma família abastada de Boston, em 13 de março de 1853. Sua família fez fortuna com as indústrias têxteis Lowell, e ele foi estudante de sexta geração na Universidade de Harvard. Era um aluno brilhante, com grande interesse pela ciência. Ao graduar-se na universidade, em 1876, proferiu uma palestra sobre a "Hipótese Nebular", que descrevia a formação do Sistema Solar. Depois da graduação e da tradicional viagem através da Europa, Lowell passou a cuidar dos negócios da família e viajou por todo o Oriente, onde escreveu vários livros sobre o Japão, que foram bem recebidos nos Estados Unidos.

Em 1893, ano da publicação do livro de Schiaparelli de título tão provocante, Lowell ganhou o presente que apresentou os homenzinhos verdes ao público. Depois de devorar o livro de Flammarion, decidiu tornar-se astrônomo em tempo integral e concentrar-se no planeta Marte. Em meados de janeiro de 1894, os jornais de Boston noticiaram que Lowell havia decidido financiar a construção de um observatório no estado do Arizona. O local, Flagstaff, foi selecionado devido a sua altitude e aos céus escuros e límpidos, e tornou-se o principal centro de pesquisas sobre Marte.

As pesquisas começaram de imediato, pois, se perdessem a oposição de 1894, a próxima oposição favorável só ocorreria dali a quinze anos. O observatório de Lowell foi construído rapidamente, e ele apontou seus telescópios para Marte. No início, ele e sua equipe usaram dois telescópios temporários, um de 30,5 centímetros e outro de 45,7 centímetros. Ele viu canais, e muitos. No fim, Lowell e associados acabariam por reportar 183 canais; o primeiro artigo foi publicado no fim do verão de 1894 (Figura 1.2).

O artigo não só descrevia os canais observados por ele, mas ia muito além, revelando a motivação subjacente de Lowell. Enquanto os astrônomos tradicionais estavam interessados em compreender Marte, estava claro que Lowell já havia se decidido. Ele tinha certeza de estar vendo a assinatura de uma civilização marciana. À época, pensava-se que Marte era um planeta mais antigo e moribundo, seco e cada vez mais inóspito. Lowell acreditava que, numa tentativa de sobreviver, a antiga civilização de Marte havia construído uma vasta rede de canais para trazer água das calotas polares para as latitudes médias e as áreas equatoriais. Para ele, as manchas escuras observadas pelos telescópios seriam oásis, bolsões nos quais os marcianos sobreviviam, numa existência desarmônica e sem esperança. Lowell detalhou suas ideias em três livros: *Mars* [Marte, 1895], *Mars and Its Canals* [Marte e seus Canais, 1907] e *Mars as the Abode of Life* [Marte como Morada da Vida, 1908].

Lowell não era apenas um astrônomo amador; ele era o herdeiro de uma família abastada de Boston, encantador quando queria, e apaixonado por seus interesses. Além de observar o firmamento, Lowell frequentava a alta sociedade. Seu nome e fortuna lhe davam acesso às pessoas mais influentes da época. Era convidado para as festas VIP, nas quais fascinava os convidados com suas ideias a respeito de Marte. Os editores de jornais e revistas presentes sabiam reconhecer uma boa história, e elas apareciam na imprensa. Aos montes.

Lowell foi merecidamente considerado o maior divulgador de astronomia antes de Carl Sagan. Artigos sobre ele apareciam em destaque nos principais periódicos. Por exemplo, em 9 de dezembro de 1906, a edição de domingo do *New York Times* publicou uma coluna sobre ele que tomou mais de 80% da primeira página, com o título "Existe Vida no Planeta Marte". O autor tinha ficado bastante impressionado com Lowell: "Essa descoberta se deve ao gênio brilhante, à energia persistente e ao maravilhoso talento para a pesquisa de Percival Lowell".

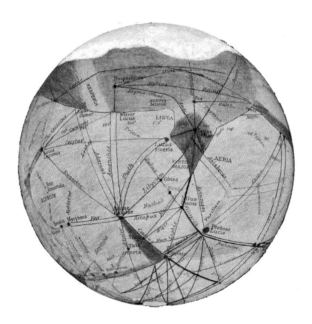

Figura 1.2. Percival Lowell e seus assistentes catalogaram muitos canais que acreditaram ter observado em Marte. Este desenho de 1905 dá uma indicação da extensa rede de canais que o astrônomo pensava ter achado. Cortesia dos arquivos do Observatório Lowell.

Embora a fama de Lowell na imprensa popular fosse alta, na comunidade científica havia muitos céticos. Não era uma situação em que havia apenas duas opiniões, canais existem e canais não existem. Alguns astrônomos aceitavam os canais, mas como fenômenos naturais, enquanto outros aceitavam as manchas na superfície marciana que mudavam com o tempo e eram interpretadas como variação sazonal da vegetação. Em sua resenha do livro *Mars*, o astrônomo W. W. Campbell escreveu: "O senhor Lowell saiu direto do auditório de conferências para seu observatório no Arizona; e o livro narra como suas observações estabeleceram perfeitamente suas opiniões pré-observação". Campbell aceitava que os canais eram reais, mas achava ridículo considerá-los como um sinal de trabalho inteligente. Ele também estava ciente de que a quantidade de água disponível na atmosfera marciana era extremamente baixa, e achava que essa escassez era uma indicação convincente de que não poderia existir uma civilização no planeta.

O impacto das afirmações de Lowell pode ser avaliado de muitas formas, mas talvez a consequência mais impactante tenha sido o surgimento, na ficção, de histórias sobre civilizações marcianas. A primeira delas apareceu em 1898 no romance *Guerra dos Mundos*, de H. G. Wells. No final da década de 1880, Wells estava formado como professor de ciências e já havia escrito um livro escolar de biologia. Em 1894, passou a trabalhar para o periódico *Nature* como resenhista. Boa parte de sua escrita consistia em traduzir as inovações altamente técnicas da Era Vitoriana em termos que seriam familiares ao leitor leigo esclarecido. Seu ensaio *Intelligence on Mars* [Inteligência em Marte], publicado em 1896 no *Saturday Review*, especulava sobre a vida em Marte e como seus habitantes lidariam com o que ele considerava ser um planeta muito antigo. Grande parte do artigo, incluindo sua conjectura de que os marcianos talvez se mudassem para outro planeta para sobreviver, foi incluída em sua famosa obra de ficção *Guerra dos Mundos*. Ele chegou a incorporar, no início do romance, os relatos de um lampejo de luz observado em Marte por um astrônomo em 1894 (e publicado na edição de agosto da *Nature*). Como detalharemos no Capítulo 3, *Guerra dos Mundos* descreve a invasão da Terra por marcianos, e sua posterior derrota pelos micróbios terrestres.

Lowell foi uma figura central no frenesi sobre a vida inteligente em Marte, mas ele não foi o criador da ideia, nem solucionou a questão. Ele apenas acreditava nela, era articulado e um entusiasta em sua defesa, transmitindo suas ideias com muita eficiência. De fato, ele nunca abriu mão de suas crenças, mesmo quando foram descartadas por medições melhores.

Em 1909 ocorreu outra oposição de Marte especialmente favorável, e foi então que a hipótese dos canais marcianos foi abandonada, ao menos pela comunidade científica. O cientista que destruiu os sonhos de quem achava ter sido provado que a humanidade não estava sozinha no Universo foi Eugène Antoniadi, astrônomo grego que mais tarde ficou famoso como especialista em astronomia antiga, grega e egípcia. É irônico que tenha sido Antoniadi a pôr um fim no debate, pois ele trabalhou no observatório de Flammarion, em 1894, e publicou seus resultados na revista da Sociedade Astronômica Francesa, fundada por Flammarion. Mas essas são as peculiaridades do pequeno mundo da astronomia profissional.

Antoniadi foi capaz de ver manchas escuras e de formato irregular na superfície de Marte, mas concluiu definitivamente que os canais em si eram "uma ilusão de óptica". Seus resultados chegaram aos Estados Unidos, onde começava a surgir uma nova classe de telescópios, os grandes refletores. O refletor de 1,5 metro do monte Wilson foi apontado para Marte, e o diretor escreveu a Antoniadi, dizendo: "Estou, portanto, inclinado a concordar com sua opinião... de que os assim chamados 'canais' de Schiaparelli são constituídos de pequenas regiões escuras e irregulares". Antoniadi continuou a observar Marte e escreveu seu próprio livro, La Planète Mars [O Planeta Marte], em 1930. Mas em 1909 o mundo astronômico seguiu em frente.

Como acontece com frequência em situações assim, houve adeptos fiéis que se recusaram a aceitar as novas conclusões. Lowell sustentou, até sua morte, em 1916, que aqueles que não conseguiram ver os canais estavam equivocados e fazendo um trabalho malfeito. Além do mais, ele ainda conseguia a atenção de muitas das lideranças da mídia popular. Por exemplo, na revista incluída como suplemento na edição de domingo do New York Times de 27 de agosto de 1911, um artigo intitulado: "Martians Build Two Immense Canals in Two Years" [Marcianos constroem dois imensos canais em dois anos] descrevia dois canais, cada um com 1.600 quilômetros de comprimento e 30 quilômetros de largura, que haviam surgido na superfície marciana. A possibilidade de que fossem fenômenos naturais era excluída no artigo.

O público não foi tão rápido quanto a comunidade científica em desistir dos canais marcianos. Primeiro, as pessoas comuns não estavam tão próximas dos dados quanto os astrônomos e, segundo, elas haviam recebido um bombardeio constante de especulações sobre a cultura marciana e os esforços desesperados daquela civilização para se salvar. Era uma saga eletrizante e difícil de esquecer.

A saga de Barsoom, de Edgar Rice Burroughs (Barsoom sendo o nome de Marte, segundo seus nativos) teve início em 1912, com *Uma Princesa de Marte*; no Capítulo 3 veremos mais sobre essa série icônica de histórias sobre o planeta vermelho.

Conclusão

A ideia de que temos companheiros de viagem neste universo não é nova. Como vimos aqui (e você pode se aprofundar no tema, com as leituras sugeridas), a questão da vida extraterrestre vem sendo discutida há séculos, com argumentos teológicos, filosóficos e semicientíficos. No entanto, foi só no final do século XIX que o conceito de vida de origem extraterrestre tornou-se tema de conversa fora dos círculos mais cultos.

Há várias razões para essa disseminação mais ampla. Primeiro, os instrumentos científicos se tornaram melhores, permitindo argumentos mais definitivos entre os acadêmicos. Afinal de contas, questões como a existência da vida ou de inteligência extraterrestre são empíricas, e não há meios de uma discussão teológica ou filosófica resolver de forma definitiva o debate. Os aperfeiçoamentos nos telescópios e a nova técnica da espectrometria possibilitaram discussões sólidas e bem embasadas em dados concretos. Ainda assim, o aperfeiçoamento da técnica não explica a mudança no nível de informação do público. Para que tal mudança ocorra, é necessário um método de comunicação. No século XIX, houve progressos na tecnologia de impressão e na forma como o material impresso chegava ao público. A tecnologia tornou mais fácil para as pessoas se informarem sobre os assuntos que lhes interessavam, como ficou muito claro com a tremenda reação à fraude da Lua.

Como veremos no Capítulo 3, na primeira metade do século XX houve uma maior disseminação do estilo literário que hoje chamamos de ficção científica. Embora não sejam o único tipo de histórias escritas dentro desse gênero, as narrativas envolvendo Alienígenas por algum motivo se tornaram respeitáveis, dado o grande número de artigos sobre Marte que as pessoas liam nos jornais. Isso não significa que nossa visão dos Alienígenas não evoluiu desde a primeira década do século XX. Na verdade, nossa visão atual dos extraterrestres difere dramaticamente das especulações de Lowell, Wells e seus contemporâneos. Para entender como isso ocorreu, precisamos nos voltar para um mundo convulsionado pela guerra.

DOIS

ENCONTROS

> Garganta Profunda: Sr. Mulder, por que pessoas como você, que acreditam na existência de vida extraterrestre na Terra, não são dissuadidas por todas as evidências contrárias?
> Mulder: Porque todas as evidências contrárias não são inteiramente dissuasivas.
> Garganta Profunda: Precisamente.
> Mulder: Eles estão aqui, não estão?
> Garganta Profunda: Sr. Mulder, eles estão aqui há muito, muito tempo.
>
> *Arquivo X*, 1ª temporada, episódio 2

Arquivo X foi uma série televisiva de ficção científica de grande sucesso, que foi ao ar de 1993 a 2002. Nela, dois agentes do FBI, Fox Mulder e Dana Scully, são incumbidos de investigar estranhos relatos mantidos nos sigilosos "Arquivos X". Se, por um lado, cerca de dois terços dos episódios eram dedicados ao "monstro da semana" (nos quais, por exemplo, eles investigavam se um vampiro ou lobisomem seria responsável por uma série de assassinatos), os demais episódios eram usados para desenvolver uma história sobre a presença de Alienígenas na Terra e a ocultação, pelo governo, dos fatos conhecidos.

Esta série de televisão é um exemplo excelente de como a mídia, a indústria de entretenimento, os devotos dos óvnis e pessoas que afirmam terem sido abduzidas por extraterrestres vêm interagindo entre si e moldando a visão uns dos outros. Os fatos (no sentido de relatos de avistamentos de óvnis e abduções feitos de boa-fé) e a ficção estão entrelaçados de forma inextrincável, levando a uma narrativa que é bem conhecida pela sociedade. Uma pesquisa feita em 2008 mostrou que 36% dos norte-americanos acreditam que a Terra tem sido visitada por Alienígenas, e que 80% acham que o governo dos Estados Unidos sabe mais do que diz. Pergunte a um desconhecido ao acaso (algo que tenho feito ultimamente, gerando alguns olhares peculiares) qual a aparência dos Alienígenas e o que acontece quando alguém é abduzido por eles, e você vai obter respostas de modo geral semelhantes: humanoides baixos e cinzentos, com testa enorme, queixo pequeno e olhos negros sem pupilas ou pálpebras. Além do mais, os Alienígenas parecem ter um fascínio inexplicável pelo sistema reprodutor humano, que examinam com uma infinidade de artefatos prateados. Como pessoas com um grau ínfimo de interesse em Alienígenas podem conhecer tão bem as narrativas de abdução? São necessários anos para que esse tipo de informação se consolide na cultura popular. Nos capítulos seguintes, vamos dedicar algum tempo a explorar como tal história se desenvolveu e foi disseminada.

Já falamos um pouco a respeito do interesse, no passado, da mídia e do público pela Lua, Marte e os marcianos, mas foi na década de 1940 que nossa história do contato com os Alienígenas começou a decolar. Enquanto seguimos adiante, precisamos ter em mente algo muito importante. Os estudiosos de ufologia têm à sua disposição uma vasta literatura. Dezenas de milhares de relatos de contatos "reais" com Alienígenas têm resultado em centenas de livros e muitos *websites*. Governos do mundo todo têm lançado dúzias de investigações sobre a questão da visitação dos Alienígenas. Qualquer um que deseje aprofundar-se na literatura dessa cultura tem uma tarefa descomunal pela frente. Mas não vamos fazer isso.

Neste livro, não estamos interessados naquele avistamento obscuro ou naquele relato não solucionado de abdução. Em vez disso, estamos interessados nas "grandes" histórias, aquelas que tiveram ampla divulgação, pois apenas histórias que têm ampla (e continuada) cobertura da mídia são capazes de penetrar na consciência coletiva. Você provavelmente não vai se surpreender ao saber que muitos elementos das histórias que as pessoas contam sobre seus contatos com os Alienígenas já estavam presentes na ficção, que examinaremos nos Capítulos 3 e 4. No entanto, nossa preocupação neste momento é entender como o voo de um piloto solitário, na década de 1940, ou uma longa viagem de carro feita por um casal, no início dos anos 1970, puderam mudar nossa visão coletiva da vida extraterrestre. Nossa história começa de verdade nos céus da Europa, quando os Aliados tentavam forçar as tropas nazistas a recuar de volta para a Alemanha.

Foo Fighters

Carl von Clausewitz escreveu em seu livro *Da Guerra*: "A grande incerteza inerente a todas as informações sobre a guerra constitui uma dificuldade peculiar, pois, até certo ponto, toda ação deve ser planejada numa penumbra que, ademais, não raramente dá às coisas – tal como o efeito de uma névoa ou do luar – dimensões exageradas e uma aparência antinatural". Clausewitz referia-se à dificuldade que os comandantes têm de obter uma percepção completa da situação e o efeito que tal dificuldade tem sobre a tomada de decisões. Mas a guerra é uma situação de descarga de adrenalina, que afeta a percepção dos combatentes. Informações incompletas, relatórios conflitantes e estresse elevado significam que serão cometidos erros.

Vamos ser honestos. Estar em um B-17 nos céus da Alemanha, entre 1943 e 1945, sem dúvida era uma garantia de que você estaria um pouco tenso. As rajadas de balas da Luftwaffe e das baterias de artilharia antiaérea com certeza adicionariam um pouco de emoção ao dia. Imagino que um piloto de um Mustang P-51, voando numa patrulha aérea de combate junto com os bombardeiros, devia compartilhar com estes uma experiência palpitante.

Foram homens assim que relataram o que hoje é aceito, de forma geral, como sendo as primeiras observações do fenômeno que mais tarde seria chamado de discos voadores. Os aviadores que sobrevoavam a Europa começaram a relatar terem visto bolas de luz que seguiam seus aviões enquanto cruzavam os céus. As bolas de luz grudavam-se à ponta das asas, mesmo quando o piloto forçava seu caça a um mergulho que chegava a velocidades de 580 quilômetros por hora. Outras bolas de luz podiam persegui-los ou voar em rotas paralelas, sem fazer contato com o avião. Às vezes, um piloto conseguia deixar as luzes para trás. As *"kraut fireballs"* [bolas de fogo alemãs] ou *"foo fighters"* [aviões-caça de fogo], como se tornaram conhecidas, não eram vistas como extraterrestres em potencial, mas como possíveis armas nazistas, que deviam ser explicadas e contra-atacadas.

Um relato publicado no New York Times de 2 de janeiro de 1954 traz a citação de um piloto que teria dito: "Há três tipos dessas luzes que chamamos de 'foo fighters'. O primeiro são bolas vermelhas de fogo que aparecem na ponta de nossas asas e nos acompanham em voo; o segundo é uma fileira vertical de três bolas de fogo que voam na nossa frente e o terceiro é um grupo de umas quinze luzes que surgem a distâncias maiores – como uma árvore de Natal voando alto – e ficam acendendo e apagando".

O relato prossegue, com a afirmação de que se achava que os *foo fighters* tinham origem alemã e que seriam tanto uma arma psicológica quanto militar, embora "não seja da natureza das bolas de fogo atacar os aviões". Um segundo piloto imaginou, a princípio, que seriam "uma nova forma de avião a jato perseguindo-nos. Mas estávamos muito perto deles, e nenhum de nós viu qualquer estrutura nas bolas de fogo".

Esse relato não foi o único. Uma nota da Associated Press, de Paris, de duas semanas antes (13 de dezembro de 1944), dizia que os alemães haviam atirado bolas prateadas contra os pilotos que realizavam bombardeios diurnos, e que tais bolas apareciam tanto de forma individual quanto em aglomerados. Esse relato foi repetido na edição de 15 de janeiro de 1945 da revista *Time*. No entanto, o artigo revelou que as menções a *foo fighters* enfrentavam certo ceticismo. Alguns cientistas afirmaram que as bolas não passavam de imagens persistentes induzidas pelos clarões de baterias antiaéreas vistos pelos pilotos. Outros sugeriram fogo de Santelmo ou raios globulares.

É interessante ler que tipos de especulações mais delirantes apareceram na imprensa. No artigo da revista *Time*, "correspondentes da frente de batalha e especialistas de sofá tiveram seu dia de Buck Rogers", sugerindo que as bolas de fogo seriam uma arma controlada remotamente por rádio (hipótese descartada como sendo absurda, uma vez que as bolas seguiam com precisão os movimentos do avião), bem como outros fenômenos prosaicos. Algumas outras ideias que estavam sendo aventadas era que os *foo fighters* tinham como objetivo (1) ofuscar os pilotos, (2) servir como referência para a mira da artilharia antiaérea, (3) interferir com o radar do avião, ou (4) interferir com a operação do motor do avião, talvez detendo o aparelho em pleno ar. Mas, no contexto deste livro, que é a forma como os Alienígenas são vistos pelo olhar do público, é relevante notar que nenhuma das sugestões mencionava uma origem extraterrestre. Hoje em dia, os entusiastas dos óvnis consideram os *foo fighters* como as primeiras sugestões de contato com Alienígenas, mas tal ideia não passava pela cabeça das pessoas que relataram luzes brilhantes no céu. Elas estavam lutando em uma guerra. Mas a ideia dos Alienígenas estava a ponto de surgir.

Óvni 1947

O dia 24 de junho de 1947 foi um ponto decisivo naquilo que pensamos coletivamente quando voltamos os olhos para o céu noturno. Kenneth Arnold era empresário e piloto. Ele nunca pilotou um bombardeiro ou um caça nos céus da Europa, mas certamente conheceu homens que haviam feito isso. Arnold pilotava seu avião particular perto do monte Rainier, no estado de Washington, quando relatou ter visto nove objetos muito luminosos voando ao longo da face da montanha. Ele os descreveu como sendo achatados, como uma fôrma de torta, e tão finos que eram difíceis de ver. O formato era como o de uma meia-lua, convexa na parte de trás e oval na frente (Figura 2.1). Os objetos moviam-se de modo independente, mas enfileirados, como a cauda de uma pipa.

Figura 2.1. Esta ilustração aparece no livro de Kenneth Arnold e Ray Palmer, *The Coming of the Saucers* [A Chegada dos Discos, 1952], para dar uma ideia do que Arnold viu em 1947. Note que o termo "disco voador" não descreve com precisão esse formato. *Copyright* Ray Palmer.

Arnold voava a 2,8 mil metros de altitude, a uma velocidade de 185 quilômetros por hora. Ele calculou que os objetos estivessem a cerca de 3 mil metros e estimou sua velocidade em cerca de 2,9 mil quilômetros por hora, embora tenha reconhecido que poderia haver um erro em sua estimativa, afirmando que 1,9 mil quilômetros por hora seria um palpite mais razoável.

Quando pousou em Yakima, Washington, Arnold contou tudo ao administrador do aeroporto, que não acreditou nele, e também conversou com outras pessoas que estavam no aeroporto. Então seguiu viagem até Pendleton, Oregon, onde acontecia um *show* aéreo. Ele não sabia que alguém de Yakima havia telefonado e contado às pessoas que ele tinha visto algo estranho voando no espaço aéreo do sul de Washington.

Em Pendleton, Arnold contou sua história a amigos aviadores, que não ficaram surpresos e nem fizeram pouco-caso dela. Primeiro, ele era conhecido por seu excelente caráter; segundo, alguns dos pilotos tinham ouvido histórias parecidas enquanto voavam em missão sobre a Europa ocupada. Fosse um *foo fighter* ou algum avião novo sendo testado pela Força Aérea do Exército,[*] a observação era uma curiosidade, mas não algo capaz de criar polêmica. O detalhe mais notável, e talvez o motivo pelo qual a imprensa foi envolvida, era a velocidade que ele estimou para a aeronave; 1,9 mil km/h era uma velocidade espantosa em 1947. E até mesmo muito alta nos dias de hoje.

Foi só no dia seguinte que Arnold falou com os repórteres, quando foi até a sede do *East Oregonian*, um jornal de Pendleton. Ele

---

[*] Durante a Segunda Guerra, a Força Aérea dos Estados Unidos, conhecida como Força Aérea do Exército (USAAF), era parte do Exército norte-americano, tornando-se uma força militar independente a partir de 1947. [N.T.]

contou sua história, e consideraram-na plausível o bastante para ser publicada e liberada para as agências de notícias, para maior divulgação. E foi a partir daí que as coisas ficaram malucas. A história foi replicada pela United Press International e pela Associated Press, e publicada por alguns jornais grandes. A matéria saiu dois dias depois na primeira página do *Chicago Tribune*, com o título de "See Mystery Aerial 'Train' 5 Miles Long" [Avistado misterioso 'trem' aéreo com 8 quilômetros de comprimento]. No entanto, não havia nenhuma menção a óvnis ou discos voadores. A matéria citava Arnold, que teria dito que as naves eram rápidas, refletiam luz e se moviam como a cauda de uma pipa chinesa, como se estivessem conectadas por um fio. Também dizia que o Exército não estava fazendo testes de alta velocidade na região.

O termo *"flying saucer"* ("pires voador", em inglês, o equivalente do português "disco voador") parece ter sido cunhado por acidente. Arnold contou aos repórteres que os nove objetos que viu eram achatados e brilhantes como uma fôrma de torta, e que lembravam um peixinho saltando ao sol. Em 26 de junho, o *The Sun*, de Chicago, publicou um artigo intitulado "Supersonic Flying Saucers Sighted by Idaho Pilot" [Pires voadores supersônicos avistados por piloto de Idaho]. No entanto, esse parece ter sido um acréscimo de algum editor de texto ou redator de manchetes. Muito tempo depois, Arnold recordou-se de ter dito aos primeiros repórteres com quem falou que "eles tinham voo errático, como um pires que você faz deslizar sobre a água", e essa frase pareceu virar "pires voador", que então foi usado e reusado pelos jornais.

No entanto, nos primeiros artigos de jornal, Arnold nunca é citado como o autor da frase; ele manteve sua descrição de uma cauda de pipa e fôrmas de torta chatas e brilhantes. Assim, o termo "*flying saucer*" parece ter sido um capricho criativo de um redator de manchetes; no entanto, as matérias seguintes na imprensa espalharam o termo "*saucers*", que em português foi traduzido como "discos".

No decorrer do mês seguinte, houve centenas de relatos de discos voadores, bem como muitas fraudes óbvias. Um avistamento, em 4 de julho, por uma tripulação da United Airlines, foi considerado particularmente respeitável, e recebeu mais cobertura da mídia do que a história inicial de Kenneth Arnold. Os avistamentos de discos voadores eram muito variados, alguns deles sendo descritos como tendo literalmente o tamanho de fôrmas de torta e outros o tamanho de aviões. Enquanto o relato original mencionava uma nave prateada, nos relatos seguintes ela era colorida e brilhante.

A especulação científica foi intensa. Um jornal de Los Angeles afirmou que um físico não identificado do Caltech, Instituto de Tecnologia da Califórnia, havia sugerido que os discos fossem experimentos com a "transmutação de energia atômica". Na época, essa era uma especulação aceitável (embora desinformada do ponto de vista científico), que surgiu apenas dois anos depois que o público tomou conhecimento do poder oculto no núcleo do átomo. A hipótese atômica foi rejeitada pelo presidente da Comissão de Energia Atômica dos Estados Unidos, David Lilienthal. Ele interrompeu um repórter que estava repetindo a história e disse: "É claro que não posso impedir ninguém de dizer bobagens". Pouco depois, o Caltech pronunciou-se, negando que qualquer pessoa daquela universidade tivesse dito que os discos voadores poderiam ser algum experimento atômico.

Houve quem especulasse que o fenômeno seria histeria de massas ou algo parecido com os avistamentos do monstro do Lago

Ness. Ilusão de óptica, imagens persistentes e outras explicações similares foram sugeridas.

Uma das primeiras sugestões de origem extraterrestre veio de um editorial do *New York Times*, de 6 de julho, onde a ideia de que "poderiam ser visitantes de outro planeta lançados a partir de espaçonaves ancoradas acima da estratosfera" foi sumariamente descartada. Arnold disse mais de uma vez que ele considerava que os discos voadores pudessem vir de outro lugar que não a Terra. Em 7 de julho, ele contou à imprensa ter recebido um grande número de correspondência de pessoas dando explicações variadas para aquilo que ele tinha visto, de ideias religiosas a afirmações de origem extraterrestre. No *Chicago Times*, consta que teria dito, "Algumas pessoas acham que essas coisas poderiam ser de outro planeta". Em seguida ele observou que a velocidade com que os discos manobravam induziria forças de aceleração que matariam os humanos. A matéria citava, ainda: "Assim, ele também acha que eles são controlados a partir de outro lugar, seja a partir de Marte, Vênus ou do nosso próprio planeta". A ideia dos ETs havia começado a se infiltrar na arena pública. Mais tarde, em 1950, Arnold mencionou essa ideia em um programa de rádio de Edward R. Murrow, chamado *The Case for Flying Saucers* [Evidências dos discos voadores]. Ele disse: "Se não é feito por nossa ciência ou por nossas Forças Armadas Aéreas, estou inclinado a acreditar que é de origem extraterrestre".

Em 7 de julho de 1947, já havia relatos de avistamentos semelhantes provenientes de 39 estados norte-americanos, e ainda da Austrália e de vários locais na Europa. No entanto, a maior parte das observações veio do noroeste dos Estados Unidos. Por todo o país, grandes esquadrões de pilotos, organizados, decolavam de alguma área, cem de cada vez, em busca de fenômenos aéreos inexplicáveis, sem êxito.

As coisas começaram a ficar ridículas, com torrões de terra sendo apresentados como discos acidentados, ou o topo de uma fornalha, ou lâminas de serras com componentes eletrônicos soldados a elas. Alguns estudantes soldaram dois pratos musicais um ao outro, jogaram-no no quintal de uma casa, bateram na porta e saíram correndo. Um morador nervoso chamou a polícia e relatou a queda de um disco. Em 18 de julho, o *New York Times* noticiou que os chapéus de verão das mulheres elegantes tinham modelos inspirados nos discos voadores. E em 8 de julho, uma tartaruga de 25 anos, chamada Disco Voador venceu o oitavo *derby* anual de tartarugas, em Chesterton, Indiana.

No fim, a cobertura dos discos voadores pela imprensa deu lugar a matérias que desmascaravam alguns dos avistamentos. Por exemplo, havia casos de balões para pesquisas em altitudes elevadas, carregando instrumentos para estudos meteorológicos ou de raios cósmicos, que tinham sido liberados pela Universidade de Chicago ou pela Universidade de Princeton. Dada a tremenda publicidade em torno dos discos, era inevitável que as pessoas ligassem para a polícia e para os jornais, relatando novos avistamentos. Depois de um ou dois anos, a mídia começou a ficar meio entediada com esses informes, e foi deixando de publicá-los. Mas, em 1949, os militares concluíram que devia haver algo nos relatos de óvnis e decidiram alocar recursos para investigar a questão. Isso não é de surpreender, considerando a frequência com que a ideia dos extraterrestres havia aparecido nos jornais. De longe, a explicação mais comum para os óvnis (além de imaginação e histeria) eram máquinas experimentais ligadas a programas de armamentos secretos. Os militares dos Estados Unidos sabiam que eles mesmos não estavam lançando aeronaves experimentais capazes de voar a mais de 1,5 mil quilômetros por hora; assim, era inevitável que os responsáveis pela defesa do país quisessem saber se algum outro país tinha uma nova possibilidade ofensiva que teriam de enfrentar.

De todos os relatos de discos voadores que tiveram início no verão de 1947, houve um em especial que posteriormente conseguiu infiltrar-se mais do que qualquer outro no imaginário popular. Como você verá, a história real é um tanto diferente do que se costuma acreditar. Assim, voltemos nossa atenção para uma cidadezinha no sudeste do Novo México: Roswell.

Roswell

A história de Roswell é uma das mais conhecidas da ufologia. Na verdade, com o perdão pela piada ruim, você teria que ser de Marte para não ter ouvido falar dela. A coisa é mais ou menos a seguinte. Um óvni caiu nos arredores de Roswell, Novo México. Agentes do governo, em geral conhecidos como "os Homens de Preto", lançaram-se sobre a cidade e confiscaram o disco voador e seus ocupantes, que incluíam Alienígenas de verdade. O disco e os Alienígenas foram transportados para a Área 51. Um ou mais dos Alienígenas morreram e posteriormente foi realizada uma autópsia. Uma filmagem da autópsia vazou em 1995 e foi exibida na Fox TV. Este que é o mais famoso relato de Alienígenas tem sido a obsessão dos entusiastas dos óvnis por mais de sessenta anos.

Só há um problema. A fama do incidente de Roswell é relativamente recente. Ele ficou esquecido durante décadas. Eis aqui o que de fato aconteceu.

Era o auge do frenesi dos óvnis inspirado pelo caso Arnold. Em 8 de julho de 1947, a manchete do *Daily Record*, de Roswell, era "RAAF Captures Flying Saucer on Ranch in Roswell Region" [RAAF apreende disco voador em fazenda na região de Roswell]. A matéria conta que um fazendeiro não identificado havia informado ao xerife local que tinha um estranho aparelho em suas terras. Um major do Roswell Army Air Field [Base Aérea Militar de Roswell] conduziu um destacamento de soldados até a fazenda e recolheu o aparelho. Depois que o oficial local de inteligência inspecionou o instrumento, ele foi levado de avião para um "quartel-general superior" (citação do artigo original do jornal). Nenhum detalhe sobre estrutura ou aparência do aparelho foi divulgado.

O artigo prosseguia, informando que um casal na cidade acreditava ter visto um disco voador. Este estaria a cerca de 500 metros de altura, movendo-se a uma velocidade entre 650 e 800 quilômetros por hora, e teria entre 4,5 e 6 metros de diâmetro. O homem que havia observado o disco era "um dos mais respeitados e confiáveis cidadãos do local", e guardou silêncio sobre a história. De acordo com o artigo, ele havia decidido contá-la às pessoas da cidade minutos antes de ser divulgada a notícia de que o RAAF tinha um disco sob custódia. Era algo muito emocionante, ter em mãos um disco voador de verdade.

A história mudou no dia seguinte. Em 9 de julho, o *Daily Record* de Roswell tinha uma manchete diferente: "Gen. Ramey Empties Roswell Saucer" [General Ramey esvazia o prato de Roswell], o que era uma forma curiosa de dizer "deixa para lá". O jornal trazia duas matérias, primeiro sobre o xerife local, que estava recebendo dezenas de telefonemas de todo o país e do México, bem como três da Inglaterra, incluindo uma do *Daily Mail*, de Londres. O jornal também identificava o fazendeiro pelo nome. W. W. Brazel, que morava na fazenda Foster, era a pessoa que havia encontrado os restos do "assim chamado disco".

Infelizmente para os entusiastas dos óvnis, a coluna também relatava que o objeto misterioso encontrado era um "inofensivo balão meteorológico de alta altitude, não um disco voador". De modo ainda mais específico, o que havia sido encontrado era um "amontoado de papel alumínio, varetas de madeira quebradas e restos de borracha de um balão". Por fim, o óvni foi identificado como um tipo específico de balão meteorológico usado para fazer medições a altitudes muito mais elevadas do que a vista pode alcançar. O meteorologista militar local afirmou que o material era idêntico ao dos balões que ele havia lançado durante a invasão de Okinawa para determinar informações balísticas para o armamento pesado.

A notícia não ficou restrita a Roswell. A Associated Press recebeu a história, e logo esta aparecia nos jornais de circulação nacional. O *Chicago Tribune* forneceu mais detalhes em 9 de julho, a partir do *press release* original, afirmando que "os muitos boatos referentes ao disco voador tornaram-se realidade ontem, quando o escritório de inteligência do 509º grupamento de bombas [atômicas] da 8ª Força Aérea, Base Aérea Militar de Roswell, teve a grande sorte de obter um disco por meio da colaboração de um dos fazendeiros locais e do gabinete do xerife". No entanto, o jornal também informou que o mistério havia sido solucionado, identificando o "disco voador" como um balão usado para calcular e determinar a direção dos ventos.

Ao longo de 1947, as matérias sobre discos voadores no *New York Times* tiveram um tom bastante cético, e não foi diferente com Roswell. Em 9 de julho, o jornal admitiu que os relatos de Roswell criaram mais confusão do que a maioria, mas também contou a história oficial do balão climatológico.

É interessante observar que nenhuma das matérias que li trouxe à baila a hipótese extraterrestre. Embora houvesse uma confusão tremenda, a visão contemporânea parecia ser de que os discos voadores eram fenômenos não explicados ou, ao que tudo indica, objetos militares secretos.

Ainda assim, a notícia de um disco voador capturado deve ter deixado a comunidade ufológica eletrizada, correto? Sobretudo uma nave encontrada tão perto do local da primeira explosão nuclear da história. O relato de que a nave havia sido transportada para longe, em particular para a Base Aérea Wright, em Ohio, com certeza teria chamado a atenção dos aficionados pelos alienígenas, certo? Os adeptos da teoria da conspiração devem ter ficado em polvorosa. Só há um problema. Não foi isso que aconteceu.

Em vez disso, o disco de Roswell simplesmente desapareceu da história. Por 31 anos, foi considerado um alarme falso; apenas um relato exagerado em um período de histeria. E então chegou o ano de 1978.

Em 1978, no que deve ter sido um dia sem notícias na redação, o *National Enquirer* republicou o artigo de 1947 do *Daily Record*, de Roswell. Os devotos dos óvnis enlouqueceram. Stanton Friedman, renomado físico e ávido pesquisador do fenômeno óvni conseguiu localizar o oficial de inteligência que recolheu os destroços da fazenda Foster e o entrevistou. As recordações do oficial foram incluídas em um documentário chamado *UFOs Are Real*

[Os óvnis são reais], de 1979, e em um artigo no *National Enquirer*, de 1980. Esse depoimento não relatava um disco voador, mas falava de uma escrita estranha e um metal flexível (que faz o leitor moderno recordar o *mylar* aluminizado, embora este só tenha sido inventado na década de 1950, bem depois de Roswell).

Em 1980 também foi publicado o livro *The Roswell Incident* [O Caso Roswell ou Incidente em Roswell], que não trouxe muita informação nova, e era sobretudo uma compilação de relatos de segunda mão, suposições e conjecturas. Ele terminava com uma afirmação bastante precisa:

> Analisemos as implicações do Incidente em Roswell: se apenas *uma*, dentre as muitas pessoas mencionadas neste livro que afirmam ter testemunhado a queda e/ou posterior resgate de um veículo extraterrestre estiver dizendo a verdade – então é possível que estejamos, neste exato momento, na iminência da maior notícia do século XX: o primeiro contato com extraterrestres vivos ou mortos. Se tal fato for verdadeiro, no mínimo seria comparável ao encontro de Colombo com os nativos perplexos em sua visita ao Novo Mundo. Só que, neste caso, os nativos perplexos seríamos nós mesmos.

A comunidade ufológica não se esqueceu de Roswell, mas o resto do mundo sim.

As coisas ficaram realmente interessantes em 1989, quando o programa de TV *Unsolved Mysteries* [Mistérios não Solucionados] devotou um episódio em que "reconstruiu" o que se supunha ter acontecido. Isso levou um agente funerário de Roswell a entrar em contato com Stanton Friedman e contar sua história. O resultado da entrevista que se seguiu foi publicado no livro de 1991, *UFO*

Crash at Roswell [Queda do Óvni em Roswell], no qual a hoje bem conhecida história passou a existir: corpos de alienígenas recolhidos, alienígenas andando de um lado para o outro, pequenos caixões, um coronel do exército fazendo ameaças de morte, o desaparecimento de uma enfermeira que sabia demais, uma série dramática de eventos que formavam uma história excelente.

E, claro, existe a autópsia de Alienígenas de 1995, exibida primeiro no Reino Unido e depois na Fox TV. O programa *Alien Autopsy: Fact or Fiction* [Autópsia Alienígena: Fato ou Ficção] prometia exibir a autópsia de um Alienígena de Roswell. Teve uma audiência de 12 milhões de telespectadores quando foi ao ar nos Estados Unidos. Os empresários britânicos Ray Santilli e Gary Shoefield produziram o programa e afirmaram ter adquirido o filme de um misterioso cinegrafista, que tinha feito a gravação original em Roswell, em 1947. No entanto, em 2006, Santilli e Shoefield admitiram, no documentário *Eamonn Investigates: Alien Autopsy* [Eamonn Investiga: Autópsia Alienígena], apresentado por Eamonn Holmes, que o filme que apresentaram ao mundo não tinha sido gravado em 1947, mas seria o que chamaram de "uma restauração". O que afirmavam agora era que o filme original estava deteriorado demais para ser usado, e por isso eles fizeram uma nova gravação, usando corpos falsos de alienígenas e uma mistura de partes animais. O novo filme é definitivamente uma falsificação, admitem os produtores, que, no entanto, afirmam ser uma cópia fiel do filme verdadeiro que Santilli viu anteriormente.

Bem, justiça seja feita, há tempos muitos entusiastas dos óvnis já suspeitavam que a gravação fosse uma fraude. Mas mesmo que os estudiosos sérios da ufologia, assim como os cientistas, repudiem o filme, isso não muda o fato de que existe muita gente com um interesse apenas casual pelo assunto, e que essa filmagem teve um grande impacto sobre o público. Há pessoas que apenas ouviram falar do programa e que agora estão se perguntando se existem de fato corpos de alienígenas sendo mantidos na Área 51 da Base Aérea de Edwards, em Nevada, ou no Hangar 18, da Base Aérea Wright Patterson, em Ohio.

A história penetrou o bastante na consciência do público, tanto que o que descrevi aqui constituiu um importante artifício da trama no filme *Independence Day* (1996), no qual uma nave e corpos de Alienígenas estavam sendo estudados na Área 51; foi também a premissa do filme *Paul – O Alien Fugitivo* (*Paul*, 2010), em que um Alienígena descontraído e festeiro escapa do confinamento. Durante o período que passou confinado, ele teve um impacto substancial sobre a ciência e a tecnologia da segunda metade do século XX. A história de Roswell também serviu de inspiração a uma série de televisão chamada *Roswell* (1999-2002), na qual adolescentes humanos interagiam com Alienígenas que haviam assumido a forma de adolescentes humanos. Esses são apenas alguns exemplos de como essa história abriu caminho para a percepção do público.

Quando se passa a conhecer o caso Roswell, o que surpreende é o fato de a história ser relativamente nova. Depois de ficar adormecida por cerca de trinta anos, ela foi revisitada no início da década de 1980 e então voltou ao anonimato até os anos 1990. É um fenômeno cultural de fato relativamente recente, e que a cidade de Roswell acolheu com entusiasmo. Se você for até lá, poderá visitar um museu dedicado ao incidente, com recortes de jornais afixados nas paredes, bem como variados dioramas em tamanho natural que ilustram várias cenas principais do episódio. Vai encontrar inclusive muitas lojas dedicadas à venda de suvenires com temática alienígena. Em geral não sou fã de quinquilharias *kitsch*, mas admito que, durante minha visita a Roswell, fiquei tentado a comprar um adesivo de para-choque que dizia: "Use cinto de segurança! Fica mais difícil os alienígenas sugarem você para fora do carro!"

Surgem os "contatados"

George Adamski era o que às vezes é chamado de uma "figura". Talvez a melhor forma de apresentá-lo seja com o início de uma resenha de seu livro de 1955, *Inside the Space Ships* [No Interior dos Discos Voadores], escrita por Jonathan Leonard no *New York Times*. Ela começa assim:

> A competição está ficando acirrada no ramo dos discos voadores. Antes, alguém podia causar sensação simplesmente avistando os discos. Então eles começaram a pousar. Agora, George Adamski chegou a viajar neles. Ele estava hospedado em um hotel em Los Angeles quando dois homens vieram atrás dele, em um sedã Pontiac preto. Eles pareciam dois executivos norte-americanos e falavam inglês, mas eram de Marte e Saturno (embora sem antenas no alto da cabeça). Eles o levaram de carro até um disco que resplandecia suavemente, sob o comando de um venusiano (também sem antenas). O disco decolou e viajou, impulsionado apenas por uma força magnética, até uma nave-mãe de 600 metros de comprimento, que pairava ali perto.

A resenha prossegue, com o mesmo estilo sarcástico, descrevendo a viagem, as atraentes mulheres marcianas e venusianas com quem ele se encontrou, e a filosofia que discutiram. A viagem, se foi real, deve ter sido a experiência mais extraordinária de toda uma vida.

Durante a década de 1950, Adamski ganhou notoriedade nos círculos ufológicos, e até mesmo entre o público em geral, como um dos primeiros "contatados" (isto é, pessoas que afirmam ter tido contato físico com alienígenas). No século XXI, as alegações dele não são consideradas fidedignas sequer entre a maioria daqueles que acreditam que os óvnis são visitantes Alienígenas. Mas não foi sempre assim. Adamski era um homem atraente e charmoso, que tinha uma história fantástica para contar.

Ele descrevia a si mesmo como um "professor andarilho". Na década de 1930, ele fundou uma escola chamada de Royal Order of Tibet [Ordem Real do Tibete], que ensinava o autodomínio das forças do ego, utilizando uma mistura de metafísica e de ocultismo. Ele não havia frequentado a universidade, mas era chamado de "professor"[*] por seus alunos, e até autografou alguns de seus livros usando esse título. Quando se mudou para a Califórnia, alguns desses alunos o acompanharam para que pudessem continuar a ouvir seus ensinamentos.

Para compreender Adamski, você precisa ler seus livros e ter contato com sua escrita extravagante. Deixe-me esboçar o que é relatado em *Discos Voadores – A História de suas Aparições. Seu Enigma e sua Explicação*, escrito em coautoria com Desmond Leslie e publicado em 1953. A história começa da seguinte maneira: "Meu nome é George Adamski, filósofo, estudioso, professor, pesquisador de discos voadores". Ele afirma ter morado no monte Palomar, onde

---

[*] Em inglês, o título de Professor só é usado por docentes de instituições de nível superior. [N.T.]

está situado o Observatório Hale, que abriga um telescópio de 5,1 metros. Ele nunca trabalhou lá (na verdade, ele trabalhava em uma lanchonete de hambúrgueres e morava a 17 quilômetros do observatório), mas as pessoas com frequência associavam as palavras "professor" e "Palomar", e tiravam suas próprias conclusões. Em seu livro, Adamski afirmou que, em 9 de outubro de 1946, tinha visto uma gigantesca nave espacial pairando no céu perto de seu apartamento (sim, isso foi antes do avistamento de Arnold, em 1947, mas lembre-se de que o livro de Adamski foi publicado em 1953, e que algumas de suas histórias podem ser descritas como criativas).

Algumas semanas depois, ele estava no trabalho, contando às pessoas o que tinha visto, e seis oficiais militares estavam comendo no local. De acordo com Adamski, os militares lhe disseram que a história dele não era fantástica e que, embora não pudessem dizer nada, eles sabiam que a nave não era deste mundo. Embora nos anos seguintes Adamski contasse inúmeras histórias de avistamentos de óvnis, foi o relato de suas experiências em 20 de novembro de 1952 que levou seu caso muito além das típicas histórias de óvnis do final da década de 1940.

A história era a seguinte: ele estava no deserto com seis companheiros, procurando por óvnis. Havia escolhido aquele local porque tinha um pressentimento de onde deveria estar, comportamento que foi depois repetido pelo personagem de Richard Dreyfuss no filme *Contatos Imediatos de Terceiro Grau* (*Close Encounters of the Third Kind*, 1977). Enquanto estavam no deserto, Adamski e seus companheiros viram uma "gigantesca" nave prateada em forma de charuto, com a parte de cima cor de laranja. Ela passou por eles e sumiu de vista.

De acordo com Adamski, ele disse a seus companheiros: "A nave veio me procurar, e não quero deixá-los esperando!"

Ele pediu a seus companheiros que o aguardassem por uma hora, e em seguida saiu andando pelo deserto, sozinho. Quando estava distante dos outros, viu alguém parado na entrada de uma ravina, a cerca de 400 metros de distância. Adamski caminhou em sua direção.

A pessoa parecia ser um homem comum, um pouco mais baixo que Adamski e com cabelo cor de areia que lhe chegava aos ombros. Suas roupas eram uma espécie de macacão de gola alta, com elásticos nos tornozelos e punhos. E tinha boa aparência. Adamski relata, "A beleza de suas formas ultrapassava qualquer coisa que eu já tinha visto", e "com roupas diferentes ele poderia ter passado por uma mulher de beleza rara; mas era, definitivamente, um homem".

Essa pessoa que ele encontrou não falava inglês, mas por sorte Adamski acreditava em telepatia, pois foi assim que se comunicaram. Por meio de uma combinação de linguagem de sinais e telepatia, ele ficou sabendo que o homem vinha de Vênus e estava preocupado com a radiação que emanava da Terra, e que poderia danificar os discos voadores. Adamski raciocinou que os raios cósmicos no espaço eram mais poderosos do que aqueles da Terra e que, revertendo a lógica, a radiação das bombas atômicas que estavam sendo testadas na Terra era muito amplificada quando chegava ao espaço.

Adamski viu então o disco voador que havia trazido o venusiano à Terra. De novo por meio de telepatia e linguagem de sinais, ele descobriu que o disco era uma nave de reconhecimento e que a nave prateada maior que tinha visto mais cedo era o veículo interplanetário. Adamski também perguntou ao venusiano se ele acreditava em Deus. Sim, ele acreditava. Uma discussão bem profunda para duas pessoas que não compartilhavam a mesma linguagem.

Discussões posteriores revelaram que todos os planetas do Sistema Solar eram habitados por Alienígenas humanoides e que eles tinham levado pessoas da Terra em suas naves. E mais, os venusianos eram imortais, embora pudessem ser mortos. Mas a imortalidade se restringia ao corpo. O espírito podia transmigrar para outros corpos.

Depois de mais alguma discussão, o Alienígena fez algumas marcas na areia ao caminhar, deixando símbolos significativos no chão. Por sorte, Adamski tinha se lembrado de trazer pó de gesso em seu carro (você sabe... só por precaução), e ele e seus companheiros mais tarde fizeram moldes dos símbolos.

O Alienígena convenceu Adamski de que ele não poderia subir à nave, de modo que caminharam juntos de volta ao disco voador. Adamski tirou algumas fotos, que foram afetadas por algum tipo de emanação do sistema de propulsão da nave (o que explicava porque as fotos reveladas tinham uma qualidade tão ruim). Antes de partir, o venusiano pegou parte dos filmes de Adamski e de alguma maneira o fez entender que devolveria tudo mais tarde. Depois entrou no disco e partiu. Adamski nunca soube o nome do Alienígena, e voltou para seus companheiros.

Posteriormente, ele contou a todo mundo sua experiência, inclusive a repórteres. O livro afirma que sua história foi publicada na edição de 24 de novembro do *Phoenix Gazette* (essa parte da história é verdadeira, embora o artigo começasse num estilo um tanto irônico, e tivesse diferenças significativas com relação a detalhes narrados no livro de Adamski; por exemplo, não há menção a telepatia, e o Alienígena falava uma mistura de inglês e um idioma que soava como chinês). Mais tarde ele revelou seu filme, e as fotos mostravam o tal disco/nave espacial, que parecia uma espécie de abajur com três lâmpadas por baixo (Figura 2.2).

Algumas semanas depois, Adamski disse que estava em casa quando uma nave iridescente, que parecia de vidro e brilhava com cores vivas, moveu-se pelo céu rumo à sua casa. Aparentemente os Alienígenas sabiam onde ele morava. Quando a nave passou sobre ele, a uma altura de cerca de 30 metros, um alçapão se abriu e a mão de um alienígena deixou cair o filme. A nave se foi. Quando Adamski revelou o filme, estava coberto com símbolos "que ainda estão sendo decifrados".

Figura 2.2. Uma representação artística do disco que George Adamski afirma ter fotografado. Este disco teria sido pilotado pelos Alienígenas que mais tarde ficariam conhecidos como "Irmãos do Espaço".

Aqui termina a primeira narrativa de Adamski. Ele diz que os Alienígenas são amistosos e que desejam "garantir a segurança e o equilíbrio dos outros planetas em nosso sistema". No entanto, "se continuarmos no caminho da hostilidade entre as nações da Terra, e se continuarmos a demonstrar uma atitude de indiferença, deboche e até agressão contra nossos companheiros humanos no espaço, estou convicto de que eles podem tomar ações extremas contra nós, não com armas de qualquer tipo, mas pela manipulação da força natural do universo, que eles compreendem e sabem usar".

Uma história que serve de lição, de fato. A semelhança com o discurso ao final do clássico filme *O Dia em que a Terra Parou* pode ser coincidência ou não.

O relato contado em *Discos Voadores – A História de suas Aparições. Seu Enigma e sua Explicação* ocupou apenas duas dúzias de páginas. No entanto, o livro de 1955 de Adamski, *Inside the Space Ships* [No Interior dos Discos Voadores], estava muito mais repleto de aventuras. Na obra, ele conta que encontrou, em um hotel em Los Angeles, Alienígenas vestidos como executivos, que o levaram para dar uma volta em um sedã Pontiac preto. Ele também voou pelo espaço com um venusiano chamado Orthon, um marciano chamado Firkon, e um saturniano chamado Ramu, três membros de uma civilização denominada "Irmãos do Espaço", que recebeu esse nome devido a sua cultura harmoniosa. Adamski nos garante que esses não são os nomes reais, mas como decidiu chamá-los. Na nave, encontrou-se com as duas adoráveis mulheres já mencionadas, de Vênus e de Marte. Ele também descreve a divindade deles, sobre a qual ele e os Alienígenas têm longas discussões filosóficas e religiosas. Talvez não cause surpresa o fato de esses "Irmãos do Espaço" terem falado de uma irmandade cósmica e afirmado que os ensinamentos de

Adamski, na década de 1930, estavam rigorosamente corretos. Essa semelhança incrível é o principal motivo pelo qual tanta gente desconfia da história dele. Bem, isso e as duas belas e monumentais "guarda-costas venusianas" que o acompanhavam em suas turnês de palestras.

Adamski fez muitas turnês de palestras e autógrafos de livros, assim como seu coautor, Desmond Leslie. Talvez o compromisso mais notável tenha ocorrido em maio de 1959, quando Adamski teve uma audiência particular com a rainha Juliana, dos Países Baixos. Juliana tinha a reputação de estar interessada por curas pela fé e fenômenos obscuros.

A popularidade de Adamski declinou na década de 1960, quando a sonda espacial soviética *Luna* 3 mostrou uma paisagem árida e desolada no lado escuro da Lua, onde ele havia relatado haver montanhas cobertas de neve. A resposta dele? Os soviéticos haviam adulterado as fotos. Mais de um gaiato já afirmou que Adamski teria a obrigação de reconhecer uma foto adulterada quando visse uma. Hoje sabemos que Vênus é exatamente o oposto do paraíso que ele descreveu em seu livro, embora seus seguidores modernos tenham destacado que ele afirmou que as cidades venusianas eram subterrâneas; os mais obstinados chegaram a invocar dimensões paralelas, garantindo que o lar de Orthon não está localizado em nosso universo.

É fácil ver o fascínio que a mensagem de Adamski exerce. Seus Alienígenas podem ser reconhecidos como sendo angelicais (embora sem os halos). Os Irmãos do Espaço acreditavam na paz e na harmonia e esperavam que a humanidade afinal se unisse a eles na irmandade cósmica. A mensagem antinuclear de Adamski também ressoava entre o público norte-americano, que se recordava bem da destruição da Segunda Guerra Mundial e estava muito preocupado com as ambições territoriais da União Soviética, com suas armas nucleares. Dada sua falta de êxito em prever o ambiente em outros planetas do Sistema Solar, Adamski é hoje considerado um profeta sem credibilidade, mas sua mensagem de paz e de harmonia cósmica gerou imitadores, e alguns deles existem até hoje. Por exemplo, os seguidores do Movimento Raeliano seguem os ensinamentos do jornalista francês Claude Vorilhon, que agora se autodenomina o profeta Rael, depois de um suposto encontro, em 1973, com um Alienígena chamado Yahweh.

Adamski morreu em 12 de abril de 1965, mas parece que a morte foi só um estado efêmero para ele. Como relatado no livro de Eileen Buckle, *The Scoriton Mystery* [O Mistério de Scoriton, 1967], outro contatado, de nome Ernest Bryant, afirma ter encontrado três Irmãos do Espaço em 24 de abril de 1965. Um dos três Alienígenas era um jovem chamado "Yamski", que supostamente seria George Adamski, de volta à forma corpórea.

Pode-se resumir a história da vida de Adamski da seguinte maneira: um homem carismático e de origem modesta, que alegou ter descoberto uma forma de viver uma vida plena e iluminada. Ele reuniu à sua volta acólitos aos quais ensinou. Um dia, levou para o deserto alguns alunos e outros interessados em seus ensinamentos, até um lugar que, por intuição, sabia ser o local certo. Ele se afastou dos companheiros, aventurando-se sozinho no deserto, onde encontrou-se com um ser de aparência angelical. Este lhe contou verdades cósmicas e, ao partir, deixou-lhe no chão uma mensagem codificada, que Adamski trouxe consigo para ser interpretada. Depois de toda uma vida falando diante de grandes plateias, trazendo-lhes a mensagem de paz dos seres angelicais,

Adamski morreu, apenas para erguer-se dos mortos doze dias depois, sob uma nova aparência, e falar com um devoto verdadeiro.

Colocado dessa forma, não causa surpresa o fato de algumas religiões ou cultos terem se desenvolvido ao redor de Adamski e seus ensinamentos, não é? Mesmo sem uma relação direta com ele, surgiram outros grupos que traziam uma mensagem semelhante, incluindo a Aetherius Society e o Movimento Raeliano. Os ensinamentos da Aetherius Society misturam religiões terrenas, yoga, "baterias espirituais" (que podem impedir desastres) e um messias extraterrestre que um dia levará a humanidade a integrar a comunidade estelar. Alguns grupos, como o culto Heaven's Gate [Portões dos Céus], não se fundamentam exatamente na mesma mensagem que os ensinamentos de Adamski, mas incorporam elementos extraterrestres. A Cientologia assegura que há 75 milhões de anos, um líder chamado Xenu destruiu bilhões de Alienígenas em explosões atômicas aqui na Terra, e essas almas, chamadas de *thetans*, estão entre nós. Essas crenças pseudorreligiosas têm tido certa influência na visão que a sociedade tem dos Alienígenas, mas perdem toda importância quando comparadas com nossa próxima história.

Abduzidos!

Ser contatado por "anjos espaciais" é uma experiência inspiradora e espiritual, mas nem todas as interações com os Alienígenas são tão positivas. O próximo paradigma na saga dos Alienígenas na Terra começou em 1961, quando Betty e Barney Hill encontraram um tipo novo de extraterrestres.

Os Hill eram um casal inter-racial um pouco mais liberal que alguns de seus vizinhos no conservador estado de New Hampshire. Mas fora isso, eram pessoas bem comuns. Betty era assistente social e Barney trabalhava nos correios. Eram membros ativos de uma congregação Unitário-Universalista e do NAACP [National Association for the Advancement of Colored People, ou Associação Nacional para o Progresso das Pessoas de Cor], e inspiravam mais credibilidade do que muita gente ávida por atenção com quem nos deparamos na saga dos óvnis.

Em 19 de setembro de 1961, Betty e Barney viajavam de carro para o sul, cruzando New Hampshire de volta para casa depois das férias. Por volta das 22 horas, pararam em Colebrook para jantar. Depois de uma xícara de café e um cigarro para se manterem alertas, pegaram a estrada de novo, com Barney ao volante.

Seguiram viagem calculando chegar em casa por volta das três da manhã. Betty notou uma estrela ou planeta brilhante perto da Lua, nada muito incomum. Quando olhou para a Lua de novo, algum tempo depois, viu uma segunda estrela perto da primeira. No entanto, a segunda estrela parecia estar ficando maior. Não deram importância, e acharam que seria provavelmente um satélite ou algo assim.

Eles haviam trazido sua cadelinha na viagem, e ela começou a ficar inquieta. Por isso Betty quis dar uma volta com ela. Estacionaram em um ponto onde tinham uma boa visão do céu e pegaram binóculos. Confirmaram que o objeto estava se movendo, mas era difícil dizer o que poderia ser.

Voltaram para o carro e seguiram viagem. Betty ficou de olho na luz no céu, enquanto Barney se concentrava na estrada. Betty percebeu que a luz não poderia ser um satélite, pois sua trajetória era errática. Barney sugeriu que fosse um avião, mas o fato de a luz os estar acompanhando tornava essa hipótese cada vez menos provável. Além do mais, embora a luz se aproximasse, não havia barulho do motor de uma aeronave.

As coisas começaram a ficar um pouco estranhas. A luz chegou a algumas dezenas de metros do carro. Betty levou os binóculos aos olhos e ficou chocada ao ver o que pareciam ser janelas ao longo das laterais da luz. Esta já não era mais uma luz, mas algum tipo de nave, com estruturas complexas e a "forma de uma panqueca". Betty fez Barney parar o carro e olhar por si mesmo.

Enquanto Betty ficava no carro, Barney pegou os binóculos e atravessou um campo para chegar mais perto da aeronave. Ele viu meia dúzia de vultos dentro do aparelho, observando-o a partir das escotilhas. Usavam uniformes e apoiaram-se às janelas quando o disco se inclinou para o lado em que eles estavam. A maioria dos vultos virou-se para o que parecia ser um painel de controle, enquanto um indivíduo – presumivelmente o líder – continuava a observá-lo.

Barney entrou em pânico e correu de volta para o carro, engatou a marcha e voltou para a estrada. Disse a Betty para ficar de olho no disco, mas ela já não conseguia mais vê-lo. Ele imaginou que a nave pudesse estar acima deles. Então, de repente, ouviram o som de um pulso eletrônico estilo bip vindo do porta-malas. Não sabiam o que o poderia estar causando aquilo. Mas então as coisas ficaram indistintas e ambos se sentiram sonolentos.

Depois de um certo período, cuja duração não souberam estimar, ouviram o som novamente. Quando sua confusão mental se dissipou, notaram que viajavam pela estrada. Ainda meio zonzos, entraram na Rota 93 e viram uma placa indicativa que dizia "Concord a 27 quilômetros". Haviam percorrido quase 60 quilômetros.

Conversaram um pouco enquanto viajavam, e Betty perguntou a Barney se agora ele acreditava em discos voadores. Ela já tinha feito essa pergunta no passado, quando uma história foi publicada nos jornais. Barney, sempre cético, disse-lhe para não ser ridícula. Quando por fim chegaram em casa, Betty olhou o relógio e viu que passava um pouco das cinco da manhã, cerca de duas horas depois do horário calculado de chegada.

Esta é a primeira parte da história. O resto é ainda mais estranho. No entanto, vamos resumi-la sem muitos detalhes. O motivo é que o capítulo seguinte da história se desenrolou lentamente, e depois da interação com muita gente. O leitor que tiver interesse deve ler *The Interrupted Journey: Two Lost Hours aboard a Flying Saucer* [A Viagem Interrompida: Duas Horas Perdidas a Bordo de um Disco Voador, 1966] de John Fuller, ou *Captured: The Betty and Barney Hill UFO Experience* [Capturados: A Experiência de Betty e Barney Hill com os Óvnis, 2007], de Stanton Friedman e Kathleen Marden.

Os Hill não conseguiram explicar o lapso de tempo de duas horas. Betty falou com a irmã, que já havia relatado um encontro com um óvni no passado. Na época, o capitão da polícia com quem falou, sugeriu que Betty entrasse em contato com a Força Aérea. Barney queria dar o caso por encerrado, mas Betty telefonou para a Base Aérea de Pease e relatou o que havia acontecido. No dia seguinte, receberam uma chamada de retorno de um oficial, que queria confirmar alguns detalhes. Barney passou a aceitar a ideia de falar sobre o caso com outras pessoas.

A curiosidade de Betty sobre os óvnis estava mais forte do que antes. Ela foi até a biblioteca para descobrir tudo o que pudesse sobre o assunto, e encontrou *The Flying Saucer Conspiracy* [A Conspiração dos Discos Voadores, 1955], do major Donald Keyhoe. A tese do livro era que o fenômeno dos óvnis podia ser uma forma de histeria coletiva que valeria a pena estudar, ou algo real, o que seria mais interessante ainda. Para Keyhoe, a segunda alternativa era mais plausível, e ele estava convencido de que a Força Aérea estava escondendo muitos dos relatos que havia recebido. O livro de Keyhoe contava muitas histórias, incluindo uma de abdução (que logo vai ser relevante para nossa análise). Betty ficou interessada o bastante para escrever a Keyhoe perguntando se ele tinha escrito outras coisas sobre óvnis que ela pudesse ler. Definitivamente sua curiosidade havia sido fisgada pelos escritos do major.

Com aquela carta fatídica, Betty se tornou conhecida no mundo dos óvnis. Keyhoe passou a carta adiante para um pesquisador de óvnis no Planetário de Hayden. O pesquisador falou com os Hill e escreveu um relatório, que foi submetido ao NICAP [National Investigations Committee on Aerial Phenomena ou Comitê Nacional de Investigações sobre Fenômenos Aéreos], uma organização fundada por Keyhoe para investigar óvnis. Por meio dessas conexões, a história dos Hill se tornou familiar à comunidade ufológica.

Vale a pena notar que os Hill não estavam atrás de mídia. Eles não falaram com repórteres. Eles falaram com órgãos do governo e com investigadores de óvnis que encaravam o assunto com mais seriedade. Os Hill queriam saber o que havia acontecido com eles. E, de um modo geral, a pergunta que de fato importava era "o que aconteceu naquele intervalo de duas horas?".

Mais ou menos dez dias após o incidente, Betty começou a ter sonhos vívidos de que, quando estavam fora do carro, foram escoltados até o disco, onde foram submetidos a exames médicos, incluindo a inserção de uma agulha em seu umbigo, para um teste de gravidez. Os examinadores eram baixos, com altura entre 1,5 e

1,6 metro. Eram cinzentos com lábios azulados e nariz enorme, "como Jimmy Durante".* Eram bem humanos em aparência, e vestiam-se com uniformes de estilo militar, com quepes como os da Força Aérea dos Estados Unidos. Ela registrou por escrito seus sonhos, em novembro de 1961.

Independentemente da questão dos óvnis, Barney estava estressado. Ele trabalhava na parte sul de Boston, e tinha que rodar quase 200 quilômetros em um dia. Ele trabalhava no turno da noite, e não conseguia passar muito tempo com seus filhos do primeiro casamento. Em uma tentativa de lidar com o estresse, Barney começou a fazer terapia. No fim de 1963, o capitão da Força Aérea Ben Swett, que os Hill haviam conhecido em uma apresentação em sua igreja, sugeriu que perguntassem ao terapeuta se a hipnose ajudaria. O terapeuta indicou-lhes o doutor Benjamin Simon. Quando Simon falou com Barney, ficou evidente que o encontro com o disco voador estava causando mais problemas a Barney do que ele queria admitir, e assim Simon decidiu hipnotizá-lo para talvez entender o que havia acontecido naquele lapso de duas horas. A hipnose se prolongou por um período de onze meses.

Simon hipnotizou Barney e Betty separadamente, para evitar contaminar suas recordações. Barney foi primeiro. Sob hipnose, ele recordou um encontro muito parecido com os sonhos de Betty. Dois anos haviam decorrido desde o incidente, e Barney sem dúvida havia conversado longamente com Betty sobre os sonhos, embora houvesse diferença em seus relatos. Barney recordava-se que os Alienígenas (pois àquela altura estava claro que os

---

* Músico e ator, muito querido pelo público norte-americano. [N.T.]

Alienígenas estavam por trás de tudo) eram baixos e cinzentos, mas não tinham nariz. Falaram com ele em inglês, mas sem moverem a boca. Barney chamou isso de "transferência de pensamento", pois não estava familiarizado com o termo telepatia. Betty e Barney foram examinados em salas diferentes da nave. Durante o exame, os Alienígenas estudaram a fisiologia dos Hill, e dedicaram muito tempo à região pélvica, incluindo a colocação de algum tipo de recipiente sobre a genitália de Barney para extrair uma amostra de esperma e a introdução de uma espécie de tubo em seu ânus. Por fim, ele voltou para junto de Betty e ambos retornaram para o carro, como sonâmbulos.

Betty recordou detalhes semelhantes aos de Barney durante sua sessão. Sob hipnose, ambos os relatos tinham mais semelhanças entre si do que com os sonhos que Betty havia relatado em papel anteriormente. Depois do exame, Betty perguntou ao Alienígena de onde tinham vindo, e ele lhe mostrou um mapa estelar. Simon conseguiu implantar uma sugestão pós-hipnótica para que ela desenhasse o mapa, e ela assim o fez. Simon também fez com que Barney desenhasse um Alienígena enquanto estava hipnotizado. As sessões de hipnose terminaram no verão de 1964, embora os Hill e Simon tenham mantido um contato ocasional durante 1965.

A conclusão de Simon foi que as lembranças eram apenas uma repetição do sonho de Betty. Ele não acreditava que eles tivessem sido abduzidos por alienígenas. Ele descreveu o caso na revista *Psychiatric Opinion*, e os Hill continuaram sua vida normal, sentindo-se muito melhores agora que acreditavam poder explicar o lapso de tempo. Os Hill ainda falavam sobre sua experiência com amigos e familiares, e um ou outro pesquisador ufológico, mas não procuraram a mídia. Até esse momento, o episódio Hill era apenas uma curiosidade discutida pelos entusiastas dos óvnis. Isso estava prestes a mudar.

O repórter John Lutrell, do jornal *The Boston Traveler*, havia ouvido falar dos Hill e obtivera uma gravação de áudio, de 1963, em que relatavam sua experiência. Ele fez algumas investigações e descobriu que o casal havia falado com Simon, e pediu informações aos três. Simon e os Hill se recusaram a cooperar, de modo que Lutrell trabalhou com o que tinha à disposição. Em 25 de outubro de 1965, ele publicou "UFO Chiller: Did THEY Seize Couple" [Terror óvni: teriam ELES capturado um casal?], a primeira parte de uma série de três artigos. A agência United Press International (UPI) retransmitiu a matéria no dia seguinte, e os Hill se tornaram celebridades internacionais.

Os Hill ficaram horrorizados com a reportagem e decidiram contar sua versão da história. O escritor John Fuller trabalhou com eles em 1966. O resultado foi o livro de grande sucesso *The Interrupted Journey*. A obra continha os esboços que Betty traçou do mapa estelar e outros que Barney fizera mostrando a aparência de seus captores. Críticos posteriores compararam as descrições de Hill com os Alienígenas de um episódio da série de televisão *The Outer Limits* [Quinta Dimensão],* que foi ao ar poucos dias antes da sessão de hipnose na qual ele fez os esboços (Figura 2.3).

Em 1968, a astrônoma amadora Marjorie Fish leu *The Interrupted Journey* e ficou interessada no mapa estelar. Ao longo de cinco anos, ela fez um modelo tridimensional das estrelas próximas à Terra, usando barbante e contas. Ela chegou a visitar Betty Hill no verão

---

* Série de televisão de ficção científica norte-americana que foi ao ar pela ABC, exibida em dois períodos (1963-1965) e (1995-2002). [N.E.]

Figura 2.3. O desenho que Barney Hill fez do alienígena que ele acreditava ter visto (*esquerda*) é o progenitor do moderno conceito popular dos Alienígenas. A figura do meio apareceu em "The Bellero Shield" [O Dono da Corporação Bellero], episódio da série de televisão *Quinta Dimensão*, e acredita-se ter sido a inspiração para o desenho de Barney. A figura à direita é do filme *Paul – O Alien Fugitivo* (2011), e mostra uma representação moderna do Alienígena típico. Copyright John G. Fuller (*esquerda*), United Artists Television (*centro*), Universal Pictures (*direita*).

de 1969 (Barney havia morrido pouco antes, naquele mesmo ano) para obter o máximo possível de informações. Quando o modelo ficou pronto, ela caminhou ao redor dele com o mapa de Betty nas mãos. Por fim encontrou um ângulo que pareceu combinar. Ela concluiu que os Alienígenas haviam vindo de Zeta Reticuli, especificamente de Zeta Reticuli 1, pois trata-se de um sistema estelar binário.

Essa hipótese chegou ao editor da *Astronomy Magazine* e, pela primeira vez, a revista publicou uma matéria sobre óvnis, em dezembro de 1974. O artigo comparava o conhecimento astronômico contemporâneo, incluindo todas as estrelas semelhantes ao Sol dentro de uma esfera com um raio de 55 anos-luz, tendo o Sistema Solar ao centro, com o mapa de Fish. Ele concluía que a reconstrução estava muito boa. Havia ainda artigos sobre a metalicidade das estrelas no mapa de Hill, como identificadas por Fish. Zeta Reticuli 1 e 2 são deficientes em metais (contêm 60% da quantidade de metal presente em nosso Sol, utilizando a definição de metal empregada pelos astrônomos, ou seja, "tudo que não é hidrogênio ou hélio"). Isso não inviabiliza a hipótese de que essas estrelas abriguem uma espécie tecnologicamente avançada, mas torna-a mais difícil. Afinal de contas, são necessários metais para construir discos voadores e outros elementos para constituir o organismo dos próprios Alienígenas. Além disso, ao longo do ano seguinte, houve uma discussão intensa na coluna de cartas ao editor, incluindo contribuições de Carl Sagan e de seu pesquisador associado Steve Soter.

Outra via pela qual o público teve contato com a história dos Hill foi um filme feito para a televisão em 1975, chamado *The UFO Incident* [O Incidente Ufológico]. Era uma dramatização mais ou menos fiel de *The Interrupted Journey*. Tenham os Hill encontrado Alienígenas ou não naquela noite, a história deles é o arquétipo das histórias de abdução alienígena: a amnésia, os exames, o fascínio com a região pélvica humana, os pequenos humanoides cinzentos, os grandes olhos negros. Em suma, Betty e Barney Hill nos disseram qual a aparência dos Alienígenas.

Alienígenas do passado

Em geral, ninguém associa o nome de Carl Sagan com ciência de má qualidade. No entanto, ele sem querer pode ter contribuído com o início da publicação de uma onda de livros que defendiam a teoria de que a Terra tem sido visitada pelos Alienígenas, e que tal visitação começou há milhares de anos. Em um dos capítulos do livro *A Vida Inteligente no Universo*, escrito com o também astrofísico Iosif Schklovsky e publicado em 1966, Sagan pedia que a comunidade arqueológica estivesse aberta à ideia de que antigos astronautas tivessem visitado a Terra no passado. Ele não afirmava que isso realmente tinha acontecido, mas sugeria que era uma possibilidade a ser considerada. Outros autores não foram tão cautelosos em suas afirmações.

Cabe ao autor suíço Erich von Däniken a honra de ter consolidado na consciência pública o conceito de astronautas do passado. Seu livro de 1968, *Eram os Deuses Astronautas?*, teve um enorme sucesso, com cerca de 20 milhões de exemplares vendidos até hoje, e ele publicou quase 20 livros em língua inglesa. Ele também foi preso três vezes por fraude e roubo. Ter ficha criminal não é motivo para descartar *a priori* as ideias de uma pessoa, mas dada a natureza extravagante das afirmações de Von Däniken, uma ficha que inclui acusações de fraude constitui, ao que tudo indica, uma informação relevante.

O tema central dos livros dele é que nos registros arqueológicos e históricos existem indícios formidáveis de visitação por Alienígenas. Ele sugeriu que a "carruagem de Deus" descrita no Livro de Ezequiel da Bíblia cristã era na realidade o relato de um encontro com um óvni, do ponto de vista de um narrador da Era do Bronze. Ele interpretou a tampa do sarcófago de um rei maia como a representação de um astronauta pilotando sua nave. A grande Pirâmide de Gizé, as linhas de Nazca, no Peru, Stonehenge, as imensas cabeças na Ilha de Páscoa... Não há muitos monumentos colossais antigos e interessantes que tenham escapado à sua especulação sobre os alienígenas do passado.

Poucos arqueólogos, talvez nenhum, deram qualquer crédito às teorias de Von Däniken. A maioria de suas afirmações foi desmascarada, e o próprio Von Däniken admitiu em entrevistas e documentários que algumas de suas alegações eram falsas, exageradas ou foram refutadas. Aqui estão alguns exemplos. Uma imagem em *Eram os Deuses Astronautas?* supostamente se assemelharia a uma pista de pouso e uma área de estacionamento para naves espaciais. Uma análise mais detalhada mostra que a foto do livro foi cortada de forma enganosa, e que as áreas de estacionamento são reduzidas demais para que qualquer coisa possa estacionar ali; a "pista" tem entre 2,5 e 3 metros de largura, e o "estacionamento" não é muito maior. Em seu livro *O Ouro dos Deuses*, ele fala de uma expedição na qual teria sido guiado através de túneis que continham ouro, estátuas e uma biblioteca, numa caverna no Equador.

Em uma entrevista publicada na edição de dezembro de 1974 da *Playboy*, e depois no episódio de 1978 "The Case of the Ancient Astronauts" [O caso dos astronautas do passado] da série de documentários científicos *Nova*, ele admite não ter estado de fato na caverna, e de ter exagerado a história para torná-la mais interessante. No mesmo documentário, ele defende um museu no qual estão depositados entalhes que teriam milhares de anos de idade. O produtor do documentário localizou um escultor local que afirma ter feito os entalhes e que recriou alguns deles para as câmeras. Deve ser destacado que Von Däniken não participou dessa fraude, que parece ter sido o trabalho de um empresário local para ganhar alguns trocados, mas Von Däniken sem dúvida não é alguém que deixa um detalhe tão inconveniente quanto a verdade ficar no caminho de uma boa história.

A entrevista da Playboy deveria ser leitura obrigatória para os entusiastas de Von Däniken, pois demonstra com clareza sua atitude de chocante descaso por uma investigação disciplinada. Mesmo que Von Däniken tenha admitido que muitas das afirmações feitas em seus livros não resistem a uma análise superficial, versões posteriores das obras não foram corrigidas. Pelo visto, um trabalho de pesquisa diligente não é algo com que essas publicações se preocupem muito.

Independentemente da veracidade de suas afirmações, não há dúvida de que os livros de Von Däniken tiveram um tremendo impacto popular. Esse impacto foi amplificado pela versão cinematográfica de *Eram os Deuses Astronautas?*, lançada originalmente em língua alemã. O filme foi depois editado, dublado em inglês e exibido em 1973 na televisão norte-americana, com o nome de *In Search of Ancient Astronauts* [Em busca dos astronautas do passado], com narração de Rod Serling, criador da série *The Twilight Zone* [Além da Imaginação].

Von Däniken não é o único autor a postular a presença de Alienígenas na antiguidade. Em seu livro de 1976, *The Sirius Mystery*, Robert Temple menciona a tribo dos dogons, do Mali, que segundo relatos teria uma antiga crença de que a estrela Sirius tem uma companheira que orbita a estrela principal com um período de cinquenta anos. A astronomia ocidental descobriu em 1862 uma tênue estrela companheira que é invisível a olho nu. O fato é que essa estrela tem um período orbital de cerca de cinquenta anos. Temple pegou essa informação interessante e acrescentou afirmações sobre as origens da cultura dos antigos egípcios e gregos, entre outros. Temple não assegurou que antigos astronautas forneceram aos dogons tal conhecimento, pois uma cultura humana anterior, de tecnologia avançada e ainda não descoberta, também poderia explicar o mistério. O que Temple disse era que a hipótese dos Alienígenas era a mais provável das duas.

Sem dúvida, alguns antropólogos criticam os estudos etnográficos nos quais Temple baseou seus livros, afirmando que os dogons não têm um fascínio de séculos por Sirius. Outros afirmam que as origens do conhecimento de Sirius B decorre de polinização intercultural, especificamente com a Europa (e possivelmente os etnógrafos originais). O livro de Temple não impactou a consciência popular da mesma forma que o livro de Von Däniken, e portanto seguiremos em frente sem uma discussão mais profunda.

A ideia de astronautas do passado com certeza entrou na percepção pública, como se pode ver no filme *Stargate – A Chave para o Futuro da Humanidade* (*Stargate*, 1994). O filme mostra que a antiga civilização egípcia foi erigida com base no legado de Alienígenas que visitaram a Terra há milhares de anos. O filme gerou três séries de televisão com mais de 250 episódios, durante quatorze anos. Vamos falar mais sobre essas séries no Capítulo 4.

Os Alienígenas hoje

Neste capítulo, demos uma olhada rápida no que podemos chamar de "Alien-ologia". Os incidentes mencionados não são de modo algum os únicos relatos de contato com Alienígenas que existem, e tampouco são os primeiros. As histórias sequer foram selecionadas como sendo as mais plausíveis. Elas foram selecionadas por serem as que capturaram a imaginação do público e moldaram nossa visão coletiva.

Ainda existem pessoas que acreditam em todas as histórias aqui relatadas, e em muitas outras. Nos próximos dois capítulos, vamos contar a história dos Alienígenas na ficção e mostrar a relação existente entre a ficção e esses relatos de contatos extraterrestres supostamente reais que acabamos de ver. Mas creio que vale a pena fazermos uma lista das formas mais comuns de Alienígenas que podem ser encontrados em convenções de ufologia, isto é, o estudo dos óvins (note que repetiremos esse exercício no final do próximo capítulo, para incluir principalmente os Alienígenas provenientes da ficção científica). Os alienígenas típicos são:

Homenzinhos verdes. Estes já não são tão comuns quanto antes, e originaram-se principalmente na ficção do início do século XX. Eram humanoides minúsculos, às vezes com antenas. Foram os precursores dos *grays*.

Grays ["cinzentos"]. São os alienígenas de Betty e Barney Hill. São humanoides baixos, de coloração cinzenta, com cabeça grande, sem nariz, queixos pontudos e olhos negros grandes, amendoados e vazios. (O sonho de Betty, com alienígenas narigudos, com o passar do tempo foi se transformando aos poucos nos hoje familiares *grays*.) Eles abduzem humanos e os submetem a exames médicos, com frequência centrados na região pélvica.

Nórdicos. Também chamados de "Irmãos do Espaço", esses Alienígenas são maiores que os humanos, muito bonitos de rosto e de natureza espiritual. Fazem contato com a humanidade apenas para ensinar-nos sobre o comportamento harmonioso da pacífica comunidade espacial a que eles afirmam pertencer. Esses são os Alienígenas de Adamski, embora no contato original de Adamski os Irmãos do Espaço não fossem maiores do que os humanos.

Reptilianos. São uma forma menos conhecida de Alienígenas, e por isso não merecerão um segmento específico. Tendem a ser muito maiores do que os humanos (1,5 a 3,6 metros de altura); bebem sangue e são transmorfos, podendo mudar de aparência. De acordo com o escritor britânico David Icke, eles vivem na Terra, em bases subterrâneas, e criaram híbridos reptilianos/humanos. Os líderes mundiais são, em sua maioria, híbridos, inclusive o ex-presidente dos Estados Unidos, George W. Bush, e a rainha Elizabeth, da Grã-Bretanha. As origens deles remontam a um relato de abdução de 1967, em que os Alienígenas tinham uma aparência ligeiramente reptiliana e usavam uma insígnia com uma serpente alada em seus uniformes.

Conclusão

Ao longo deste capítulo, descrevi os incidentes ocorridos mais ou menos nos últimos sessenta anos, que moldaram a forma como os Alienígenas são vistos dentro da cultura popular. Não me preocupei em ser cético, embora eu pessoalmente não me convença com nenhum deles. Para os propósitos deste livro, não tem qualquer importância se esses encontros são reais, fraudes propositais ou equívocos bem-intencionados. O que importa é que foram esses episódios que definiram a visão que a sociedade tem dos Alienígenas.

Os céticos irão salientar várias coisas, por exemplo o episódio de *Quinta Dimensão*, que representava os Alienígenas muito parecidos com os que foram descritos por Betty e Barney Hill, e que foi ao ar apenas doze dias antes da sessão em que ambos foram hipnotizados e descreveram para o terapeuta Alienígenas com olhos grandes e sem nariz. Tais feições não estavam presentes nos sonhos de Betty. Os céticos também vão destacar o fato de que Kenneth Arnold não chamou de "discos voadores" o fenômeno que observou. Tal denominação surgiu da interpretação equivocada de um redator de manchetes, e mesmo assim os avistamentos posteriores foram de discos e não de naves com a forma que Arnold descreveu. E, claro, existe a usurpação, por parte de Adamski, da clássica história dos profetas, e o assombroso descaso de Von Däniken com a arqueologia. Há por aí muitos livros e incontáveis artigos desconstruindo o mito dos Alienígenas, e é bastante compreensível se você for cético.

Mas nada disso importa. Essas foram as pessoas e os relatos que nos fizeram saber qual a aparência dos Alienígenas.

TRÊS

FICÇÕES

"Invente uma criatura que pense tão bem quanto um homem, ou melhor que um homem, mas não como um homem."

John W. Campbell,
editor da revista *Astounding Science Fiction*

A literatura é uma das grandes invenções da humanidade. Ao criar histórias fictícias, um autor pode nos levar a lugares onde nunca estivemos ou nos mostrar uma situação na qual nunca pensamos. Uma boa história pode mostrar temas familiares em um ambiente não familiar e, se bem elaborada, pode ser uma metáfora excelente, na qual a verdadeira mensagem não é dita, mas ainda assim fica bem clara.

De todos os tipos de literatura desenvolvidos ao longo dos séculos, a ficção científica é única. Ela permite recursos de enredo que não estão disponíveis para outros gêneros de ficção. A única concorrente em potencial é a fantasia, mas mesmo esse gênero literário apresenta algumas restrições. Na ficção científica, quase tudo é permitido, pois ela pode incorporar todos os outros tipos de literatura num cenário completamente irreal; podemos ter, por exemplo um mistério de um assassinato por um raio mortal em Betelgeuse ou um casal apaixonado em que cada um vem de um sistema estelar diferente.

À medida que seguimos em frente, é bom recordar o tema deste livro, isto é, a evolução da forma como a humanidade vê os Alienígenas. Assim, os subtemas da ficção científica que descrevem o impacto da robótica, distopias futuras e mesmo viagens espaciais para uma galáxia despovoada (por exemplo, a série épica *Fundação* [1951], de Isaac Asimov) não são realmente pertinentes à nossa discussão. Além disso, devemos notar que as histórias consideradas mais importantes pelos fãs mais sérios do gênero (como *Fundação*, ou *Duna* [1965], de Frank Herbert, ou muitas das histórias de Robert Heinlein com o personagem Lazarus Long) nem sempre são as que tiveram maior impacto sobre o público. As histórias que influenciam o pensamento popular são as que têm maior disseminação, o que em geral significa rádio, televisão ou cinema. As histórias deliciosas e inovadoras que só existem nas revistas *pulp* e nas antologias de ficção científica muitas vezes são lidas apenas por um grupo reduzido de pessoas.

Assim, neste capítulo e no próximo vamos nos concentrar nas histórias de alto impacto e alta visibilidade, e tentar entender por que os Alienígenas se tornaram tão populares – o que não é uma tarefa nada fácil. A ciência e a ficção científica interagem de uma forma que não é fácil de destrinchar. Do mesmo modo, um filme popular pode gerar outros que são claramente baseados nele. Isto pode por sua vez influenciar a literatura de ficção científica, e chega um ponto em que é difícil saber como a história de fato surgiu.

Vamos começar pela virada do século XIX ao XX. À medida que viajamos através das décadas, tentando entender como nosso pensamento moderno sobre os Alienígenas se desenvolveu, vamos analisar livros, revistas *pulp*, programas de rádio, seriados de cinema, longas-metragens e séries de TV. Veremos que a difusão de ideias sobre os Alienígenas está claramente interligada com a existência e o crescimento das mídias de massas. Assim como a fraude da Lua de 1835 precisou da *penny press* para se tornar um fenômeno disseminado, nossas visões modernas dependeram em grande medida do crescimento das mídias visuais, em especial da televisão e do cinema.

Embora Júlio Verne não tenha sido o primeiro a combinar o conhecimento científico – ou as teorias científicas – com a ficção, ainda assim talvez deva ser considerado o verdadeiro pai da ficção científica. Suas histórias foram publicadas a partir da segunda metade da década de 1860 e incluem obras famosas como *Vinte Mil Léguas Submarinas* (1870) e *Viagem ao Centro da Terra* (1864). No entanto, *Da Terra à Lua* (1865) e sua continuação, *Viagem ao Redor da Lua* (1869), são suas únicas histórias que tratam de viagens extraterrestres. Nelas, uma tripulação a bordo de um projétil disparado por um canhão fica em órbita ao redor da Lua e depois volta à Terra. Mas não há nenhum encontro com Alienígenas nas histórias de Verne, por isso devemos voltar nossa atenção para outros lugares.

Marte ataca pela primeira vez

É muito provável que o pai da ficção com Alienígenas seja H. G. Wells. Além de ter sido professor de ciências, ele foi um dos editores do periódico científico *Nature* durante a febre sobre os canais marcianos. Seu romance de 1898, *Guerra dos Mundos*, reflete especulações do tipo defendido por Percival Lowell e narra a invasão da Terra por marcianos tecnologicamente superiores que ameaçam a sobrevivência da humanidade. O fato de nunca ter ficado fora de catálogo é um testemunho da qualidade e da atemporalidade da história. O romance começa com um planeta Marte moribundo. Os marcianos, que são uma civilização bem mais antiga que a nossa e tecnologicamente mais avançada, disparam cilindros na direção da Terra por meio de um grande canhão. Os cilindros caem na Inglaterra e os marcianos, depois de fazerem uma breve excursão fora da nave, retornam para ela, emergindo mais tarde em grandes trípodes, engenhos que caminham eretos com três longas pernas, "mais altas do que muitas casas". O aparelho também possui tentáculos articulados capazes de agarrar objetos e um raio de calor que desintegra tudo o que atinge. Após uma longa e angustiante história de morte e destruição, os marcianos acabam morrendo, vitimados por uma bactéria terrestre. Como eles não têm nenhuma imunidade, a salvação da humanidade acontece por mero acaso.

A maior parte da história descreve a batalha entre os trípodes dos marcianos, tecnologicamente avançados, e os humanos indefesos, mas somos num curto espaço de tempo apresentados aos próprios marcianos. O narrador tem a expectativa de ver um humanoide: "Todos esperavam ver um homem emergir – talvez algo um pouco diferente de nós, terrestres, mas em todos os pontos essenciais um ser humano". Os marcianos, no entanto, são bem diferentes dos humanos: corpulentos, cinzentos, arredondados, oleosos, composto apenas de uma cabeça, de 1,20 metro de diâmetro, com dois feixes de oito tentáculos (Figura 3.1). Na parte frontal da cabeça têm dois olhos grandes e escuros, com uma boca como um bico carnudo, em forma de V, da qual escorre uma espécie de saliva. O narrador relata:

> Quem nunca viu um marciano ao vivo mal pode conceber o estranho horror de sua aparência. A boca, peculiar e em forma de V, com o lábio superior pontudo, a ausência de cristas superciliares, a falta de um queixo sob o lábio inferior em forma de cunha, a boca sempre trêmula, os tentáculos de Górgona, o respirar difícil dos pulmões numa atmosfera diferente, os movimentos evidentemente lentos e pesados devido à maior energia gravitacional da Terra – e, acima de tudo, a extraordinária intensidade dos olhos imensos – eram, ao mesmo tempo, vitais, intensos, desumanos, desajustados e monstruosos. Havia algo fungoide na pele marrom acinzentada e oleosa, e algo na deliberação desajeitada dos movimentos monótonos era inominavelmente asqueroso. Mesmo nesse primeiro encontro, nesse primeiro vislumbre, fui acometido de repulsa e pavor.

O romance de Wells saiu, em forma de folhetim, na revista *Pearson's Magazine* em 1897, e foi publicado como livro em 1898. Como era típico na época, um romance serializado aparecia ao longo de vários números, cada parte terminando em algum tipo de gancho para induzir os leitores a comprar o próximo número. A história foi bem recebida pelos leitores que começavam a se preocupar com o *fin de siècle* (em francês, "fim de século", o

Figura 3.1. Estas ilustrações de Henrique Alvim Corrêa,* feitas para a edição de 1906 de *Guerra dos Mundos* de H. G. Wells, mostram as primeiras representações dos Alienígenas e de suas naves. Os marcianos tinham a aparência de polvos, enquanto suas máquinas de batalha tinham a fluidez de movimentos que seria natural em invertebrados. Os marcianos estavam limitados por estarem na gravidade terrestre, muito maior que a de Marte.

equivalente às preocupações com o Bug do Milênio, no fim do século XX). A ideia corrente era que a cultura, a sociedade e a civilização como um todo estavam em declínio e à espera de um renascimento revigorante.

Guerra dos Mundos é digno de nota não só por seu impacto na Grã-Bretanha de 1898, mas também por suas outras incursões na cultura popular. No Halloween de 1938, George Orson Welles,

---

* Henrique Alvim Corrêa, pintor e ilustrador, nasceu no Rio de Janeiro em 1876 e mudou-se para a Europa aos 16 anos. Depois de ler *Guerra dos Mundos*, entrou em contato com H. G. Wells e se ofereceu para ilustrar o livro. Impressionado com sua arte, Wells convidou-o para ilustrar a edição de luxo da obra, publicada em francês na Bélgica, em 1906. [N.T.]

então com 23 anos, era um diretor e produtor em ascensão. Também estava prestes a realizar o que bem pode ser a emissão radiofônica mais famosa de todos os tempos. Em uma época anterior à televisão, as famílias costumavam se reunir em volta do rádio e escutar notícias, música e entretenimento. Em *The Mercury Theater on the Air* [O Teatro Mercury no Ar], programa da estação CBS, Welles transmitiu a versão hoje célebre de *Guerra dos Mundos*. No início do programa, o narrador informa que a história se passava em 1939 (ou seja, um ano no futuro), mas nem todo mundo ouviu esta introdução. No mesmo horário ia ao ar um programa mais popular, de Edgar Bergen/Charlie McCarthy. Na década de 1930, surfar nas ondas do rádio era tão popular quanto zapear canais de televisão nos dias de hoje, e as pessoas costumavam interromper o programa de Bergen/McCarthy para saber o que estava acontecendo em outras estações. Assim, muita gente pegou no meio o que parecia ser um boletim de notícias, informando que os marcianos haviam pousado em Grover's Mill, no estado de Nova Jersey, e haviam iniciado um ataque. O secretário do Interior foi citado dizendo:

> Cidadãos da nação: não vou tentar ocultar a gravidade da situação que ameaça o país, e nem a preocupação do governo em proteger a vida e os bens da população. No entanto, desejo transmitir a vocês – a todos vocês, cidadãos comuns e funcionários públicos – a necessidade urgente de ações engenhosas e calmas. Felizmente, esse formidável inimigo ainda está confinado a uma área relativamente pequena, e podemos ter fé em que as forças militares o manterão lá. Nesse meio-tempo, colocando nossa fé em Deus, cada um de nós deve continuar a desempenhar seus deveres, para enfrentarmos esse adversário destruidor com uma nação unida, valorosa e consagrada

à preservação da supremacia humana neste planeta. Meu muito obrigado a todos.

Um pronunciamento assustador.

Welles bem que tentou evitar o possível pânico, pois concluiu assim a emissão:

> Aqui fala Orson Welles, senhoras e senhores, saindo da ficção para garantir-lhes que *Guerra dos Mundos* não é nada mais do que um presente de Halloween que lhes oferecemos: a versão radiofônica do Mercury Theater de sair disfarçado de fantasma com um lençol, assustando as pessoas que passam. Mesmo que começássemos agora, não conseguiríamos esfregar sabão nas janelas de todos vocês, ou de roubar todos os portões de seus quintais até a noite de amanhã,* e assim optamos pela melhor alternativa. Aniquilamos o mundo bem diante de todos vocês e destruímos completamente a CBS. Espero que fiquem aliviados ao saberem que não foi real, e que ambas as instituições continuam funcionando normalmente. Assim, até mais, e por favor lembrem-se, por um ou dois dias, da terrível lição que aprenderam esta noite: o ser sorridente, reluzente, globular que invadiu sua sala de estar é um habitante da plantação de abóboras, e se a campainha de sua casa tocar e não houver ninguém do lado de fora, não se trata de um marciano – é apenas Halloween.

O programa foi curto, apenas 60 minutos, mas o estilo de noticiário conferiu credibilidade à história. As pessoas acreditaram e houve episódios de pânico, embora hoje em dia se discuta qual

---

* Referência ao costume norte-americano de fazer travessuras na noite de Halloween ou Dia das Bruxas, 31 de outubro. [N. T.]

foi a real magnitude do alarme. Sabemos que pelo menos 1,2 milhão de pessoas acreditou que se tratava um fato real. Dessas, meio milhão teve certeza de que o perigo era iminente, entrando em pânico, sobrecarregando as linhas telefônicas da rádio e da polícia, com aglomerações nas ruas e congestionamentos causados por ouvintes apavorados tentando fugir do perigo. No mês seguinte, saíram cerca de 12 mil artigos de jornal sobre o impacto do programa. É possível que o país estivesse pronto para histórias de batalhas e destruição. Uma manchete da última edição do *New York Times* de 31 de outubro trazia o título de "Ouvintes de rádio em pânico, confundem um relato fictício de guerra com a realidade". Em contrapartida, um artigo a seu lado trazia o título "Judeus expulsos encontram refúgio na Polônia após ficarem retidos na fronteira". Hitler e os nazistas estavam entrando em ação. O *Anschluss*, que anexou a Áustria à Alemanha, ocorreu em março de 1938. No começo de outubro do mesmo ano, a região dos Sudetos, então parte da Tchecoslováquia ocupada em grande parte por alemães étnicos, havia sido ocupada pelos nazistas alemães, depois que os poderes ocidentais abandonaram o país à própria sorte. Os tambores de guerra soavam, e uma invasão maciça aos Estados Unidos não soava tão ridícula quanto parece hoje.

Guerra dos Mundos também foi transformada num filme, em 1953. Nele, os marcianos pousam no sul da Califórnia, com tecnologia tão evoluída que é capaz de resistir a uma explosão nuclear. A história é semelhante ao romance original, e os marcianos mais uma vez morrem devido a sua susceptibilidade fatal aos micróbios da Terra. Foi o filme de ficção científica de maior bilheteria daquele ano e ganhou três Oscars, incluindo o de efeitos especiais. A versão de 1953 apareceu logo após a febre de óvnis do fim dos anos 1940 e em meio a uma onda de popularidade de filmes com discos voadores, temas espaciais e Alienígenas. O filme forneceu material para inúmeros roteiros, inclusive a bem-sucedida versão de Steven Spielberg, de 2005.

Já em seu segundo século, *Guerra dos Mundos* mantém sua popularidade, não tanto pela forma como retrata os marcianos, mas principalmente por sua veia dramática e pelo modo como retrata a resposta dos seres humanos à adversidade. A história é atemporal, e obteve aprovação popular em épocas nas quais encontrou ressonância no público.

Barsoom

Guerra dos Mundos trouxe-nos os Alienígenas, mas pouco disse sobre eles. Na maior parte do livro, os invasores eram inimigos sem rosto, ocultos no interior de seus veículos enquanto devastavam o planeta. Os trípodes ambulantes, com suas poderosas armas de raios de calor, podem ser vistos como uma metáfora para os tanques Panzer e bombardeiros Stuka da Guerra Relâmpago nazista que viria mais tarde, ou das mais recentes missões de "choque e pavor", ou domínio rápido do exército dos Estados Unidos no Iraque. Inimigos mecanizados, sem rosto, que iam aonde quisessem, com impunidade quase total. Os trípodes poderiam muito bem ser substituídos por robôs.

Para termos uma visão diferente dos marcianos, precisamos voltar nossa atenção para outro autor, Edgar Rice Burroughs. Nascido em Chicago, serviu no Exército dos Estados Unidos, no Arizona. Depois de dar baixa por motivos médicos, passou alguns anos sem rumo, fazendo trabalhos não qualificados. Em 1911, trabalhou como vendedor de apontadores de lápis. Sua primeira história, Under the Moons of Mars [Sob as Luas de Marte], foi lançada em capítulos numa revista pulp mensal chamada The All-Story. Foi rebatizada como Uma Princesa de Marte ao sair em forma de livro, anos depois. Na época em que sua história sobre Marte foi lançada, Burroughs também escreveu o primeiro romance da série Tarzan, publicado na mesma revista. Ele terminou escrevendo cerca de 70 livros e foi pioneiro da ideia de expor suas histórias em muitas mídias, de livros a seriados, quadrinhos e filmes. O público nunca se cansou de Tarzan, e a história é popular até hoje.

No entanto, foi em Uma Princesa de Marte que ele abordou a vida em nosso planeta irmão. Ele publicou 11 livros da série Barsoom, e seu filho escreveu outros, dando continuidade à obra. Não era a intenção de Burroughs que esses livros passassem por relatos autênticos, mas ele os escreveu como se fossem histórias verídicas. O herói, John Carter, é apresentado como um amigo da família de Burroughs, que teria entregado os manuscritos a ele com a instrução de não publicá-los por 21 anos.

A história era mais ou menos assim: John Carter, um capitão que lutou pelos Confederados na Guerra Civil Americana, era um homenzarrão de 1,87 metro, e o clássico herói icônico. No livro, ele diz que não tem recordações de sua infância e que sempre teve 30 anos de idade. As pessoas à sua volta envelhecem, mas ele não.

Carter deu baixa do Exército Confederado e, juntando-se a um colega do Exército, foi garimpar ouro na parte do país que mais tarde seria o estado do Arizona. Depois de enriquecer, ele e seus companheiros são atacados por índios apaches, e seu amigo é morto. Carter se esconde numa caverna, onde fica envolto por vapores e aparentemente morre. É aí que começa a diversão.

Carter acorda em Barsoom, que é o termo nativo para o planeta vermelho. O Barsoom de Burroughs parecerá familiar àqueles que se recordam do planeta Marte de Percival Lowell. Um milhão de anos atrás, Barsoom era um paraíso luxuriante, coberto de oceanos. De lá para cá, porém, a água evaporou e se perdeu no espaço. Barsoom se tornou um planeta moribundo, árido. Os habitantes trabalharam arduamente, construindo canais para trazer água das calotas polares para as regiões equatoriais, numa tentativa desesperada de sobreviver.

Os habitantes de Barsoom não só eram humanoides, mas pareciam-se muito com *Homo sapiens*, exceto por serem ovíparos. Tinham umbigo (apesar de porem ovos), e as mulheres marcianas tinham seios, garantindo capas chamativas, típicas das revistas *pulp* seriadas da época. Viviam ao menos mil anos, talvez até mais. A cultura local exigia que, quando chegassem a essa idade, os marcianos descessem o curso do rio Iss. A viagem em teoria os levaria ao Paraíso, embora, como veremos, a jornada fosse bem menos agradável do que isso.

Os marcianos variavam em cor e temperamento. Eram vermelhos, verdes, amarelos, brancos e pretos, e seus sistemas políticos em geral eram teocracias ou dinastias. Os marcianos vermelhos dominavam Barsoom, mas isto não significava haver um governo único, global. Ao contrário, estavam organizados em várias cidades-estado que competiam entre si, com a cidade de Hélio sendo particularmente importante no primeiro livro. Os marcianos vermelhos eram altamente civilizados, com um rígido código de honra. Respeitavam a propriedade privada, formavam famílias e forjavam fortes alianças. Sua tecnologia era avançada (em especial quando comparada à da Terra) e incluía máquinas voadoras, tanto civis quanto militares, e portavam armamento pesado. Os cientistas barsomianos haviam dominado a engenharia genética, técnicas médicas de transplante, o fax e a televisão, e haviam incorporado o elemento rádio à sua munição de longa distância. O rádio foi descoberto em 1898 e extraído em forma metálica pela primeira vez em 1910, e assim isso era tecnologia de ponta à época.

Os marcianos vermelhos eram criados como uma espécie resistente, para terem mais chance de sobreviver às condições cada vez mais áridas de Barsoom. Eram uma mistura dos marcianos amarelos, brancos e pretos, entre os quais quase todos haviam morrido. Embora dominassem uma tecnologia avançada, eles preferiam o combate corpo a corpo, com espadas e armas similares, o que torna a descrição das batalhas emocionante e vívida.

Os marcianos verdes podiam ser visualizados como bárbaros. Os de sexo masculino tinham 4,5 metros de altura e os de sexo feminino 3,6 metros, e pareciam ser o resultado de experiências genéticas malsucedidas. Eram nômades e guerreiros. Um inimigo capturado por eles era torturado, não raro até a morte. Para subir na estrutura social, era sempre preciso lutar, e só era possível tornar-se líder das várias tribos guerreiras vencendo um combate mortal. Não havia estrutura familiar entre os marcianos verdes, e havia lealdade somente para com a própria tribo.

Os marcianos amarelos viviam em poucas cidades, pequenas e cobertas por domos, próximas ao Polo Norte. Eram extremamente cruéis e usavam um raio trator para puxar veículos aéreos, cujas tripulações eram escravizadas. Aparecem pouco na série.

Os marcianos brancos foram no passado a espécie dominante em Barsoom. Acreditava-se que estivessem extintos, mas várias populações isoladas são reveladas no decorrer dos 11 livros da série. Uma dessas populações eram os lotarianos, que haviam se tornado intelectuais reclusos; viviam isolados de todos os outros marcianos e passavam seu tempo debatendo filosofia. Outro grupo, os thern, vivia no Vale Dor, na porção final do rio Iss. Na verdade, o vale era habitado por criaturas ferozes, controladas pelos thern. Essas criaturas costumavam matar os barsoomianos em sua viagem para o paraíso, devorando-os.

Os marcianos negros habitavam uma fortaleza oculta próxima ao Polo Sul. Se autodenominavam "Os Primogênitos" e consideravam-se únicos entre os marcianos. Às vezes atacavam os thern, mas raramente aparecem na série.

A trama das histórias de Barsoom não é muito complexa. Um herói masculino, nobre e corajoso, é forçado a viajar para um lugar distante a fim de resgatar a mulher que ama, capturada por um homem poderoso que a deseja tanto sexualmente quanto como meio de obter vantagens políticas. Ao longo do trajeto, o herói vive muitas aventuras: batalhas, capturas, fugas; a ação é a regra, e a sutileza, rara.

As histórias de Barsoom contêm muitos temas que devem ter atraído os leitores do início do século XX. Um herói norte-americano/europeu civilizado entra num mundo bárbaro, o que poderia facilmente remeter às histórias de Kipling sobre a Ásia, ou a contos de conquista da África ou do Oeste norte-americano. Em 1912, a era das fronteiras estava acabando, e os norte-americanos começavam a romantizar sua história. O termo *"spaghetti western"* só surgiria mais de meio século depois, mas os leitores de Burroughs teriam apreciado os filmes de Clint Eastwood, com um protagonista que tem defeitos, mas é valoroso e nobre, um vilão claramente malvado e uma heroína corajosa, porém vulnerável. Um mundo sem lei, habitado por homens duros, e um herói que precisa viver de acordo com as regras locais para sobreviver – o Pistoleiro sem Nome ou John Carter de Marte, a história é familiar.

Outro tema dominante nas histórias de Barsoom é a questão das raças, à qual os leitores norte-americanos do início do século XX deviam ser bem receptivos. Haviam se passado apenas cinquenta anos desde a Guerra Civil, e não deve ter sido difícil, para a maioria dos leitores, aceitar o conceito de raças superiores e raças bárbaras. A era do colonialismo europeu estava terminando e passou por uma mudança dramática no rastro da Primeira Guerra, que começaria apenas dois anos depois da publicação de *Under the Moons of Mars*. A série Barsoom foi publicada até 1943; é natural que os norte-americanos, imersos em suas próprias dificuldades raciais, se identificassem com uma série que dava destaque a marcianos de cores diferentes, cada qual com sua própria identidade racial característica.

A série Barsoom teve um impacto indireto sobre a visão que o público tinha dos Alienígenas. Ela nunca foi tão divulgada quanto a obra de Wells, mas teve uma influência tremenda sobre os autores posteriores de ficção científica. Ray Bradbury, Isaac Asimov e vários outros escritores famosos do gênero cresceram lendo as histórias sobre Barsoom. James Cameron afirmou, em entrevistas, que seu filme *Avatar*, de grande sucesso, foi inspirado nas histórias de Burroughs sobre o planeta vermelho. No início da década de 1940, a popularidade das tiras de Tarzan levou a uma onda de quadrinhos baseados em Barsoom, publicadas nos jornais de domingo.

E, claro, o lançamento em 2012 da produção milionária da Disney *John Carter: Entre dois Mundos* apresentou Barsoom a toda uma nova geração. A bilheteria do filme foi uma decepção para os produtores, mas é possível que ele faça crescer o impacto de Burroughs sobre o público.

As revistas *pulp**

A ficção científica passou por várias fases até atingir seu pleno desenvolvimento durante o século XX. Do final da década de 1920 ao final da década de 1940, a forma mais comum de publicação de ficção científica eram as revistas. Como vimos, o primeiro romance de Edgar Rice Burroughs saiu em forma seriada. Mas a revista na qual foi publicado não era de ficção científica. A primeira revista dedicada à ficção científica, Amazing Stories, surgiu em abril de 1926, tendo como editor Hugo Gernsback. A contribuição de Gernsback à ficção científica foi reconhecida quando o prestigioso prêmio Hugo, estabelecido em 1953, foi batizado em sua homenagem.

Amazing Stories foi publicada, com algumas interrupções, por cerca de oitenta anos. Logo após seu surgimento, chegou a ter um público de 100 mil leitores, mas em 1938 este havia caído para 15 mil. No decorrer das décadas, a revista teve vários editores, editoras e visões editoriais. Embora seja hoje reconhecida como a primeira revista de ficção científica (antes mesmo que este termo fosse criado), Amazing Stories logo perdeu a liderança do gênero.

---

* Pulp, em inglês, "polpa". Revistas de papel barato, feito de polpa de celulose, voltadas em geral para literatura popular de gênero, como aventura, mistério, horror e ficção científica. [N.T.]

Se *Amazing Stories* foi a vanguarda na revolução da ficção científica, a revista mais importante foi *Astounding Stories of Super Science*, que entrou em circulação em 1929 e é publicada até hoje. Seu título mudou várias vezes ao longo do percurso e atualmente é *Analog: Science Fiction and Fact*; os fãs a chamam apenas de *Analog*. A fase inicial de John Campbell como editor, no final de 1937, é considerada o início da era de ouro da ficção científica, período que durou até meados dos anos 1950, quando a personalidade irascível de Campbell afastou muitos dos melhores escritores, que passaram a publicar em outras revistas. Além disso, como veremos, o ambiente da ficção científica mudou no início da década de 1950.

Seja como for, *Analog* apresentou a seus leitores autores iniciantes que viriam a ser alguns dos mais famosos escritores de ficção científica, como L. Ron Hubbard (futuro criador da estranha religião da Cientologia), Clifford Simak, L. Sprague de Camp e Henry Kuttner (um dos meus favoritos) e sua esposa, C. L. Moore. Outros autores que surgiram em suas páginas e se tornaram importantes foram Lester del Rey, Theodore Sturgeon, Isaac Asimov, A. E. van Vogt e Robert A. Heinlein.

As *pulps* não eram bem-vistas pelos pais dos muitos adolescentes que constituíam seu público leitor. Conhecidas por suas capas sensacionalistas, com frequência ostentando mulheres com biquínis metálicos em perigo iminente de serem devoradas por um monstro ou algum tipo de Alienígena estranho, os *pulps* levaram mais de um pai ou mãe a fazer comentários negativos sobre a qualidade da literatura contida nessas publicações. Algumas *pulps* tentaram outros tipos de capas, às vezes até mais sérias, mas as edições em que isso ocorria inevitavelmente vendiam bem menos do que aquelas com uma abundância de pele exposta. Naquela época, como hoje, o sexo vendia, e sexo com perigo vendia ainda mais.

Amazing Stories e *Analog* não foram as únicas revistas do gênero. Ao longo dos anos (e sobretudo nos anos 1930 e 1940), mais de cem revistas diferentes de ficção científica foram publicadas, e isso sem incluir suas primas, as *pulps* de horror.

No entanto, embora as *pulps* fossem muito populares entre os fãs da ficção científica, não eram consideradas literatura séria, e seu impacto direto sobre o público geral foi pequeno. Gente séria fazia coisas sérias, e não gastava seu tempo lendo bobagens sensacionalistas, mas muitos cientistas iniciantes com certeza curtiram as *pulps* quando jovens.

Flash Gordon e Buck Rogers

Para ter maior impacto sobre o público, os escritores de ficção científica precisavam explorar outras mídias. As principais, no período de 1920 a 1940, eram os jornais, o rádio e os cinejornais. Entre as primeiras incursões da ficção científica nesses meios estavam Buck Rogers e Flash Gordon.

Buck Rogers surgiu na novela *Armageddon 2419 A.D.*, publicada na edição de agosto de 1928 de *Amazing Stories*. A história foi transformada numa tira de jornal em janeiro de 1929 com o nome de *Buck Rogers no século XXV*, por coincidência no mesmo mês em que Tarzan começou a sair como tira nos jornais. A trama original de Buck Rogers passava-se na Terra, em um cenário de guerra pós-apocalíptica, mas com o tempo as histórias se diversificaram. Nos anos 1930, foram feitos alguns curtas-metragens, incluindo um para a Feira Mundial de 1933-1934, *Buck Rogers in the 25th Century: An Interplanetary Battle with the Tiger Men of Mars* [Buck Rogers no século XXV: uma batalha interplanetária com os homens-tigre de Marte]. A transformação em seriado viria em seguida.

Se Buck Rogers foi o pioneiro do gênero, Flash Gordon abriu o caminho para o mundo dos Alienígenas. Flash Gordon foi apresentado ao público como o herói de uma tira em quadrinhos que começou em janeiro de 1934. Foi inspirado na bem-sucedida tira anterior de Buck Rogers, com o intuito de competir diretamente com ela. Quando a Terra é bombardeada por meteoros, Flash Gordon e seus companheiros Dale Arden e o Doutor Hans Zarkov vão investigar. Zarkov inventa um foguete que lhes permite ir ao espaço para determinar a origem dos meteoros. Originalmente, Zarkov sequestrou Flash e Dale, mas Flash logo assumiu a liderança.

Os meteoros estão vindo do planeta Mongo, governado por um déspota cruel, o imperador Ming, o Impiedoso. O tirano, embora Alienígena, é um ser humano com roupas exuberantes e feições persas (iranianas), pele morena e um cavanhaque bem cuidado. Fãs de *Jornada nas Estrelas* reconheceriam na aparência dele os klingons da série clássica. Ming é o inimigo mais famoso de Flash Gordon, mas há vários outros, que Flash e seus dois companheiros enfrentam durante os anos em que viajam por Mongo: os homens-tubarão, os homens-falcão e os homens-leão.

Flash Gordon também virou série de rádio, em abril de 1935, como *The Amazing Planetary Adventures of Flash Gordon* [As incríveis aventuras planetárias de Flash Gordon], uma adaptação da tira em quadrinhos. Três seriados para o cinema foram feitos, estrelando Buster Crabbe: *Flash Gordon* (1936), *Flash Gordon's Trip to Mars* (*Flash*

Gordon no Planeta Marte, 1938) e Flash Gordon Conquers the Universe (Flash Gordon Conquistando o Universo, 1940).

Na década de 1930, e mesmo depois, os seriados de cinema eram curtas-metragens com cerca de 10 minutos de duração, que contavam um trecho da história e terminavam com um gancho; na semana seguinte o próximo capítulo continuava a história. Os espectadores iam ao cinema e assistiam alguns desses curtas-metragens, inclusive noticiários, seguidos do filme principal, ou às vezes dois filmes; normalmente, o primeiro filme era uma produção barata, os icônicos filmes B, com temáticas de horror, aventura e, é claro, ficção científica. Num mundo em que a televisão não existia, as pessoas divertiam-se indo ao cinema. Mesmo que não estivessem interessadas em Buck Rogers ou Flash Gordon, viam os seriados. Através de tiras de jornal, seriados de cinema e programas de rádio, a ficção científica estava sendo apresentada ao público.

Os anos 1930 foram uma época sombria para o planeta. A quebra da Bolsa de Valores de Nova York em 1929 marcou o início da Grande Depressão. A esta se seguiu uma década de guerra. Os tempos eram duros, e os filmes serviam de fuga. A ficção científica era puro escapismo, aventuras sem qualquer conexão direta com o mundo real.

Os Alienígenas e a Cortina de Ferro

Durante a Segunda Guerra Mundial, nos países aliados, as pessoas estavam mais preocupadas em derrotar os alemães e os japoneses do que com o espaço exterior. No entanto, para algumas, as prioridades continuaram sendo as mesmas, como no caso de Arthur C. Clarke, então instrutor de radar e mais tarde um dos principais autores de ficção científica, que lamentou a interrupção no envio de sua querida *Analog* (na época *Astounding Stories*) dos Estados Unidos para a Grã-Bretanha: "Devido à guerra, o envio regular de *Astounding Stories* foi interrompido pelas autoridades britânicas, que tolamente imaginaram que havia usos melhores para o espaço de transporte".

No entanto, no final da Segunda Guerra Mundial, os *foo fighters* surgiram nos noticiários. Dadas as centenas de matérias jornalísticas sobre discos voadores no fim da década de 1940, era natural que Alienígenas criativos começassem a surgir aos olhos do público. A ficção científica em breve se aproximaria muito mais do *mainstream*.

O fim dos anos 1940 e a década de 1950 foram uma época de economia forte, mas também de muita insegurança. Em março de 1946, Winston Churchill fez seu discurso sobre a "Cortina de Ferro": "De Estetino, no Báltico, a Trieste, no Adriático, uma 'cortina de ferro' caiu sobre o continente [...] no que devo chamar de esfera soviética, e todos estão sujeitos, de uma forma ou de outra, não só à influência soviética mas a uma medida de controle muito alta, e em alguns casos progressiva, por parte de Moscou". A era do Perigo Vermelho havia começado. Tomemos um momento para refletir sobre o mundo em que viviam as pessoas dos anos 1950.

A Alemanha nazista e o império japonês haviam sido derrotados, mas a humanidade vivia agora em uma era nuclear, na qual uma única bomba podia incinerar uma cidade inteira. Em 1952, os Estados Unidos detonaram a primeira bomba de fusão, gerando cerca de 500 vezes mais energia que as bombas que destruíram Hiroshima e Nagasaki. A União Soviética detonou sua primeira bomba de fissão em 1949, seguida de uma bomba de fusão em 1953. Os dois maiores blocos políticos do planeta haviam liberado o poder contido no núcleo do átomo e podiam matar um milhão de pessoas num piscar de olhos. Esses dois poderes eram aliados ou inimigos?

Bem, não é totalmente justo chamar de inimigos os soviéticos e os norte-americanos, mas com certeza eram rivais, e antagonistas em potencial. Pontos de vista políticos e econômicos diametralmente opostos (e mais do que um leve interesse próprio) guiavam seu pensamento, e a propaganda de cada lado pintava o outro como um inimigo perverso, só esperando o momento de invadir e destruir as pessoas que haviam escolhido seguir o estilo "certo" de vida. O ano de 1948 viu o advento do Bloqueio de Berlim, e 1950 a Guerra da Coreia. Ainda em 1950, um obscuro senador de Wisconsin, Joseph McCarthy, fez esse aviso bombástico num discurso: "Embora eu não tenha tempo para dar os nomes de todos os integrantes do Departamento de Estado que foram citados como membros do Partido Comunista e membros de um círculo de espiões, tenho em mãos uma lista com 205 deles". Durante muitos anos seguintes, a política norte-americana foi dominada por uma espécie de caça às bruxas. Pessoas foram acusadas de serem simpatizantes do comunismo, tiveram suas vidas arruinadas, e a Ameaça Vermelha era vista em todo canto.

Filmes clássicos de Alienígenas dos anos 1950

Assim, inimigos infiltrados e ameaçadores poderiam estar em qualquer lugar. Uma guerra atômica poderia vaporizar milhões de seres humanos em apenas alguns minutos e a febre dos discos voadores era uma lembrança recente. Tais questões estavam no subconsciente do público que vivenciava o mundo da ficção científica dos anos 1950.

E que mundo! A década trouxe dúzias e mais dúzias de filmes de Alienígenas. Muitos filmes B com discos voadores e invasões extraterrestres surgiram nessa época e foram há muito esquecidos. Alguns são icônicos, e continuam a ser lembrados. Vamos falar sobre alguns deles, na ordem em que foram lançados.

O Dia em que a Terra Parou

Um dos primeiros filmes de Alienígenas dos anos 1950 foi O Dia em que a Terra Parou (The Day the Earth Stood Still, 1951), um alerta contra os perigos da guerra nuclear. O filme começa com um ponto no radar que indica um objeto orbitando a Terra a grande altura e à velocidade de 6.400 quilômetros por hora. A sequência de abertura mostra o mundo inteiro tomando conhecimento quase instantâneo do objeto desconhecido, com cenas de locutores de rádio na Índia, Grã-Bretanha, Estados Unidos e outros países relatando o fato. O locutor norte-americano diz: "Este não é outro boato sobre discos voadores. Os cientistas e os militares concordam que, seja o que for, é real". Devemos lembrar que fazia menos de uma década que existiam os radares, usados para fins militares na Segunda Guerra Mundial, e que, além disso, a febre dos discos voadores de 1947 era recente. A inclusão do radar na trama deu um toque de modernidade e de alta tecnologia ao filme.

O ponto no radar se aproxima de Washington, D.C. e revela ser um clássico disco voador, com o fundo chato e a parte superior curvada, como um sino achatado. O disco é da cor de alumínio escovado, e pousa diretamente no President's Park em um gramado próximo ao Monumento a Washington.

Em uma demonstração nada realista de eficiência e organização governamentais, o disco é cercado com uma velocidade incrível por tanques, canhões antiaéreos e tropas, criando-se o cenário do primeiro drama. Duas horas depois do pouso, o disco se abre e uma figura humanoide sai, vestindo um macacão inteiriço. Um soldado nervoso puxa o gatilho e um disparo atinge o Alienígena no ombro.

Enquanto o Alienígena jaz ferido no chão, surge outro vulto na porta do disco, um impressionante robô prateado de 2,5 metros de altura, chamado Gort. O robô tem um visor, que se abre e pelo qual pode ser disparado algo semelhante a um raio laser. Gort dispara seu raio contra rifles, um canhão antiaéreo e um tanque, desintegrando-os.

A essa altura o Alienígena, que se apresenta como Klaatu, recebeu ajuda para se levantar. Ele impede Gort de causar mais estragos, e o robô parece desligar e passar para um modo sentinela. Enquanto Klaatu é levado para um hospital, a porta do disco se fecha, isolando o interior dos olhos humanos.

No hospital, o Alienígena conversa com um representante do presidente dos Estados Unidos, e lhe diz que precisa falar com todos os líderes do planeta, mas o representante responde que isso é muito difícil de conseguir. Quando Klaatu insiste que a mensagem é importante demais para ser dada a apenas um grupo, o representante responde que "nosso mundo está repleto de tensão e desconfiança". A verdadeira Guerra Fria está refletida neste filme.

Klaatu então foge do hospital, roubando um terno que lhe permite misturar-se à população. Aluga um quarto numa pensão, tornando-se amigo de uma mulher que perdeu o marido na Segunda Guerra Mundial, e de seu filhinho. No decorrer dos dias seguintes Klaatu descobre que o homem mais inteligente vivo é um professor de física e consegue marcar um encontro com ele. Durante a reunião, Klaatu revela sua identidade e de novo pede ajuda para organizar um encontro com os líderes mundiais, mas o professor acha que não pode ajudá-lo, observando que os cientistas são frequentemente ignorados pelos governos. Klaatu lhe diz que, se não conseguir falar com seus governantes, "a Terra corre o risco de ser eliminada". Fica decidido que o Alienígena preparará alguma demonstração não letal de seu poder. A solução de Klaatu é desligar a energia elétrica de todo o planeta durante meia hora, exceto por coisas como hospitais e aviões em voo.

O encontro com os cientistas é organizado mas, no caminho, Klaatu é ferido mortalmente por um tiro. Antes de morrer, ele transmite à mulher de quem se tornou amigo as palavras que ela deve dizer ao robô Gort. Quando ela chega ao disco, Gort já havia despertado e matado os dois soldados que o vigiavam. O robô investe contra a mulher, e ela pronuncia uma das frases mais famosas da ficção científica, "Klaatu barada niktu". A frase nunca é traduzida, mas parece ser uma "frase de segurança". A reação de Gort é levar a mulher para o interior do disco. Em seguida ele resgata o corpo de Klaatu e o traz de volta à vida. Klaatu informa à mulher que essa ressurreição é temporária, já que o poder da vida está reservado a "um Espírito maior".

O filme chega a sua dramática conclusão, com Klaatu saindo do disco com a mulher e escoltado por Gort, e dirigindo-se à multidão reunida (Figura 3.2). Ele comunica a todos que os assuntos internos da Terra são problema dos terráqueos, mas que, se levarem a guerra ao espaço sideral, então a comunidade de mundos alienígenas agirá. Tal comunidade construiu os robôs como policiais do

Figura 3.2. Na cena final do filme *O Dia em que a Terra Parou*, Klaatu e o robô Gort, de pé sobre seu disco voador, alertam a humanidade sobre o perigo de levar seus conflitos para o espaço exterior. 20th Century Fox.

Cosmos e esse poder não pode ser revogado. As espécies civilizadas que viajam pelo espaço abandonaram as armas e a guerra, por saberem que a reação dos robôs seria imediata e terrível. Klaatu termina o filme dizendo, "Vim aqui para transmitir-lhes esses fatos. Não é da nossa conta como vocês dirigem seu planeta. Mas se ameaçarem estender sua violência, este planeta de vocês será reduzido a cinzas. Sua escolha é simples. Juntem-se a nós e vivam em paz, ou continuem em seu caminho atual e enfrentem a destruição total. Estaremos esperando sua resposta. A decisão cabe a vocês".

A história aqui é simples e clara. Nos anos 1950, a humanidade estava à beira da aniquilação iminente. Tanto a União Soviética quanto os Estados Unidos tinham armas nucleares de fissão e competiam pelo domínio global. A incineração da civilização era uma preocupação urgente e real na época. A guerra mundial mais terrível de todos os tempos, na qual dezenas de milhões de pessoas haviam morrido, terminara fazia pouco tempo. O sombrio espectro do comunismo era um perigo real, e as lembranças dramáticas da guerra muito recentes. Não é de surpreender que o filme refletisse essas preocupações. É interessante também notar que a preocupação com a infiltração comunista não era um tema central, exceto na cena em que uma mulher idosa aludia à ideia de que o disco voador era uma criação dos soviéticos. O impacto total do macarthismo era uma preocupação futura. Houve um *remake* desse filme em 2008, com Keanu Reeves no papel do Alienígena.

O Monstro do Ártico

O filme O Monstro do Ártico (*The Thing from Another World*, 1951) pegou alguns tipos de personagens icônicos de filmes anteriores de monstros e os trouxe para a ficção científica. Esses tipos, que se tornaram icônicos, incluem o militar cabeça-dura e desconfiado, o cientista ingênuo e arrogante, o repórter obcecado por conseguir uma história e um grupo isolado, sem esperança de ajuda externa. O filme tem um ritmo bem mais rápido que outros da época, com uma intensidade que não fica nada a dever a um filme atual. Parte *Frankenstein* e parte *Alien – O Oitavo Passageiro*, foi baseado na novela de 1938 de John W. Campbell, "Who Goes There?". Uma das principais diferenças entre o filme e a obra original é que na novela o Alienígena pode mudar de forma.

A história começa com a tripulação de um voo da Força Aérea dos Estados Unidos investigando o relato da queda de um avião próximo ao Polo Norte. Acompanhados de um repórter para o caso de haver uma história interessante, eles partem para a remota estação de pesquisa Polar Expedition Six, onde se encontra um brilhante cientista ganhador do Prêmio Nobel. Fica estabelecido que o objeto que caiu era metálico, grande demais para ser um avião e suas manobras artificiais demais para ser apenas um meteoro.

Quando os homens da Força Aérea e alguns dos cientistas chegam ao local do impacto, encontram uma grande área onde o gelo polar havia derretido e congelado de novo (Figura 3.3). Uma única aleta, feita de uma liga metálica desconhecida, projeta-se para fora do gelo. Os tripulantes e os cientistas se espalham ao redor do perímetro do objeto e percebem que estão formando um círculo. Um dos aviadores exclama, "Caramba, nós encontramos! Encontramos um disco voador!". É preciso lembrar que esse filme foi lançado apenas quatro anos depois da febre dos discos voadores.

O capitão decide derreter o gelo usando termite. Em um momento de exagero hollywoodiano, os aviadores afirmam que uma única bomba de termite seria capaz de derreter toneladas de gelo em 30 segundos. Para horror deles, a termite incendeia a fuselagem do disco voador, e o destrói totalmente. (Na novela, ao contrário do filme, isso é explicado pelo fato de o disco ser feito de magnésio.)

A destruição do disco parece um desastre, mas os cliques de um contador Geiger guiam os protagonistas até um corpo de 2,5 metros congelado no gelo. Com uma tempestade a caminho, os aviadores cortam um bloco de gelo contendo o corpo, colocam-no a bordo do avião e voltam à base. Os cineastas aproveitam a sequência do voo de retorno para fazer uma homenagem à recente febre dos discos e à famosa resposta da Força Aérea, conhecida como Boletim 629-49. Um tripulante lê "do Departamento de Informação Pública, 27 de dezembro de 1949, Boletim 629-49, referente ao item 6700, excerto 75, 131: a Força Aérea abandonou a investigação e avaliação de relatos de avistamentos de discos

Figura 3.3. Nestas duas imagens de *O Monstro do Ártico*, a espaçonave alienígena derreteu o gelo e depois ficou congelada. Na foto da esquerda vemos a aleta da nave, e na foto da direita os homens espalhados ao redor do perímetro dela, revelando seu formato circular. Winchester Pictures Corporation.

voadores com base na falta de provas de sua existência. A Força Aérea informou que todos os indícios indicam que os relatos de objetos voadores não identificados são resultado de: um, interpretações errôneas de vários objetos convencionais; dois, uma forma branda de histeria coletiva; três, trotes". Embora o texto do filme não seja uma citação ao pé da letra do verdadeiro boletim, é parecido no teor.

Quando retornam à base polar, instala-se a tensão entre o chefe dos cientistas e o capitão. O cientista insiste em derreter o gelo para chegar até a criatura, enquanto o capitão, cauteloso depois da destruição da nave, quer manter o Alienígena congelado até receber ordens de seus superiores. Como o capitão tem tropas e armas, a visão militar prevalece. O bloco de gelo é colocado em um depósito e as janelas são quebradas para garantir um ambiente gelado. Os sentinelas que vigiam a criatura recebem um cobertor elétrico para ficarem mais confortáveis, mas ficam nervosos com os olhos da criatura, e um dos guardas os cobre com o cobertor, sem pensar nas consequências da equação cobertor aquecido e gelo. A tensão dramática cresce, à medida que vemos pingar a água do gelo que está derretendo.

Pelo visto, o congelamento não afeta alguns Alienígenas, pois, quando o bloco derrete o bastante, a criatura desperta e investe contra o guarda, que entra em pânico, atira nela várias vezes e foge. As balas parecem não surtir efeito e, quando o guarda retorna com mais homens, a criatura desapareceu. Os homens ouvem ruídos vindos do lado de fora, e veem algo lutando com os cães dos trenós. Em uma chuva de golpes, o Alienígena arremessa os corpos dos cães em todas as direções e foge. Quando os homens inspecionam a carnificina, descobrem que dois cães estão mortos e que outro sumiu, mas encontram o braço da criatura e uma de suas mãos com grandes garras.

A cena seguinte começa com a equipe científica inspecionando a mão da criatura. Eles verificam que não se trata de um animal, mas de um vegetal, e chegam até a encontrar vagens com sementes em seu braço. O repórter tem dificuldade em acreditar que o ser é vegetal e comenta que "parece até que vocês estão falando de uma supercenoura". O cientista-chefe da estação retruca, "esta cenoura, como você a chama, construiu uma nave capaz de viajar milhões de quilômetros, impulsionada por uma força desconhecida para nós".

Nesse meio-tempo, o cientista-chefe pegou, sem que ninguém percebesse, as vagens e as "regou" com plasma humano. Uma planta começa a crescer. Os cientistas discutem entre si se essa seria uma boa ideia, mas o chefe os instrui a não contar nada aos militares. Ele insiste que eles devem fazer contato com a criatura, em vez de tentar matá-la. Em um momento dramático, uma transmissão de rádio de um brigadeiro proíbe que ela seja destruída.

O capitão não concorda com essas ordens, e discute com seus homens como matar a criatura. Enquanto os homens debatem formas de matar um vegetal, uma personagem feminina sugere cozinhar, assar no forno, guisar ou fritar. (Afinal, estamos falando dos anos 1950, e não se esperava que os homens soubessem cozinhar.) Essa sugestão os convence de que o melhor método é o fogo. Eles juntam um pouco de querosene mas, nesse instante, o contador Geiger começa a emitir cliques. A criatura está voltando, em busca de sangue. Ela arromba uma porta e é vista em silhueta, lembrando o clássico monstro de Frankenstein. Os aviadores jogam querosene nela e ateiam fogo. A criatura escapa, pulando pela janela, e apaga as chamas na neve.

Já que o fogo parece ter um efeito muito limitado, os aviadores decidem que eletrocussão pode ser uma técnica mais eficiente. Enquanto começam a colocar em ação o plano, a criatura demonstra ser inteligente, cortando o suprimento de combustível para os aquecedores. Cientes de que os geradores seriam o próximo alvo, os humanos decidem preparar a armadilha elétrica perto deles.

Quando o Alienígena volta a atacar, é reduzido a uma massa calcinada por uma descarga elétrica. Os aviadores em seguida queimam todas as notas do cientista e as sementes que estão no laboratório. Não fica nenhuma evidência de que a criatura sequer tenha existido.

O tempo começa a melhorar, permitindo o restabelecimento das comunicações por rádio. Depois de passar todo o filme reclamando que não pode enviar sua história, o repórter por fim recebe o microfone para contar seu relato. O filme conclui com esse relato, em que ele diz: "E, antes de fornecer os detalhes da batalha, dou-lhes um aviso. Todos vocês que estão ouvindo minha voz, digam isto a todo mundo, onde estiverem. Vigiem os céus. Em qualquer lugar, continuem a olhar. Continuem a vigiar os céus". Afinal, onde há um disco voador, pode haver vários.

O filme O Monstro do Ártico explora vários fenômenos. A febre dos discos voadores de 1947 era recente, assim como as explosões atômicas no final da Segunda Guerra Mundial e o posterior desenvolvimento de uma arma soviética. Pensava-se que a energia atômica seria o futuro, mas o poder e os perigos das armas atômicas eram bem conhecidos. Não é de surpreender que os cineastas invocassem a radioatividade como uma forma de identificar o Alienígena. Além do mais, o Alienígena chega em um disco voador. Como os filmes da série *Alien*, bem posteriores, a criatura do espaço exterior é poderosa, invencível e totalmente alienígena. A humanidade tem poucas chances numa batalha corpo a corpo, fazendo com que os seres humanos sejam presas fáceis. É uma variante extraterrestre da clássica história de monstro. Houve duas outras versões do filme, uma de 1982, hoje também clássica, dirigida por John Carpenter, que traz o alienígena transmorfo da história original, e outra em 2011, dirigida por Matthijs van Heijningen.

Marte – O Planeta Vermelho

Marte – O Planeta Vermelho (*Red Planet Mars*, 1952) é talvez o filme sobre Alienígenas que mais abertamente envolve o comunismo. O próprio título tem um duplo sentido, referindo-se tanto ao planeta em si quanto à Ameaça Vermelha soviética, já que *red* também pode aludir ao comunismo. Um cientista nazista inventa uma "válvula de hidrogênio" que torna possível aumentar o desempenho de um rádio o suficiente para contatar Marte, mas é aprisionado pelos soviéticos antes de conseguir construir o artefato. Um cientista norte-americano encontra os projetos nos arquivos de Nuremberg e constrói o rádio, decidido a comunicar-se com os marcianos. Ele está convencido de que existe vida inteligente em Marte, porque um astrônomo observou canais no planeta, além de uma enorme calota polar. Uma segunda observação de Marte pouco tempo depois revela que a calota derreteu e os canais estão cheios de água. Aqui podemos constatar a influência de Percival Lowell meio século depois (Figura 3.4).

O cientista norte-americano tem dificuldade para se comunicar com os Alienígenas, até que seu filho sugere que ele utilize o valor de pi. O cientista emite 3,1415, e quando os marcianos emitem 3,1415926 de volta, o cientista fica convencido da possibilidade de comunicação. Os marcianos contam ao cientista que podem viver até 300 anos, são capazes de alimentar mil pessoas com um acre (4.042 metros quadrados) de terra, e extraem energia dos raios cósmicos. Essa informação vira as economias ocidentais de cabeça para baixo.

Enquanto isso, vamos encontrar o cientista nazista nos Andes, com o equipamento que ele recriou, usando dinheiro e suprimentos fornecidos pela KGB. Ele não consegue contatar Marte, mas é capaz de escutar as transmissões do cientista norte-americano. A KGB o localiza e o ameaça, caso ele não tenha sucesso em suas tentativas de contatar Marte.

As coisas ficam ainda mais estranhas quando os marcianos explicam sua filosofia, chegando até a citar a Bíblia, mais especificamente o Sermão do Monte das Oliveiras proferido por Jesus. Essa citação tem enorme impacto sobre a sociedade ocidental, mas o impacto é ainda maior do outro lado da Cortina de Ferro. O ressurgimento da religião na União Soviética derruba o governo.

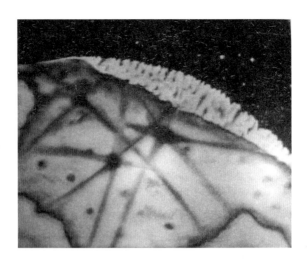

Figura 3.4. O filme *Marte – O Planeta Vermelho* (1952) demonstra claramente o impacto duradouro dos canais marcianos de Lowell (ver Figura 1.2), mesmo décadas depois de serem desacreditados. Nesta imagem do filme, podemos ver os canais e a calota polar que depois derrete, enchendo os canais. Melaby Pictures Corporation.

Mais tarde, o nazista chega até o laboratório do norte-americano e revela que era com ele, e não com os marcianos, que o cientista estava se comunicando, por meio do equipamento do nazista nos Andes. A motivação deste era derrubar tanto os governos ocidentais quanto o governo da União Soviética. Na verdade, ele só fizera as comunicações sobre economia; as transmissões filosóficas e religiosas tinham de fato vindo de Marte. Numa reviravolta meio confusa, o laboratório explode quando o cientista alemão atira em uma válvula que está vazando hidrogênio.

Marte – O Planeta Vermelho não mostra os marcianos, e é incomum por retratá-los como um povo pacífico. Vários outros filmes da mesma época mostram os marcianos como invasores, ou pelo menos como adversários em potencial. Com a exceção do recurso narrativo da comunicação com os marcianos (e a homenagem ao impacto de Lowell), o filme tem mais a ver com as preocupações dos terráqueos na década de 1950 do que propriamente com os Alienígenas.

Os Invasores de Marte

Os Invasores de Marte (Invaders from Mars, 1953) é muito mais sutil ao retratar as preocupações da época e introduz a ideia dos infiltrados: pessoas que parecem familiares, mas são na verdade inimigas. Um menino vê um disco voador brilhante pousar em um areal atrás do quintal de sua casa no meio da noite. O pai dele sai para averiguar e só volta de manhã, totalmente mudado. A plateia ainda não sabe, mas os marcianos implantaram um eletrodo em sua nuca, para controlar seu comportamento.

Várias outras pessoas acabam sofrendo alterações de personalidade. Vemos isso de forma indireta, pois o disco está enterrado e, quando as pessoas caminham sobre a areia, surge um buraco e elas caem dentro, sendo presumivelmente capturadas. O garoto não consegue convencer ninguém de que algo estranho está acontecendo, até que uma bela psicóloga e seu amigo astrofísico lhe dão ouvidos. Na verdade, o astrofísico está ciente de que discos voadores foram detectados recentemente pelo radar. Eles especulam que os marcianos podem ter lançado um ataque preventivo contra a Terra, pois os terráqueos começaram a construir foguetes. Decidem então entrar em contato com o Exército.

O Exército termina por descobrir que há uma nave enterrada e uma equipe de comandos a invade. Obviamente, o menino e a psicóloga também acabam no disco, sequestrados pelos Alienígenas, que são grandes humanoides desajeitados. Eles talvez não sejam sencientes, pois parecem ser comandados por uma outra espécie de Alienígena, que lembra uma cabeça humana colocada no alto de uma massa de tentáculos. Esse Alienígena vive em um grande globo transparente, que é carregado pelos Alienígenas desajeitados (Figura 3.5). Ele é interessante por não ser humanoide, embora tenha características humanas muito evidentes. Ironicamente, essas características reiteram que se trata de um líder Alienígena, e a cabeça enorme indica sua inteligência. Se fosse parecido com uma árvore, uma lula ou um pedaço de musgo, a plateia teria dificuldade em identificá-lo como um Alienígena.

O pelotão de comandos encontra a psicóloga e o menino, e todos escapam, não sem antes instalar explosivos. O Alienígena tenta escapar voando para longe, mas a nave explode em pleno ar.

Figura 3.5. O Alienígena dominante de *Os Invasores de Marte* tem uma cabeça grande, indicando inteligência e talvez um controle telepático sobre os desajeitados trabalhadores Alienígenas. Ele tem corpo pequeno e tentáculos. Note os fios usados para mover as "mãos tentaculares". National Pictures Corporation.

Os Invasores de Marte reflete a paranoia da época, de não saber quem, dentre seus vizinhos, pode ser um inimigo. Também mostra Alienígenas humanoides e baseados em humanos, e um disco voador clássico do tipo que apareceu na imprensa poucos anos antes. As matérias jornalísticas sobre discos voadores haviam ensinado aos roteiristas que aparência uma nave alienígena deveria ter. Um *remake* desse filme foi feito em 1986.

Planeta Proibido

Planeta Proibido (Forbidden Planet, 1956) já foi chamado de "*A Tempestade* de Shakespeare ambientada no espaço", mas poderia muito bem ter sido um episódio-piloto para a série de televisão *Jornada nas Estrelas*, de 1966. Uma nave que havia pousado alguns anos antes no planeta Altair 4 deixa de se comunicar com a Terra. Uma espaçonave militar, o cruzador dos Planetas Unidos C57-D, é enviada para averiguar. Essa nave é um óvni clássico, com o aspecto exato que se esperaria de um disco voador, exceto que é uma nave terrestre (Figura 3.6).

Chegando a Altair 4, a equipe militar estabelece contato de rádio com a superfície do planeta, e recebe um aviso de que deve ir embora, pois o planeta é perigoso. Ignorando o alerta, o disco pousa (não há naves de transporte) e o comandante J. J. Adams, o imediato e um médico são conduzidos por um robô chamado Robby ao encontro dos únicos sobreviventes da primeira espaçonave, um cientista brilhante chamado doutor Edward Morbius, juntamente com sua linda filha, Altaira Morbius (Alta), nascida depois que a nave deixou a Terra. Ele conta como alguma coisa matou todos os outros tripulantes e explodiu a nave original quando esta tentou escapar.

Após alguma tensão romântica entre Alta e o capitão, é revelado que Altair 4 foi habitado em uma certa época por uma raça alienígena chamada Krell. A tecnologia dos Krell era muito superior a qualquer coisa desenvolvida pela espécie humana, embora por algum motivo eles tivessem sido destruídos, numa única noite, por sua própria tecnologia, mais de dois mil séculos antes. O cientista, porém, descobre como fazer funcionar parte do equipamento que havia encontrado.

Enquanto isso, algo está matando a tripulação. Por fim, uma grande criatura constituída de energia eletromagnética tenta penetrar os campos de força do C57-D. O capitão decide evacuar o planeta e volta para apanhar o cientista e sua filha. A base do cientista é atacada, e afinal descobre-se que o monstro é na realidade fruto da mente inconsciente do doutor Morbius, amplificada e personalizada pelo imenso poder da tecnologia dos Krell. Consumido pelo remorso por ter causado a morte dos tripulantes da nave original, o cientista ativa uma sequência de autodestruição originalmente criada pelos Krell e morre. O capitão consegue escapar e leva consigo Altaira e Robby, e o cruzador C57-D se afasta a tempo de escapar à detonação, que parece ser do tipo termonuclear, que destrói o planeta.

Os fãs de *Jornada nas Estrelas* reconhecerão *Planeta Proibido* como uma história que segue uma típica linha de trama da série. Gene Roddenberry, criador da série, admitiu em sua biografia oficial que *Planeta Proibido* foi uma de suas inspirações. Os Krell nunca aparecem, e tudo o que sabemos é que foram uma espécie ultrapoderosa, alienígena no próprio planeta, destruída por sua própria tecnologia e orgulho desmedido. E o C57-D é um exemplo icônico de disco voador, fixando na mente do público a imagem que teve

Figura 3.6. O cruzador dos Planetas Unidos C57-D do filme *Planeta Proibido* é um exemplo clássico de disco voador. Quando pousa, ele se apoia em três pernas que também servem como escadas. Metro-Goldwyn-Mayer Studios.

origem na interpretação feita por um redator de manchetes jornalísticas criativo a partir do primeiro relato de aparição de um óvni por Kenneth Arnold em 1947.

A Invasão dos Discos Voadores

A Invasão dos Discos Voadores (Earth vs. the Flying Saucers, 1956) é outro exemplo da presença dos discos voadores na mente do público. Como o título original sugere, o filme era um clássico bangue-bangue entre terráqueos e Alienígenas. O filme começa com um casal de recém-casados dirigindo por uma rodovia deserta, quando um disco voador dá um rasante por cima deles. Esse detalhe faz lembrar o caso de Betty e Barney Hill, apesar de o filme ter sido rodado cinco anos antes e não fazer nenhuma menção à perda de memória. O marido é o principal cientista de um programa do governo chamado Projeto Skyhook, que envolve o lançamento de satélites artificiais ao espaço, e enquanto dirige o automóvel ele dita suas notas em um gravador. Quando o disco sobrevoa o carro, emite um som de alta frequência, parecido ao de um inseto, que é registrado pelo gravador.

O casal prossegue até a base da qual os satélites são lançados. Depois de ser informado que os dez satélites lançados foram derrubados, o cientista lança o décimo primeiro, que também se perde. Pouco depois do lançamento deste último, um disco voador pousa na base e três Alienígenas humanoides desembarcam. Um deles leva um tiro de um soldado, e os Alienígenas revidam com armas de raios letais. O disco em seguida destrói a base que abriga o Projeto Skyhook. Marido e mulher ficam presos no subsolo e, quando o ar vai rareando, ele grava o que pensa serem suas últimas palavras. Quando as pilhas ficam fracas, ele toca o som emitido pelo disco, e descobre que era um aviso em alta velocidade de que os Alienígenas pousariam na base do Projeto.

O casal é resgatado e ruma para Washington, D.C., onde conta sua história. Por rádio, os Alienígenas enviam ao cientista instruções para contatá-los e, desobedecendo ordens dos militares do Exército dos Estados Unidos, ele vai encontrá-los. Sua esposa alerta um major que havia sido destacado para vigiá-los, e os dois seguem o cientista, que dirige em alta velocidade. O major e a mulher se unem ao cientista, e os três entram no disco voador. Os Alienígenas revelam que planejam dominar o mundo, e que são capazes de ler a mente das pessoas e assim aprender tudo o que elas sabem.

Os Alienígenas dão ao cientista um prazo de 56 dias para reunir todos os líderes mundiais e levá-los a Washington, D.C. para se renderem. Em seguida ele, sua mulher e o major são libertados. O cientista constrói duas armas, primeiro um raio sônico de poder destrutivo mínimo e depois um raio elétrico que interfere no

Figura 3.7. No filme *A Invasão dos Discos Voadores*, uma esquadrilha de discos voadores clássicos espalha a destruição pela cidade de Washington. Aqui eles sobrevoam o monumento a Lincoln. Clover Productions.

sistema de propulsão magnética do disco. Muitas versões do raio elétrico são feitas e instaladas em caminhões do Exército.

No dia marcado, os discos se aproximam da capital norte-americana e começam a destruir tudo o que encontram pela frente (Figura 3.7). Os terráqueos respondem e no final derrubam todos os discos. Aparentemente, as cenas de batalha do filme *Independence Day*, de 1996, parecem ter sido inspiradas em *A Invasão dos Discos Voadores*, pela forma como os Alienígenas causam danos à cidade de Washington.

A Invasão dos Discos Voadores não é um filme abertamente político, mas um clássico conflito entre mocinhos e vilões. Os discos voadores são quase estereótipos em termos de aparência, e uma vez mais demonstram como a imagem do disco voador ficou impressa no inconsciente coletivo e se tornou parte da cultura popular. Na época em que foi lançado, Alienígenas e discos voadores já eram totalmente *mainstream*.

Conclusão

O excesso de filmes sobre discos voadores dos anos 1950 começou a diminuir antes do final da década, pouco depois do lançamento do satélite *Sputnik* pelos soviéticos em 1957. O desejo por representações criativas de discos voadores foi substituído pela corrida espacial dos terráqueos, muito real. A humanidade percebeu que ela mesma poderia conquistar o espaço sideral e, de certa forma, falar sobre Alienígenas tornou-se uma ideia ultrapassada. No próximo capítulo, discutiremos o período que vai dos anos 1960 até os dias de hoje. Apesar de esse período abarcar mais de meio século, o caráter da ficção científica mudou. A era dos *blockbusters* havia chegado. Da década de 1970 em diante, a ficção científica tornou-se corriqueira e *mainstream*, na televisão e na indústria do cinema. Os Alienígenas estavam por toda parte, embora nem sempre para serem levados a sério. A cultura dos cineastas e do público havia mudado, e agora os Alienígenas eram, de forma consciente, um meio de exprimir nossas próprias preocupações, bem terrestres. No fundo, os Alienígenas já não eram alienígenas. Em vez disso, nas últimas décadas surgiram importantes franquias de filmes de cinema e séries de TV, que influenciaram a psique da humanidade em grande escala. No próximo capítulo, vamos falar delas.

QUATRO

BLOCKBUSTERS

"Mas lembre-se, por favor: esta é apenas uma obra de ficção. A verdade, como sempre, será muito mais estranha."

– Arthur C. Clarke, *2001 – Uma Odisseia no Espaço*

Na década de 1950, foram feitas dúzias de filmes que refletiam a obsessão pelos discos voadores, iniciada em 1947, e as preocupações decorrentes do início da Guerra Fria. Os filmes *blockbusters* de décadas mais recentes têm um sabor diferente. Acompanhado por tremendos orçamentos publicitários e campanhas profissionais de marketing, este novo tipo de filme de ficção científica começou a recriar a visão dos Alienígenas na cultura popular. Em anos recentes, a onipresença da televisão a cabo e a necessidade de preencher a programação de centenas de canais permitiram a pequenos produtores de filmes de baixo orçamento atingir com facilidade a audiência de nicho dos fãs da ficção científica; por exemplo, o canal SyFy exibe filmes recentes que teriam feito Ed Wood enrubescer (se você não é um fã do gênero, Ed Wood era famoso por fazer filmes de ficção científica muito ruins). No entanto, esses novos "filmes B" têm um impacto muito pequeno sobre o público. A maioria de nós vê os Alienígenas dos dias de hoje na tela grande. Neste capítulo, vamos discutir os filmes e séries de televisão de grande impacto das últimas décadas.

Os anos 1960 foram quase um deserto para os filmes de Alienígenas de qualquer tipo. O maior filme dessa década foi o artístico 2001 – Uma Odisseia no Espaço (2001 – A Space Odyssey, 1968), que apenas insinua a presença dos Alienígenas. Estes criam uma estranha tecnologia evolutiva, na forma de monolitos negros que aparecem ao longo do filme. O primeiro monolito surge diante de um grupo de tímidos hominídeos, que, ao serem expostos a ele, sofrem algum tipo de alteração e descobrem como transformar um objeto em arma, usada para matar o líder de um grupo rival. Este é o início da linhagem que vai resultar no surgimento do Homo sapiens sapiens. O filme então salta para o ano de 2001, quando outro monolito é encontrado na Lua. Assim que os exploradores chegam ao monolito lunar, ele envia um sinal para Júpiter. O resto do filme detalha a viagem de dois astronautas para Júpiter numa nave controlada por um computador voluntarioso chamado HAL. Outro monolito é encontrado perto de Júpiter e, quando ativado, conduz um dos astronautas por uma sequência temporal de envelhecimento, acompanhada por um deslumbrante espetáculo de luzes, que sugere uma viagem interdimensional através dos portais da Existência. O filme termina com o astronauta transformado em um feto, encerrado em uma esfera de luz, de olhos abertos e fixos na Terra. A ideia transmitida é que talvez a espécie humana tenha sido alterada outra vez e esteja entrando em um novo estágio de evolução.

Os Alienígenas em 2001 – *Uma Odisseia no Espaço* nunca são mostrados. Isso se dá em parte por conselho de Carl Sagan, que sugeriu aos criadores do filme que um Alienígena realista não seria humanoide. À época, devido às limitações da computação gráfica, ainda muito primitiva, os Alienígenas teriam de ser interpretados por atores humanos, e assim os diretores decidiram que eles não apareceriam em absoluto. Esse recurso foi copiado no filme *Contato* (*Contact*, 1997), escrito por Carl Sagan com a ajuda de sua esposa, Ann Druyan. Sagan era conhecido por estar sempre lembrando as pessoas que os Alienígenas não seriam parecidos conosco. *Contato* tinha conotações religiosas, mas também contava uma história de Alienígenas que estavam tão mais avançados do que nós que pareciam ser deuses.

O resto da década de 1960 foi relativamente pobre em termos de representações cinematográficas dos Alienígenas. Esta foi a época de Betty e Barney Hill, e levaria algum tempo para que as novas ideias de Alienígenas se infiltrassem em Hollywood. A televisão era outra história. Nos anos 1960 houve séries duradouras, como *Doctor Who*, na Grã-Bretanha, e os clássicos cult *Perdidos no Espaço* e *Além da Imaginação*, que ocasionalmente apresentavam Alienígenas. Mas é provável que a mais famosa série de ficção científica seja a criação de Gene Rodenberry, *Jornada nas Estrelas*.

Jornada nas Estrelas

"O ESPAÇO: a fronteira final. Estas são as viagens da nave estelar *Enterprise*, em sua missão de cinco anos para a exploração de novos mundos, para pesquisar novas vidas, novas civilizações, audaciosamente indo onde nenhum homem jamais esteve." Estas são as palavras de abertura de uma das mais duradouras franquias de ficção científica da televisão até o momento. Jornada nas Estrelas (Star Trek) começou em 1966 com uma modesta produção de três temporadas. Em geral, isso significaria uma série de TV de breve sucesso, que rapidamente cairia na obscuridade. Mas não Jornada nas Estrelas. Os fãs da série tornaram-se conhecidos como trekkers. Depois de anos existindo apenas como reprise, a franquia foi repaginada em 1979 como um longa-metragem, seguido por mais cinco. Uma multidão de novos espectadores travou conhecimento com a franquia em 1987, com Jornada nas Estrelas – A Nova Geração (Star Trek: The Next Generation), que se passa cerca de 100 anos depois da primeira série.

Na atualidade, os trekkers se referem à versão de 1966 como Jornada nas Estrelas – A Série Original (Star Trek: The Original Series, abreviatura em inglês, TOS). A série que se seguiu, Jornada nas Estrelas – A Nova Geração é referida pelas abreviaturas em inglês NextGen ou TNG (1987-1994). Além dessas duas séries, houve também Star Trek: Deep Space Nine (DSN, 1993-1999) e Star Trek: Voyager (Voyager, 1995-2001). As tramas de DSN e Voyager eram contemporâneas com NextGen, e as linhas narrativas ocasionalmente se cruzavam. Finalmente, uma série chamada Enterprise (2001-2005) detalha os primeiros dias da experiência da humanidade com os voos interestelares, no mesmo universo. Somando a isto doze longas-metragens, uma série em desenho animado (1973-1974), centenas de livros, HQs e outros produtos, o que temos é um colosso do marketing.

Com uma quantidade tão vasta de material, não há como descrever tudo em poucas páginas. Assim, os resumos abaixo são apenas representativos dos tipos de Alienígenas e tramas no universo de *Jornada nas Estrelas*.

A série original

A série *Jornada nas Estrelas* original surgiu em meio ao tumulto político da década de 1960, um mundo em que a integração racial, questões de igualdade de gênero e as guerras por procuração da Guerra Fria eram as preocupações dominantes do público norte-americano. A série mostrava novas alternativas para lidar com esses problemas. A nave estelar *Enterprise* voava pela galáxia a velocidades maiores que as da luz, capitaneada por James T. Kirk, nativo do Meio-Oeste dos Estados Unidos, mas também tinha uma oficial de comunicações negra chamada Uhura, um navegador asiático chamado Sulu, um piloto russo chamado Chekov, um engenheiro escocês chamado Scotty, um médico do Sul dos Estados Unidos chamado McCoy, e um primeiro oficial, Spock, que era um híbrido humano-vulcano. Os vulcanos eram uma raça guerreira que controlou suas tendências violentas por meio da prática da lógica. Os vulcanos rejeitavam a emoção como sendo "ilógica", e a série tinha cenas recorrentes em que McCoy e Spock travavam batalhas verbais quanto ao papel adequado da emoção. A tripulação da *Enterprise* era etnicamente mista, altamente funcional e feliz. Esse era apenas o primeiro comentário implícito feito pela série quanto aos problemas da década de 1960 nos Estados Unidos.

O formato era que a *Enterprise* se deparava no início do episódio com algum problema que seria resolvido no final. Assim, cada episódio era mais ou menos independente. Os 78 episódios cobriram muitos dos problemas sociais da década de 1960. Por exemplo, o episódio "Let That Be Your Last Battleground" [A última batalha] descrevia dois Alienígenas, um preto do lado esquerdo do corpo e branco do lado direito, lutando contra outro Alienígena do mesmo planeta, este preto do lado direito e branco do esquerdo. O planeta deles havia sido destruído por guerras civis entre esses dois grupos de seres muito parecidos. No final, os dois Alienígenas voltam à superfície de seu planeta para prosseguir sua batalha até a morte. A história era uma referência óbvia às questões raciais entre negros e brancos que então se desenrolavam nos Estados Unidos. Os críticos consideraram a mensagem um pouco óbvia demais, mas era um tipo comum de artifício de trama utilizado em TOS.

A *Enterprise* era a nave-mãe da organização política denominada Federação dos Planetas Unidos (em geral chamada apenas de Federação), um consórcio de planetas e espécies que haviam se unido voluntariamente. Planetas que tivessem alcançado uma tecnologia de velocidades maiores que a da luz, que fossem pacíficos e que seguissem princípios democráticos em seus contatos com outras espécies tinham permissão para juntarem-se à organização, embora não houvesse restrições à política interna e organização social de qualquer planeta. Os principais inimigos da Federação eram os impérios klingon e romulano. Em TOS, os klingons eram muito parecidos com os humanos, embora suas feições pudessem ser consideradas vagamente persa, com tez morena e barbas espessas muito bem aparadas. Os klingons pareciam prestar uma homenagem ao imperador Ming, o Impiedoso, personagem de *Flash Gordon*. Os norte-americanos podem ter ouvido "Antes a morte que a desonra" como lema militar, mas os klingons exemplificavam essa frase. Os romulanos também eram interpretados por atores humanos e em consequência eram humanos na aparência, embora com orelhas pontudas e sangue à base de cobre. Eram astutos e traiçoeiros. Coletivamente, eram representados como uma combinação dos ideais do velho Império Romano terrestre com uma pitada da clássica Dinastia Ming.

A Nova Geração

Um século após a série original, a nave estelar era agora a *Enterprise*, modelo D. O capitão Jean-Luc Picard conduzia uma tripulação culturalmente diversificada através de uma série de aventuras. A tripulação incluía uma mistura dos gêneros e raças da Terra, e havia Alienígenas novos entre os personagens principais. Deanna Troi era uma híbrida entre humanos e betazoides, uma espécie telepata de aparência humana. Ainda, haviam ocorrido mudanças políticas desde a época da *Enterprise* original, e os klingons tinham passado de inimigos a aliados. O oficial de segurança da *Enterprise* D era Worf, um klingon que havia sido adotado e criado por um casal humano. Na transição da TOS para a NextGen, os klingons tinham sido reformulados, e agora eram interpretados por humanos enormes com maquiagem que acrescentava um conjunto de cristas ósseas em suas testas. A mudança nunca foi explicada na série, mas foi discutida em *fanfics* (ficção escrita por fãs), bem como em livros aprovados pelos criadores da série. A explicação oficial foi dada em DSN. Fora um experimento genético que havia dado errado. Os klingons da NextGen eram os verdadeiros e, nesta série, estavam mais bem desenvolvidos em termos ficcionais. Sua sociedade estava focada na honra e no progresso através do combate.

Com os klingons sendo agora aliados, novas espécies de inimigos foram descobertas, incluindo os cardassianos, que têm um papel fundamental em DSN, mais uma vez humanoides, com pronunciadas cristas no pescoço e uma cultura orwelliana; e os borgs, uma raça de ciborgues. Os borgs não pertenciam a uma espécie em particular, pois incorporavam todas as formas de vida com as quais topassem. Quando encontravam alguma nova espécie, eles anunciavam: "Nós somos os borgs. Sua cultura será adaptada à nossa. Nós adicionaremos suas qualidades biológicas e tecnológicas à nossa. Resistir é inútil". Eles eram uma cultura poderosa e as espécies que encontravam eram de fato assimiladas. No entanto, nós apenas vemos borgs humanoides, devido à necessidade de contenção de custos e dada a tecnologia disponível aos criadores da série.

Outra entidade encontrada com frequência na NextGen era chamada Q. De início parecia ser uma entidade única, mas depois descobrimos que, na verdade, Q era uma raça de seres superpoderosos, basicamente com poderes divinos. Q podia, em um instante, alterar a realidade, viajar no tempo, destruir planetas e estrelas e matar pessoas ou trazê-las de volta à vida. Nunca foi totalmente explicado que interesse Q poderia ter na Federação, comparativamente primitiva.

Outros derivados de *Jornada nas Estrelas*

DSN, *Voyager* e *Enterprise* trouxeram novas raças e situações políticas. Tais séries eram exemplos de como os Alienígenas já não eram a novidade que haviam sido nos filmes dos anos 1950, mas simples personagens usados no desenvolvimento da trama. De certa forma, essas várias séries eram apenas um retorno à *Odisseia* de Homero, ou às *Viagens de Gulliver*, de Jonathan Swift. As espécies Alienígenas encontradas eram interessantes, e as diferenças que apresentavam com relação à humanidade muitas vezes constituíam a base da trama. No entanto, o encontro com um Alienígena era uma coisa banal, apenas um outro tipo de diversidade a ser acolhido ou evitado, mas qualquer que fosse o caso, representava sempre uma oportunidade de aprender.

Sem sombra de dúvida, os fãs de Jornada nas Estrelas – apelidados de trekkies, e chamando a si mesmos de trekkers, por acharem trekkie pejorativo – formam o fandom mais bem conhecido de toda a história da ficção científica. No momento em que escrevo, o império cultural de Jornada nas Estrelas já dura 46 anos, com o lançamento de mais um filme em 2013. A franquia está viva e vigorosa, e espero que prossiga e tenha, nas palavras de Spock, uma "vida longa e próspera".

Star Wars

Se Jornada nas Estrelas tinha um componente cerebral, a franquia Star Wars (Guerra nas Estrelas, 1977) era diversão pura. Star Wars tinha um objetivo muito diferente, que era contar a clássica história de aventura de um rapaz que não sabia de suas origens nobres, uma princesa em apuros e um adversário poderoso e perverso. Star Wars é uma história atemporal, ambientada "há muito tempo, numa galáxia muito, muito distante".

A franquia Star Wars começou como um único filme, lançado em 1977. A trama do filme tem início quando o vilão Darth Vader tenta reaver os planos vitais de uma "arma definitiva" do império galáctico do mal, que haviam sido roubados por uma facção rebelde. São os esquemas de construção da Estrela da Morte, uma estação espacial bélica com poder suficiente para explodir um planeta inteiro de uma só vez. Uma princesa de nome Leia estava trazendo os planos para tropas rebeldes contra o Império. Antes de ser capturada pelo malévolo Darth Vader, a princesa coloca os planos em um robô (chamado de droide no filme) e eles chegam às mãos de Luke Skywalker, um jovem fazendeiro. Luke se junta a um cavaleiro Jedi chamado Obi-Wan Kenobi. No passado, os Jedis, parte filósofos e parte guerreiros, haviam sido os protetores da galáxia, mantendo-a em paz. Obi-Wan e Luke encontram os planos e resolvem levá-los aos rebeldes. Conseguem a ajuda de um contrabandista chamado Han Solo e de seu copiloto, Chewbacca. Este é um wookie, o primeiro Alienígena que aparece entre os personagens centrais, um humanoide peludo de 2,28 metros de altura, que lembra um Pé-Grande e várias vezes é chamado de "tapete ambulante" pelo parceiro.

O grupo escapa do planeta natal de Luke, mas sua nave é capturada e arrastada para a Estrela da Morte por um raio trator. Eles encontram um modo de neutralizar o raio trator e escapar. No entanto, antes disso, Obi-Wan trava um combate mortal com Darth Vader e é derrotado. Além do mais, o grupo de Luke descobre que a princesa Leia está na Estrela da Morte e a liberta.

A espaçonave escapa da Estrela da Morte com os ocupantes que restam. Eles levam os planos da Estrela da Morte para os rebeldes, mas um localizador que o Império havia escondido na nave guia a Estrela da Morte até o planeta onde fica a base para destruí-lo. No fim, um ataque à estação bélica por pequenos caças rebeldes é bem-sucedido e a Estrela da Morte é destruída.

O que surpreende em *Star Wars* é que os Alienígenas não são representados como sendo particularmente alienígenas. São apenas personagens. O fato de Chewbacca ser um wookie peludo nunca é um problema. Há uma cena clássica passada em um bar, onde fregueses, músicos e funcionários são quase todos Alienígenas, e estão ali apenas para dar a cor local. A alienidade é essencialmente idêntica a nosso conceito de raça... algo que está presente, mas não precisa ser mencionado, ao menos pelos mais cosmopolitas e liberais entre nós.

O filme original poderia facilmente sustentar-se sozinho, mas seu sucesso comercial garantiu que tivesse uma sequência. O segundo filme chamou-se *O Império Contra-Ataca* (*The Empire Strikes Back*, 1980) e foi seguido pelo filme *O Retorno de Jedi* (*Return of the Jedi*, 1983).* Esses dois filmes são, na verdade, um único filme longo dividido ao meio, e descrevem Luke assumindo seu papel e descobrindo que Darth Vader é seu pai. *O Império Contra-Ataca* introduz Yoda, um mestre Jedi que havia se escondido do Império. Yoda é, definitivamente, um Alienígena icônico, reconhecido logo de cara tanto por adultos quanto por crianças há mais de trinta anos. Essas três histórias contam a derrubada do imperador e seu Império, e da vitória do bem sobre o mal. A história gerou centenas de livros muito populares entre os jovens leitores e os ávidos fãs de ficção científica.

A franquia recebeu novo impulso em 1999, quando George Lucas decidiu contar as origens de Darth Vader. O filme *Star Wars: Episódio I – A Ameaça Fantasma* (*Star Wars: Episode I – The Phantom Menace*, 1999) começa com o pai de Luke, Anakin Skywalker, como um garotinho, e conta como ele encontrou os Jedi e posteriormente tornou-se um dos mais poderosos membros dos guardiões da galáxia. Os dois filmes seguintes, *Star Wars: Episódio II – Ataque dos Clones* (*Star Wars: Episode II – Attack of the Clones*, 2002) e *Star Wars: Episódio III*

---

* Atualmente, os filmes são mais conhecidos por *Star Wars: Episode V – The Empire Strikes Back* e *Star Wars: Episode VI – Return of the Jedi*. [N.E.]

– *A Vingança dos Sith* (Star Wars: Episode III – *Revenge of the Sith*, 2005), contam como Anakin passou a dominar os poderes Jedi, e sua lenta corrupção e mudança para o mal, culminando com sua transformação em Darth Vader.

Muitos Alienígenas são encontrados no arco da história de *Star Wars*. Como dissemos, Yoda é um pequeno Alienígena verde, enquanto Chewbacca é, na essência, como o Pé Grande. Somos apresentados a Jabba, o Hutt, membro de uma espécie de grandes seres parecidos com lesmas. Os Hutt são basicamente gângsteres, embora não fique claro se essa é uma característica da espécie ou apenas do grupo ao qual Jabba pertence. Os gungans – habitantes da parte subaquática do planeta Naboo – são uma espécie de anfíbios humanoides.

A Ameaça Fantasma traz Alienígenas que sem dúvida representam estereótipos comuns entre os terráqueos. Tais estereótipos não são nada amáveis, e os cineastas negaram as acusações de que os tivessem incorporado de propósito. Contudo, os gungans foram criticados por serem caricaturas óbvias de caribenhos afrodescendentes. Há também uma caricatura de asiáticos, como as que apareciam em filmes da Segunda Guerra Mundial, no personagem Nute Gunray, um neimoidiano, uma espécie de lagarto humanoide com quatro braços com ares de chinês gordo. O personagem Watto, um toydariano que tem uma loja de sucata no planeta Tatooine, também foi criticado como sendo a caricatura de um lojista árabe ou judeu (minha impressão pessoal não foi de um indivíduo semítico, mas de uma representação cinematográfica clássica de um italiano recém-imigrado, de caráter duvidoso embora não mafioso). É possível aceitar as declarações de inocência por parte dos cineastas, e apenas enxergar os personagens como covardes, gananciosos, desajeitados que historicamente têm sido mostrados em filmes com características específicas e recorrentes.

Podemos ir mais longe e dizer que a associação dos Alienígenas com os estereótipos terrestres é um testemunho de sua evolução na mente do público. Tal associação na verdade evidencia quão pouco alienígenas os Alienígenas de *Star Wars* são de fato. Identificamos prontamente sua aparência como alienígena, mas seu comportamento é familiar aos espectadores, e podemos reconhecer os estereótipos clássicos de Hollywood, mesmo que não exibam os sinais visuais corretos. Isso demonstra bem até que ponto os Alienígenas foram aceitos em nossa cultura, e até que ponto os realizadores de *Star Wars* incorporaram caricaturas de uso comum em Hollywood. Essa franquia cinematográfica rendeu mais de 2 bilhões de dólares (4 bilhões com a inflação corrigida), sugerindo que um filme em que os Alienígenas são aceitos "como gente" será um sucesso comercial e pode talvez fixar no imaginário do público a ideia de que os Alienígenas são parecidos conosco. O mais provável é que não sejam, mas não é o que Hollywood nos mostra.

Alien

Se a franquia *Star Wars* apresenta Alienígenas que podem ser reconhecidos como humanos, o filme *Alien – O Oitavo Passageiro* (*Alien*, 1979) mostra algo bem diferente. O Alienígena neste filme não tem nome, mas é chamado de xenomorfo, ou forma de vida alienígena. Não fica claro se ele é inteligente no sentido mais comum do termo. É uma espécie eussocial, isto é, de organização social altamente complexa, cuja estrutura geral é inspirada nas colônias de vespas. Sua "sociedade", por falta de uma palavra melhor, consiste em uma única rainha que põe ovos, e uma casta de guerreiros. O filme Alien – O Oitavo Passageiro foi lançado em 1979, e teve três sequências: Aliens – O Resgate (Aliens, 1986), Alien 3 (1992) e Alien – A Ressurreição (Alien Resurrection, 1997). Além destes, existem outros dois filmes que foram criados como um crossover com outra série, chamada Predador (Predator, 1987), e em 2012 Ridley Scott dirigiu uma prequela chamada Prometheus

Os filmes da franquia Alien têm tramas que à primeira vista são relativamente simples. Os xenomorfos são caçadores supremos, e os humanos constituem apenas alimento ou organismos hospedeiros que facilitam sua reprodução. A rainha Alien põe ovos, dos quais eclode uma forma do alienígena parecida com um caranguejo, que agarra o rosto humano e implanta um embrião através da boca. A forma primária crustácea morre depois de um tempo e se descola do rosto, e o embrião se desenvolve dentro do hospedeiro até atingir uma forma muito diferente da anterior. Por fim, após atingir o ápice de seu desenvolvimento, o ser abre caminho para fora do hospedeiro através da caixa torácica, matando o humano durante o processo. O xenomorfo desenvolve-se até a forma adulta, que captura humanos e os leva até os ovos, para gestar mais Aliens (Figura 4.1).

O tema central dos filmes é que os humanos desarmados não são páreo para essas criaturas. Toda a franquia é um longo pesadelo, com uma tremenda carnificina. Uma única protagonista humana, chamada Ripley, é a heroína por quem torcemos durante toda a série, e ela consegue derrotar o inimigo em todos os filmes. Embora a franquia Alien gire em torno de Alienígenas, na verdade

Figura 4.1. O Alienígena no filme *Alien* é humanoide porque os cineastas de então não tinham acesso à tecnologia de computação gráfica de hoje, e o Alienígena tinha de ser interpretado por um ator humano. No entanto, seu comportamento não tem nada de humano. 20th Century Fox.

é uma série de filmes de horror, e explora o mesmo tipo de medo que o filme *Tubarão* (*Jaws*, 1975), demonstrando que filmes em que os humanos são vítimas indefesas são puramente aterrorizantes.

Stargate

A colossal saga *Stargate* consiste de um filme e de uma extensa franquia de televisão, com mais dois filmes que foram lançados apenas em DVD. Na televisão, o filme original inspirou três séries distintas, que duraram no total catorze anos.

A premissa do filme original (1994) é a descoberta feita por arqueólogos de um grande "Stargate", ou "portal estelar", em Gizé, em 1928. O portal estelar consiste em um grande anel metálico com glifos entalhados em todo seu perímetro. Só em 1994 é que se percebe que esse anel na verdade é produto de tecnologia alienígena. Ele havia sido transportado para uma base militar norte-americana, localizada em Creek Mountain e preparado para entrar em funcionamento. Ninguém tem ideia do que ele realmente faz até que um arqueólogo decifra os glifos e descobre que o anel deve ser girado numa sequência específica, como a fechadura de combinação de um cofre. Quando isso é feito da forma correta, o Stargate é aberto, conectando nosso planeta com outro Stargate em um outro mundo.

Um grupo de militares é enviado através do portal junto com o arqueólogo, e eles chegam a um planeta muito parecido com o antigo Egito, desértico e arenoso. Encontram aí um Alienígena poderoso, que havia vivido na Terra como o deus egípcio Rá. Ele escravizou humanos para servi-lo, e fica claro que a cultura do antigo Egito surgiu a partir de uma visita deste Alienígena imortal. A equipe militar consegue dar início a uma rebelião entre os escravos e Rá tenta escapar em uma nave espacial, que de imediato reconhecemos como sendo uma pirâmide egípcia. No entanto, os militares haviam trazido consigo uma arma nuclear tática, para ser detonada no caso de surgir alguma situação potencialmente perigosa para a Terra. Eles conseguem colocar o artefato na nave de Rá, que explode quando está deixando a atmosfera do planeta.

Os militares voltam para a Terra através do Stargate, deixando para trás o arqueólogo.

A ideia de que a cultura egípcia foi influenciada por antigos Alienígenas é familiar, tendo sido popularizada por Erich von Däniken. Não fica claro se a franquia teria feito sucesso caso o público não tivesse sido preparado por livros como *Eram os Deuses Astronautas?*.

O filme original foi um sucesso comercial, rendendo cerca de 200 milhões de dólares. Isto levou às séries de televisão *Stargate SG-1* (1997-2007), com 214 episódios, *Stargate Atlantis* (2004-2009) com 100 e *Stargate Universe* (2009-2011) com 40. Nelas, os criadores tiveram muito tempo para expandir sua visão do universo de *Stargate* e seus habitantes. A trama lembra um pouco *Jornada nas Estrelas*, pois cada episódio semanal envolve ir a algum lugar, encontrar algum problema e solucioná-lo. Ao fazer isso, os protagonistas se deparam com uma variedade assombrosa de Alienígenas. É impossível abordar todas as espécies e suas diversas interconexões. Vamos examinar com detalhe duas delas, pois envolvem arquétipos que já vimos anteriormente.

Os goa'uld são Alienígenas do tipo encontrado no filme original. O fato é que Rá, que era um humano um tanto andrógino, constituía apenas um hospedeiro para o verdadeiro Alienígena. Os goa'uld são parasitas serpentiformes que podem prender-se ao tronco cerebral e controlar o hospedeiro humano. Essa conexão simbiótica confere longa vida ao portador, ao preço da perda de sua personalidade. Os goa'uld são impiedosos e estão decididos a dominar a galáxia. São dignos de nota dentro de nosso contexto, pois essa variante de Alienígena em particular supostamente esteve na Terra durante a história humana, como foi sugerido por Von

Däniken (embora esse autor não entre muito em detalhes). De acordo com a mitologia da série, os humanos não teriam conseguido construir as pirâmides sem a tecnologia dos goa'uld.

Outro tipo importante de Alienígenas do universo de *Stargate* são os asgard. Pertencentes a uma espécie em declínio, eles perderam sua capacidade de reprodução sexual, e devem clonar a si mesmos para sobreviver. Embora em um passado distante fossem humanos na aparência, as repetidas clonagens levaram a uma degradação em sua forma. Os asgard são agora os clássicos Alienígenas "gray", do tipo visto por Betty e Barney Hill (Figura 4.2). Os asgard visitaram a Terra na pré-história das primeiras tribos nórdicas, incluindo uma visita mais recente aos vikings. Cabe notar que um dos principais personagens asgard na série é Thor, o deus do trovão nórdico original. Os asgard são tecnologicamente avançados e lutam contra os goa'uld. Também estão sob o ataque de outra espécie, os replicadores, uma raça de Alienígenas robóticos que atacam outras espécies e assimilam sua tecnologia; eles são meio parecidos com os borg de *Jornada nas Estrelas – A Nova Geração*.

Um grande número de raças Alienígenas é encontrada no universo de *Stargate*, e o grosso das tramas tem a ver com a forma como eles moldaram a história da Terra. Posteriormente, em um dos arcos narrativos que se estendeu por vários anos, descobre-se que uma espécie Alienígena é responsável pela lenda de Merlin na saga do rei Artur. Os Alienígenas de *Stargate* demonstram motivações que em geral reconhecemos como sendo bem humanas. Conquista, agressão, conflitos e defesa – podemos nos identificar com tais personagens porque suas motivações são muito parecidas com as nossas.

Figura 4.2. Os asgard de *Stargate* têm muitas das características do estereótipo dos Alienígenas *gray*. MGM Television Worldwide Productions.

Arquivo X

Já mencionamos a série de televisão *Arquivo X* (*The X-Files*, 1993) no início do Capítulo 2, e agora voltamos a ela. Os Alienígenas dos filmes e séries de TV que examinamos até agora eram obviamente ficcionais, sem qualquer pretensão de parecerem críveis. No entanto, alguns filmes e séries retratam os Alienígenas de maneira muito mais próxima daquela que norte-americanos acreditam ser sua "aparência real". Falaremos aqui sobre duas dessas produções. A primeira que discutiremos é *Arquivo X*.

Arquivo X estreou em setembro de 1993 e teve nove temporadas, até 2002. Na época, foi a mais longa série de ficção científica na história da televisão americana, tendo sido depois ultrapassada por *Stargate SG-1*, em 2007. *Arquivo X* ressoou através de um país onde haviam acontecido o escândalo Watergate e o caso Irã-Contras, e onde a população desconfiava muito do governo e do que ele fazia nos bastidores. Além disso, *Arquivo X* nasceu no mesmo ambiente que nos trouxe a fraude da autópsia do Alienígena de Roswell, também exibida na Fox Network.

O fato de *Arquivo X* explorar a desconfiança que os norte-americanos têm de seu governo pode ser percebido em alguns *slogans* usados para promover a série: "Trust No One" [Não confie em ninguém], "I Want to Believe" [Eu quero acreditar] e "The Truth Is Out There" [A verdade está lá fora] (Figura 4.3). A série acompanhava dois agentes do FBI (Fox Mulder e Dana Scully), em suas investigações de casos considerados interessantes, porém de difícil solução, ou mesmo insolúveis. Por exemplo, de acordo com a mitologia da série, o primeiro Arquivo X foi iniciado em 1946 pelo diretor do FBI, J. Edgar Hoover. O arquivo continha informações sobre uma série de assassinatos que ocorreram no noroeste dos Estados Unidos durante a Segunda Guerra Mundial. As vítimas eram assassinadas, destroçadas e então comidas. Pareciam ter sido atacadas por um animal de grande porte, mas eram encontradas dentro de suas próprias casas, sem sinais de que a entrada tivesse sido forçada, e pareciam ter convidado o assassino para entrar. Os agentes que investigavam os assassinatos encurralaram o que acreditaram ser o animal em uma cabana e o mataram. No entanto, quando entraram na casa, não encontraram o animal, mas o corpo de um homem chamado Richard Watkins. Hoover considerou o caso insolúvel e o arquivou. Embora seja ficção, o caso faz lembrar uma história de lobisomem. *Arquivo X* guarda semelhanças com a muito menos famosa série de TV *Kolchak e os Demônios da Noite* (*Kolchak:*

Figura 4.3. Este anúncio para a série de televisão *Arquivo X* explorava a crença disseminada na sociedade norte-americana de que a Terra tem sido visitada por Alienígenas e que o governo sabe muito mais do que diz. 20th Century Fox.

The Night Stalker, 1974). O Arquivo X original não envolvia extraterrestres, mas eles não tardaram a surgir.

Arquivo X tinha dois tipos de episódios. Havia episódios com o "monstro da semana", em que eram investigados casos que envolviam lobisomens, vampiros e outras criaturas sobrenaturais ou casos estranhos. Em geral, as tramas desses episódios eram independentes entre si. Mas havia também os episódios que desenvolviam uma história recorrente, centrada em Alienígenas, na visitação alienígena e na ideia de que o governo sabe mais do que diz. A paranoia de Roswell esteve bem representada nesta série de televisão.

Na série, Mulder, formado em psicologia e especialista em assassinatos violentos envolvendo o ocultismo, acreditava firmemente no sobrenatural e em extraterrestres, enquanto Scully era a cientista cética formada em medicina que sempre tinha uma explicação plausível para tudo. Em muitos episódios, Scully conseguia racionalizar os indícios que eles descobriam, mas nunca por completo. À medida que a série progredia, Scully ficava cada vez mais insatisfeita com sua incapacidade de explicar as descobertas da dupla. Ela nunca chegou a acreditar da mesma forma que Mulder, mas com o tempo passou a dar mais crédito às teorias extremas dele.

A crença de Mulder nos Alienígenas tinha origem na abdução de sua irmã quando ele tinha 12 anos de idade. Esse incidente permeou toda a série. Mulder e Scully tornaram-se aliados quando se defrontaram com um braço sinistro e obscuro do governo, chamado de Sindicato. Esse grupo conspiratório era formado pelos clássicos "Homens de Preto", agentes que abafam incidentes inconvenientes que o governo não deseja que venham a público, e por homens poderosos que se consideravam a "elite" da humanidade. O maior antagonista de Mulder e Scully era um agente ligado ao Sindicato conhecido apenas como "o Canceroso" (em inglês, "Cigarette-Smoking Man"). Era um homem com conexões poderosas e um assassino impiedoso.

O Sindicato constituía o elo da humanidade com os Alienígenas que planejavam dominar a Terra. Essas figuras sombrias estavam infiltradas não só no governo americano, mas em todos os governos. Eram o poder "real" no mundo. Esse tema explica a popularidade da série entre os teóricos da conspiração.

A série terminou com Mulder sendo submetido a um tribunal militar secreto, acusado de invadir uma base militar de segurança máxima e de ver os planos para a invasão e dominação da Terra pelos Alienígenas. Mulder foi julgado culpado, mas escapou com a ajuda de outros agentes, e ele e Scully se tornaram fugitivos.

O impacto da série *Arquivo X* é difícil de avaliar. Por um lado, é ficção; por outro, reforça ideias presentes em nossa sociedade. Há muita gente que afirma haver mais coisa acontecendo do que nos fazem crer. Conspirações como as que se diz estarem por trás do assassinato de John F. Kennedy, da destruição das Torres Gêmeas em 11 de setembro de 2001, dos Illuminati e assim por diante, merecem o crédito de algumas pessoas e são encaradas com desconfiança por outras. Sabemos de incidentes em que o governo sonega ou manipula as informações para que acreditemos no que ele deseja. O lema da série, "Não confie em ninguém" reforça nossa paranoia coletiva.

Como cientista, preocupo-me com um efeito ainda mais pernicioso. Em *Arquivo X*, os dois personagens principais representam o crente e a cética. À medida que a série avança, a cética se torna menos cética, mostrando que o crente estava certo o tempo todo. Na série, os personagens encontram informações que tornam coerente essa progressão, mas trata-se, no fim das contas, de ficção. No entanto, o que me preocupa é que programas desse tipo reforçam a ideia de que pessoas irracionais são mais sensatas que as pessoas racionais. Uma coisa é ter a mente aberta. Outra muito diferente é achar que um lobisomem pode de fato existir.

Ainda assim, como ficção, *Arquivo X* é uma série excelente, que reflete uma visão particular dos Alienígenas muito comum em nossa cultura. A saga de Betty e Barney Hill e os acontecimentos ocorridos em Roswell, em 1947, estão vivos e fortes.

Contatos Imediatos do Terceiro Grau

Contatos Imediatos do Terceiro Grau (Close Encounters of the Third Kind, 1977), é um dos melhores filmes de Alienígenas em termos da incorporação de fenômenos "reais", tais como relatados por pessoas que alegam ter tido contatos extraterrestres. Uma vez que este filme faz uso de tantas histórias clássicas de extraterrestres, descrevo-o com maior detalhe, destacando a forma como os elementos extraterrestres icônicos são representados na narrativa.

Uma aparição vermelha pequena e brilhante no céu representa os *foo fighters* de 1945. Naves velozes que se desdobram em múltiplos objetos de brilho multicolorido, cortando os ares, são como óvnis clássicos, incluindo avistamentos feitos por passageiros de aviões. Ao verem as luzes voadoras, as pessoas sentem-se compelidas a irem para um determinado lugar em um determinado momento (como teria ocorrido com George Adamski). Pessoas foram abduzidas, e o governo sabe mais do que revela. Ocorre um elemento integrante da mitologia dos Alienígenas que não discutimos no Capítulo 2: pilotos militares que "simplesmente desaparecem" em voo durante uma missão e na época da Segunda Guerra Mundial de repente reaparecem. Quando finalmente observados em pessoa, os Alienígenas revelam ser os *grays* de Betty e Barney Hill. A cena final do filme é um espetáculo colorido, refletindo o olhar artístico e magistral do diretor.

A história tem início na época em que o filme foi lançado (1977) no deserto de Sonora, no México, onde soldados ou policiais mexicanos descobrem um círculo de antigos caças da Segunda Guerra Mundial em perfeitas condições. Uma equipe americana aparece e estuda a situação, descobrindo que os aeroplanos funcionam tão bem quanto no dia em que desapareceram misteriosamente. Checando os números de série dos motores, os técnicos identificam as aeronaves como integrantes do "Voo 19", que se perdeu ao largo da costa da Flórida em 1945 (fato: o Voo 19, formado por cinco bombardeiros Grumman Avenger, decolou da Base Aeronaval de Fort Lauderdale em 5 de dezembro de 1945. Todos os aviões se perderam, incluindo um hidroavião que saiu em busca deles. Os entusiastas dos óvnis há muito tempo destacam que os aviões desapareceram no Triângulo das Bermudas).

No deserto, vemos um homem que fala francês (embora ainda não saibamos, é um especialista em óvnis) e seu intérprete, que é cartógrafo de profissão. Eles encontram um homem idoso que lhes conta que os aviões simplesmente apareceram no meio da noite. Ele está queimado de sol, e lhes diz: "O sol surgiu na noite passada e cantou para mim".

Em uma série de pequenas vinhetas, o diretor nos mostra um encontro entre um óvni e um voo da TWA, nos arredores de Indianápolis. Em uma casa isolada, nos arredores de Muncie, um garotinho chamado Barry está dormindo quando seus brinquedos movidos a eletricidade ficam malucos. Ele acorda e vê luzes piscando do lado de fora, e quando desce as escadas, vê que os aparelhos domésticos também estão ligados. Ele sai para olhar as luzes. Por essa altura, os brinquedos que piscam e se movem acordam sua mãe, Jillian, que também sai, em busca do filho.

Na cena seguinte, encontramos nosso personagem principal, Roy, que trabalha para a companhia de energia elétrica na área de Indianápolis. Ele recebe um telefonema informando que a luz acabou em toda a região. Roy é enviado para uma área específica para tentar religar a eletricidade. Primeiro ele vê um grupo de caixas de correio balançando de um lado para o outro e um sinal de cruzamento ferroviário sacudindo loucamente. Então as baterias de sua lanterna e de seu caminhão param de funcionar. Uma luz brilhante ilumina o caminhão vinda do alto e, quando ele olha, sofre uma queimadura leve na metade do rosto que estava voltada para cima, como se fosse um raio de sol forte. A luz se apaga, e ele vê um óvni na penumbra voando devagar por cima dele.

Sem nenhuma explicação, a parte elétrica de seu caminhão volta a funcionar e Roy ouve pelo rádio relatos de óvnis em outro ponto do condado, e parte para lá a toda velocidade, quase atropelando o pequeno Barry, que é salvo bem na hora por sua mãe. Enquanto Roy se certifica de que todos estão bem, há uma ventania e vários óvnis coloridos passam voando, incluindo uma luz vermelha flutuante do tamanho de uma bola de basquete. Essa luz lembra muito os *foo fighters* avistados durante a Segunda Guerra Mundial.

Roy vai para casa e arrasta a esposa e os filhos para procurar mais óvnis. Eles não avistam nada, e a mulher começa a duvidar da sanidade dele. No dia seguinte, as manchetes de jornal informam "óvnis vistos sobre cinco condados", mas a esposa esconde dele a história. Roy está obcecado por uma estranha forma que insiste em lhe vir à mente e passa a vê-la em quase tudo. Ele fica fascinado por montículos de vários materiais: creme de barbear, um travesseiro, um monte de lama, purê de batata. Sente-se compelido a esculpi-los, mas sem de fato entender o porquê.

O filme então muda de direção, para uma cena na Índia, na qual uma enorme multidão está sentada e entoa repetidas vezes uma melodia mântrica específica de cinco notas que haviam ouvido na noite anterior. Quando indagados de onde vinha aquela melodia, todos apontam para o alto, indicando que tinha vindo do céu. O cientista francês Claude Lacombe (François Truffaut) e seu tradutor estão lá para gravar o cântico. Os dois personagens são vistos a seguir em uma conferência e depois nas instalações de um radiotelescópio que vem captando uma melodia semelhante ao cântico na Índia. O telescópio também está recebendo uma série de números, que o cartógrafo decifra como coordenadas de latitude e longitude. O local: a Torre do Diabo, em Wyoming.

Então voltamos para Jillian e Barry. Barry toca em um xilofone de brinquedo a mesma melodia de cinco tons, e Jillian está desenhando montanhas. Lá fora, uma tempestade parece aproximar-se, com nuvens turbulentas. Em uma sequência assustadora, óvnis cercam a casa e Barry é abduzido.

Os especialistas em óvnis, entre eles Lacombe e seu intérprete, começaram uma expedição para a Torre do Diabo. Eles estudam como evacuar a área e decidem encenar um fictício vazamento químico mortífero. Vemos uma unidade militar reunindo o equipamento necessário e despachando-o para o Wyoming em caminhões disfarçados como transportes comerciais comuns.

Enquanto isso, Roy tenta trazer um pouco de normalidade à sua vida, mas seu comportamento compulsivo incomoda cada vez mais sua esposa. Numa maquete ferroviária, faz mais um montículo que reproduz a figura que insiste em permanecer em sua mente, mas que não consegue identificar. Roy fica frustrado após uma noite de discussão com sua esposa e, pela manhã, ao se livrar de toda a tralha relacionada aos óvnis que vinha estudando de forma obcecada, tenta destruir a estranha escultura, mas consegue apenas remover seu topo, transformando-a numa meseta. De repente, ele percebe onde havia errado. Em um episódio que facilmente poderia ser considerado loucura, ele vai para fora e arranca plantas e arbustos do jardim, jogando-os para dentro de casa pela janela da cozinha. Joga terra com uma pá, uma lata de lixo e até uma tela de arame de um cercadinho de patos de sua vizinha, para poder construir uma grande réplica da torre com a meseta no meio da sala, usando terra, plantas e entulho. Transtornada com a cena, a esposa pega as crianças e o abandona à própria sorte. Roy constrói na sala de estar um modelo detalhado da meseta, com quase 2,5 metros de altura.

As histórias começam a se juntar quando o governo noticia na televisão o falso vazamento químico. Roy vê o anúncio e percebe que a meseta que está em sua sala é obviamente uma maquete da Torre do Diabo. Enquanto isso, Jillian assiste o mesmo noticiário, e vemos que ela própria vinha desenhando a meseta de forma compulsiva. Roy e Jillian percebem, independentemente um do outro, que precisam viajar para o Wyoming.

Quando Roy chega ao Wyoming, ele se depara com uma misteriosa e desordenada cena de evacuação. Ele se encontra com Jillian e, como não sabem que a história do vazamento é falsa, compram máscaras de gás de vendedores ambulantes. Partem em direção à meseta na camionete dele, desviando de barreiras do exército e rumando para a Torre do Diabo. Infelizmente, dão de cara com um comboio do exército e são capturados. São levados para um ponto de encontro, onde está Lacombe. Roy é interrogado. Há uma discussão entre o especialista em óvnis e o comandante do exército, e o militar leva a melhor. Roy e Jillian são colocados em um helicóptero (juntamente com muitas outras pessoas com histórias semelhantes) para serem evacuados. No último momento, Roy e Jillian escapam e rumam para a meseta. Ao escalarem uma elevação, veem uma base do outro lado.

A base parece um pouco com um grande heliporto, rodeado por câmeras e holofotes. Uma voz em um intercomunicador informa que há contatos do radar, e a base se agita enquanto um grande número de especialistas assume suas posições. Os óvnis e os *foo fighters* já familiares a muitos dos ali presentes chegam. Enquanto pairam sobre o heliporto, os humanos tocam a melodia de cinco notas. As notas correspondem a luzes em um grande mostrador por trás deles. Depois de algumas tentativas, os óvnis respondem com as mesmas notas, mas então vão embora.

Enquanto os especialistas começam a se parabenizar, uma tremenda massa de nuvens aparece do outro lado da meseta, anunciando a chegada da nave mãe (Figura 4.4). O que se segue é o que poderia ser chamado de uma versão *high-tech* de um "duelo de banjos". Os humanos e a nave dos Alienígenas tocam uma passagem musical atrás da outra, copiando uns aos outros, o tempo todo acompanhados por luzes coloridas sincronizadas.

Ao final do espetáculo de luzes, a parte de baixo da nave mãe se abre, e muitos humanos desembarcam, entre eles pilotos da Segunda Guerra Mundial, talvez do Voo 19. Nenhuma dessas pessoas envelheceu um ano sequer. Barry também sai e se junta à sua mãe. A porta da nave se fecha e volta a abrir, e desta vez surgem os Alienígenas. O primeiro a sair é uma versão alta e magra dos familiares *grays*, seguido por dúzias de *grays* mais tradicionais, com talvez 1,2 metro de altura (Figura 4.4).

Os humanos haviam preparado um grupo de astronautas que eles esperam que partam com os Alienígenas. No último minuto, decide-se que Roy irá se juntar a eles. Roy é acolhido pelos *grays* de braços abertos por ser um contatado, e é guiado para a nave. Está implícito, mas não fica evidente que ele é acompanhado pelos

Figura 4.4. A nave mãe em *Contatos Imediatos do Terceiro Grau* (*esquerda*) é imensa, com centenas de metros de diâmetro, enquanto os Alienígenas (*direita*) constituem exemplos clássicos dos minúsculos *grays*. Dois humanos são mostrados, como escala. A foto em preto e branco mostrando a nave mãe não lhe faz justiça. É preciso ver o filme para ter ideia da magnitude do espetáculo. Columbia Pictures Corporation.

outros astronautas. Todos os Alienígenas entram de novo na nave e a porta se fecha pela última vez. Enquanto ela se ergue, majestosa, no ar, o pequeno Barry encerra o filme dizendo: "Adeus!".

Contatos Imediatos do Terceiro Grau incorpora muitos elementos tidos como "corretos" pelos entusiastas de óvnis, e o filme foi bem-aceito por essa comunidade, embora, como sempre, houvesse puristas reclamando de um ponto ou outro que não foi abordado pela produção. O filme foi um tremendo sucesso comercial, rendendo mais de 300 milhões de dólares no mundo todo.

O título foi tirado de uma escala criada pelo astrônomo e pesquisador de óvnis J. Allen Hynek, e popularizada no livro dele, de 1972, The UFO Experience: A Scientific Inquiry [Ufologia – Uma Pesquisa Científica]. Sua escala classificava os avistamentos de óvnis como contatos imediatos do primeiro grau, e os avistamentos com evidência física, como marcas chamuscadas ou lapsos de tempo (como no caso de Betty e Barney Hill) como sendo do segundo grau. Contatos imediatos do terceiro grau exigem o encontro de "seres animados" juntamente com um óvni. O nome foi vagamente escolhido para permitir a possibilidade de que talvez os óvnis não tivessem uma origem extraterrestre. Houve extensões posteriores da escala de Hynek, mas elas não são universalmente aceitas. O quarto grau são as abduções em que a lembrança é mantida. O quinto grau são conversas regulares (como a experiência de Adamski). O sexto grau é um encontro que causa dano ou morte ao humano. Por fim, um contato imediato de sétimo grau requer uma relação sexual entre humanos e extraterrestres que produza um descendente, com frequência chamado de "filho das estrelas".

A ideia dessa relação sexual entre humanos e supostos alienígenas tem sido relatada por alguns dos abduzidos pós-Betty e Barney Hill, e também foi proposta por Von Däniken e seus contemporâneos como uma possível explicação para, por exemplo, os deuses híbridos de humanos com animais do antigo Egito. Basta um conhecimento superficial de genética para perceber como a ideia é ridícula. Pense só: humanos e laranjas compartilham um histórico genético e têm uma considerável sobreposição genética, e ainda assim, um híbrido de humano com laranja é impensável. Em contrapartida, Alienígenas e humanos não compartilham um histórico genético; de fato, é improvável que o material genético dos Alienígenas se pareça com o DNA da vida de origem terrestre. Com base nos avanços genéticos recentes da humanidade, sabemos que é possível que o material genético de uma espécie seja transplantado para outra, mas a fusão de material genético humano e Alienígena parece muito improvável, a não ser que o DNA de alguma espécie Alienígena seja idêntico ao nosso pelo simples motivo que muitos tendem a acreditar: eles são nossos pais. Mas isso é outra história.

Representações pouco sérias de Alienígenas

Passamos um bom tempo falando sobre os Alienígenas da forma como são representados na literatura, no rádio, no cinema e na televisão, mas também há uma classe de Alienígenas que não foram criados para serem levados a sério. São apenas representações que nos permitem assistir a uma história encantadora ou engraçada.

Dentre as representações pouco sérias de Alienígenas, talvez a mais envolvente seja o filme E.T. – O Extraterrestre (E.T. The Extra-Terrestrial, 1982). Uma equipe de botânicos Alienígenas que recolhe amostras de plantas da Terra é surpreendida e foge em sua nave, deixando para trás um de seus membros. O Alienígena encontra um garoto de 10 anos que o ajuda a voltar para junto dos seus. O filme utiliza algumas das técnicas clássicas de Hollywood para contar a história do contato com os Alienígenas, por exemplo quando o governo se envolve e tenta capturar o E.T. para estudo. Mas, tendo em vista o público a que se destina, dificilmente o filme representaria de forma séria os Alienígenas.

Na televisão, os Alienígenas às vezes são usados como a base para comédias. O comportamento tolo de criaturas que não fazem ideia de como funciona a sociedade humana pode facilmente ser explorado para provocar risadas. Mork and Mindy (1978-1982) usava o humor alucinado de Robin Williams enquanto o Alienígena Mork tentava viver entre nós. Na série ALF, O E Teimoso (de Alien Life Form, ou "forma de vida alienígena", 1986), o Alienígena de mesmo nome era interpretado por um boneco de mão do estilo que era utilizado no programa Muppets Show. Nascido no Baixo Lado Leste do planeta Melmac, ele caiu na Califórnia e foi morar com uma família que o encontrou. É um sujeito inteligente e sarcástico, que está sempre tentando comer o gato da família. A série Meu Marciano Favorito (My Favorite Martian, 1963), tinha uma premissa semelhante. Um antropólogo marciano cai na Terra e vai morar com um humano enquanto tenta consertar sua nave. Só o rapaz com quem mora sabe que ele é marciano. Até certo ponto, há uma semelhança com a série mais famosa A Feiticeira (Bewitched, 1964), na qual a feiticeira Samantha vive entre nós e apenas seu marido sabe quem ela realmente é.

Um dos mais icônicos Alienígenas pouco sérios é Marvin, o marciano. Marvin estreou no desenho animado Haredevil Hare, de 1948, contracenando com o coelho Pernalonga. Ele se veste como um centurião romano, em homenagem à identificação do planeta Marte com o deus da guerra romano. Marvin é um astrônomo, com frequência empenhado em destruir a Terra "porque ela atrapalha [sua] visão de Vênus". A forma como ele vai destruir o planeta é com "um Modulador Espacial Illudium Pu-36" (às vezes "Modulador Espacial Illudium Q-36"). Como acontece com qualquer personagem que entre em conflito com Pernalonga, Marvin tem muito pouca sorte com seus planos. Uma frase comum quando ele fracassa em explodir a Terra é "Onde está o cabum? Deveria haver um cabum estrondoso!". Os desenhos animados de Marvin, o marciano, costumam ser bem engraçados, mas nunca houve a intenção de que ele fosse entendido como a representação de um Alienígena real.

Outro Alienígena que de algum modo não é em absoluto um Alienígena é o Super-Homem. Nascido Kal-El no planeta Krypton, ele foi enviado para a Terra antes de seu planeta explodir. Por ter nascido em um planeta de alta gravidade, o Super-Homem é muito forte. "Mais rápido do que uma bala. Mais forte que uma locomotiva. Capaz de saltar sobre os prédios mais altos com um simples pulo" era uma descrição literal de suas habilidades, mas estas foram se transformando ao longo dos anos até que o Super-Homem tornou-se indestrutível. O Super-Homem não é um Alienígena icônico, e sim um super-herói.

O filme *Homens de Preto* (*Men in Black*, 1997), explora um pouco do folclore que envolve os Alienígenas "reais". Uma organização governamental supersecreta de homens vestidos com ternos pretos controla as idas e vindas dos Alienígenas que moram aqui na Terra. Pessoas que se deparam com os muitos Alienígenas que estão entre nós são submetidas a um "neuralizador", um pequeno artefato que emite uma luz superintensa e faz as pessoas esquecerem o que viram, deixando um lapso em sua mente que é preenchido por explicações racionais e, às vezes hilárias, dos homens de preto para os fenômenos ligados aos Alienígenas, como se fossem implantes de memória. Nesse filme há dúzias de diferentes tipos de Alienígenas, de uma espécie de molusco bípede humanoide a um pequeno Alienígena que controla um robô em forma humana a partir de sua cabeça até uma gigantesca barata, o grande vilão do filme. Essa incrível película de entretenimento, assim como suas sequências, é muito divertida. Os Alienígenas agora são lugar-comum nos filmes. Em vez de serem Alienígenas, eles são apenas parte da trama, como os parceiros inexperientes e calejados em alguns filmes de policiais/amigos, ou a dupla irremediavelmente mal combinada de muitas comédias românticas. Os Alienígenas evoluíram até um ponto em que já não são mais novidade.

Alienígenas não mencionados

Em um gênero tão rico quanto a ficção científica, é inevitável que alguns leitores reclamem por eu não ter mencionado determinadas representações de Alienígenas. *Avatar*, de 2009, foi um blockbuster de sucesso e um filme maravilhoso, mas ainda é cedo para saber se os Na'vi vão virar uma espécie ficcional icônica. *Doctor Who* é uma série de longa duração que descreve as peripécias de um "Senhor do Tempo", membro de uma espécie alienígena com capacidade de viajar através do tempo. Embora seja tremendamente popular entre um fã-clube cult em crescimento, a série não se tornou muito conhecida do grande público fora do Reino Unido. O motivo mais frequente para que uma história não tenha sido tratada aqui é não ter conseguido contribuir para moldar a imagem dos Alienígenas no imaginário popular. *Transformers* (2007), *Transformers — A Vingança dos Derrotados* (Transformers: Revenge of the Fallen, 2009), *Transformers — O Lado Oculto da Lua* (Transformers: Dark of the Moon, 2011), *Transformers — A Era da Extinção* (Transformers: Age of Extinction, 2014) e *Transformers — O Último Cavaleiro* (Transformers: The Last Knight, 2017), *O Predador* (Predator, 1987), *Independence Day* (1996), *3rd Rock from the Sun* (série exibida pelo canal aberto americano NBC entre 1996 a 2001), *The Coneheads* (Cônicos & Cômicos, 1993), *V* (V — Visitantes, 2009), *Battlestar Galactica* (uma série de filmes e seriados de televisão produzidos entre 1978 e 2009), *Tropas Estelares* (Starship Troopers, 1997), *Blade Runner — O Caçador de Androides* (Blade Runner, 1982), *O Guia do Mochileiro das Galáxias* (The Hitchhiker's Guide to the Galaxy, 2005), *O Quinto Elemento* (The Fifth Element, 1997), *Duna* (Dune, 1984), *Firefly* (Firefly, 2002, 2003), *Perdidos no Espaço* (Lost in Space, 1965 a 1968); a lista poderia prosseguir por um bom tempo. Da mesma forma, há autores brilhantes de *pulp fiction* e de ficção contemporânea que não foram mencionados: Frederik Pohl, com *Heechee*; Larry Niven, com *Tales of Known Space: The Universe of Larry Niven* [Contos do Espaço Conhecido: O Universo de Larry Niven], de 1975; Robert Heinlein com *Um Estranho numa Terra Estranha* (1961), junto com o resto de sua deliciosa obra; Ray Bradbury, com *As Crônicas Marcianas* (1950), Larry Niven e Jerry Pournelle, com *The Mote in God's Eye*. Esta lista também é longa.

Também não mencionei os Alienígenas dos *video games*. Do original *Space Invaders* aos vilões em *Starcraft*, *Quake* e *Halo* e assim por diante, o problema com os *video games* é que os Alienígenas tendem a ser conhecidos por um grupo pequeno e entusiástico de *gamers*. Quem sabe algum dia um Alienígena de *video game* se torne bem conhecido do público geral, mas isso ainda não aconteceu.

Portanto, permita-me pedir desculpas a todos os leitores por seus Alienígenas favoritos que não mencionei. Também adoro todos eles.

Arquétipos de Alienígenas

Agora que já falamos sobre a história dos Alienígenas e como os encontramos, estamos prontos para resumir os Alienígenas arquetípicos. É uma repetição de um exercício anterior, agora incluindo criaturas que encontramos tanto na ficção quanto nas histórias "verdadeiras" de Alienígenas. Existem muitos tipos diferentes, e agora conhecemos suas origens. A maioria deles é encontrada na ficção, e poucos têm papel significativo no mito dos "Alienígenas reais".

Homenzinhos verdes. Apareceram mais na era da *pulp fiction*, e foram precursores dos *grays.* São vistos em alguns dos filmes de óvnis da década de 1950, os quais, mesmo sendo em preto e branco, de algum modo transmitem uma sensação de "verdeza". Alienígenas verdes surgem nos dias de hoje até em filmes infantis, como *Toy Story.*

Os grays. São a forma mais comum de Alienígenas nos encontros relatados e em qualquer filme nos quais os Alienígenas sejam tratados como os que são descritos nas histórias "reais". São chamados de *grays* ("cinzentos") devido à cor de sua pele. Muitas vezes têm cabeça e testa grandes, queixo pequeno e olhos negros amendoados, e não têm nariz. A origem desta variante de Alienígena parece ser o incidente de Betty e Barney Hill. O protagonista de *Paul – O Alien Fugitivo,* é deste tipo, como são os asgard de *Stargate,* os visitantes do livro *Comunhão* de Whitley Strieber e os Alienígenas de *Contatos Imediatos do Terceiro Grau.*

Irmãos do Espaço. Este tipo de Alienígena foi encontrado pela primeira vez por George Adamski. Eles são um tanto variáveis, mas são descritos como altos, belos e de aparência nórdica, em geral com cabelo longo (o Alienígena de Adamski na verdade era relativamente baixo). São muito espiritualizados e vieram nos ensinar sobre a harmonia cósmica. Tendem a ser um pouco arrogantes e o motivo para nos visitarem é salvar-nos do comportamento autodestrutivo. Às vezes nos alertam que, se não melhorarmos nossa forma de agir, eles vão nos manter presos à Terra até que o façamos. Alguns céticos já observaram que esta variante dos Alienígenas é bem parecida ao papel que os anjos desempenhavam na sociedade quando a religião tinha aceitação mais universal, e que de fato têm a mesma função, que é dar uma aula sobre como deveríamos nos portar. Aqueles que acreditam que os Irmãos do Espaço são reais citam as lendas de anjos como prova de que eles visitaram a Terra no passado. Um exemplo deste tipo de Alienígena é Klaatu, de *O Dia em que a Terra Parou*.

Insetoides. Têm diferentes graus de inteligência, de modo que não fica claro se contam como Alienígenas ou como simples formas de vida alienígena. Em geral são caçadores e assassinos de outras espécies. Os Alienígenas no filme *Alien* e suas sequências têm uma inteligência ambígua. Talvez só cacem para comer e procriar. Os Alienígenas de *Tropas Estelares* parecem ter uma espécie de mentalidade de colmeia, com alguns dos indivíduos sendo guerreiros que formam enxames, enquanto outros são mais inteligentes. Podemos também incluir aqui os formies do clássico romance *O Jogo do Exterminador* (*Ender's Game*, 1977) de Orson Scott Card e a raça de gafanhotos humanoides de *Independence Day*.

Guerreiros. São Alienígenas que dão valor à honra, bravura em batalha e agressividade, acima de tudo. Para eles, formas de vida que não anseiam pelo combate são fracas e, portanto, são criaturas a serem conquistadas e escravizadas ou exterminadas. Os klingons do universo de *Jornada nas Estrelas* são a versão mais icônica deste tipo de Alienígena, sobretudo aqueles de *Jornada nas Estrelas: a Nova Geração* em diante. Os marcianos verdes do universo de Barsoom, de Edgar Rice Burroughs, são outro ótimo exemplo. Os homens-falcão dos quadrinhos de Flash Gordon são guerreiros, assim como os kzinti do universo de *Ringworld*, de Larry Niven. É possível que o Alienígena de *O Predador* conte, embora não esteja bem claro se a espécie dele é de caçadores ou de guerreiros atrás de algum descanso e recreação. Outra variante deste arquétipo são os Alienígenas que são a classe guerreira de uma sociedade mais ampla. Com frequência esta variante não é a classe que lidera a sociedade, e os jem'hadar de *Jornada nas Estrelas – Deep Space Nine* e os jaffa de *Stargate* tipificam isto.

Fofos. Em geral são designados para fazer com que nossas crianças nos forcem a gastar nosso suado dinheirinho. São engraçadinhos, com frequência lembrando bichinhos de estimação, ursinhos de pelúcia e outras recordações confortáveis. Os ewoks de *O Retorno de Jedi*, Stitch, de *Lilo & Stitch* da Disney, os pingos de *Jornada nas Estrelas*, o E. T. de *E. T. – O Extraterrestre* e ALF são alienígenas fofos.

Mercadores ianques. Enquanto os mercadores ianques históricos e terrestres estavam interessados em ganhar dinheiro, a variante Alienígena vai desde os que são meramente aquisitivos até espécies em cuja cultura o dinheiro é fundamental. Os ferengi do universo de *Jornada nas Estrelas* são um exemplo, assim como os psychlos do clássico romance *pulp* de L. Ron Hubbard, *Campo de Batalha: Terra* (Battlefield Earth, 2000).

Transmorfos. Esses Alienígenas têm forma própria não especificada, mas podem assumir o formato de outros para se dissimular, às vezes para caçar. Os exemplos incluem o assassino camaleão de *Star Wars: Episódio II – Ataque dos Clones*; o Alienígena sem nome de *Who Goes There?*, de John Campbell; as vagens espaciais de *Vampiros de Almas* (Invasion of the Body Snatchers, 1956); e a espécie personificada por Odo em *Star Trek: Deep Space Nine*.

Odiadores mecânicos de vida orgânica. São formas de vida mecânicas ou, às vezes, uma mistura de componentes orgânicos e robóticos. Em geral, estão empenhados em exterminar ou escravizar os seres orgânicos. Os borgs do universo de *Jornada nas Estrelas* são um exemplo, assim como os cilônios de *Battlestar Galactica*. *Jornada nas Estrelas – A Série Original* explorou com frequência esta forma de Alienígena, com os episódios "Máquina da destruição" [The Doomsday

Machine] e "Nômade" [The Changeling], bem como V'ger, do primeiro filme *Jornada nas Estrelas*. Os fãs de *Doctor Who* vão reconhecer os daleks como Alienígenas desse tipo. Uma variante rara é o "robô do bem", por exemplo os autobots nos desenhos e filmes dos *Transformers*. A raça alienígena tecnorgânica do universo dos X-Men, conhecida como Phalanx (Falange), também é um ótimo exemplo.

Deuses. São Alienígenas tão poderosos que podem fazer qualquer coisa. Com frequência são caprichosos, algumas vezes maliciosos e outras ambivalentes. Os organianos e os Q de *Jornada nas Estrelas* são dois exemplos, assim como os goa'uld do universo de *Stargate*.

Conclusão e transição

Até aqui, discutimos os Alienígenas que imaginamos e com os quais até sonhamos. Por serem nossa criação (ou por talvez terem tido a cortesia de nos visitarem, para que soubéssemos como são), temos algum controle sobre quem e o que esses Alienígenas são; de fato, com frequência eles são espelhos, refletindo nossa psique coletiva. No entanto, há uma questão real. Existem no universo Alienígenas *reais*? Se em algum momento decidirmos sair do Sistema Solar e viajar para as estrelas próximas, o que encontraremos? Estamos sozinhos no universo ou um dia nos juntaremos a uma galáxia cosmopolita, como apenas mais uma espécie entre muitas?

INTERLÚDIO

O inimitável Mark Twain uma vez escreveu em *Pudd'nhead Wilson's New Calendar* que "a verdade é mais estranha que a ficção". Em nenhum lugar isso é mais verdadeiro do que na discussão da vida extraterrestre. Até aqui neste livro, falamos de ficção e de histórias que não podem ser confirmadas. Uma ou outra das histórias contadas por Arnold ou Adamski ou os Hill até poderia constituir uma descrição factual e acurada das experiências vividas, mas relatos isolados não são uma fonte confiável de conhecimento, por mais interessantes e divertidos que pareçam.

Para abordar questões do tipo será que os Alienígenas existem de fato ou que aparência poderiam ter, precisamos apelar para a ciência, e, parafraseando Twain, o que ela nos revela é muito, muito mais estranho que a ficção. É altamente improvável que os Alienígenas sejam humanoides. As chances de que sejam capazes de nos devorar são nulas. O espectro de possibilidades é muito mais amplo do que os limites impostos pela indústria cinematográfica e pela necessidade de ter uma trama coerente.

Nas próximas páginas, tomaremos outra direção, que nos proporcionará informações não sobre os Alienígenas como fenômeno social e terrestre, mas sobre os Alienígenas reais. Os biólogos já estudaram muitas das incontáveis possibilidades de planos corporais de organismos da Terra, como as que estão presentes nas diversas espécies de mamíferos, aves, répteis e insetos. As pesquisas científicas mais recentes ampliaram consideravelmente nossa compreensão das diversas reações bioquímicas que podem levar à vida. Inalar oxigênio e exalar dióxido de carbono é um modo excelente de manter vivo um organismo, mas não é o único. Há tipos de vida na Terra que podem existir em ambientes que matariam a você e a mim, mas a gama de ambientes possíveis na Terra é diminuta em comparação com outros planetas, repletos de ambientes nos quais nenhuma vida terrestre sobreviveria. No entanto, os cientistas conhecem meios pelos quais outros elementos químicos podem se combinar e que serviriam aos mesmos propósitos de nosso metabolismo e de nossa respiração. Algumas dessas combinações de elementos ocorrem a pressões que comprimiriam uma pessoa até o tamanho de uma ervilha, e a temperaturas tão baixas que até o ar estaria congelado num estado sólido. Para entender a ampla gama de formas que a vida pode assumir, devemos explorar os limites do possível e analisar as restrições impostas à vida pelas regras físicas e químicas da matéria em si. Nos próximos capítulos, vamos explorar quais fatores governam a forma dos Alienígenas *reais*.

É importante recordar que a mera possibilidade física da existência de algo não é garantia de que esse algo de fato exista. Se a física e a química tornam possível um certo tipo de Alienígena, talvez ele existisse em uma galáxia distante, e provavelmente nunca teríamos contato com ele. Assim, quando perguntamos que tipo de Alienígena encontraríamos se nos aventurássemos pela galáxia, devemos fazer perguntas simples: "Mas que Alienígenas de fato existem em nossa vizinhança estelar (se é que existem)?" A forma mais segura de fazer isso é simplesmente perguntar a eles. Literalmente, enquanto você lê isto, por todo o mundo há cientistas ouvindo os ruídos de rádio dos céus, na esperança de identificar um débil crepitar que traga a voz de nossos vizinhos. Vamos falar sobre esses cientistas e sobre sua busca que já dura décadas. Assim, vamos nos acomodar na poltrona e mergulhar no que a ciência nos ensina sobre os Alienígenas.

CINCO

FORMAS DE VIDA

"Dá para ver muita coisa, só olhando."

– Lawrence Peter, conhecido nos
Estados Unidos como Yogi Berra

Na primeira metade do livro, discutimos o histórico da visão que a humanidade tem dos Alienígenas. Se é fácil entender o motivo de nossos antepassados terem se interessado pelo assunto, é igualmente fácil entender por que a ideia continua a nos fascinar. A questão de estarmos ou não sozinhos no universo é um dos mistérios mais fascinantes de todos. Esta segunda metade do livro explora nosso pensamento moderno e científico. Se chegarmos a encontrar um extraterrestre, como será ele? Podemos explorar de forma empírica as possibilidades?

Se vamos falar a sério sobre os Alienígenas, talvez o lugar para começar seja visitando-os em seu lar. Deixe-me levar você para um mundo nunca antes visto por olhos humanos. Vá em frente e olhe ao seu redor. Enquanto isso, permita-me bancar o guia turístico e contar a todos os outros leitores o que você está vendo.

Neste mundo alienígena, não existem árvores. Há plantas, ou ao menos seres que se parecem com plantas, mas são diferentes de tudo o que você já viu. À sua esquerda, um maciço de frondes cor de esmeralda, incomuns, mais altas do que você, balançam levemente, lembrando dúzias de fitas verdes agitadas por uma brisa. Um farfalhar ocasional indica que algo pode estar se movendo por entre a folhagem.

Estas são as plantas de aparência mais familiar. À direita, um ser peculiar que parece vagamente uma cenoura, mas sem as partes verdes, equilibra-se de modo precário, só com uma ponta esguia enfiada no solo. Só o formato lembra uma cenoura, pois a cor e a textura são parecidas às de um morango pálido, e tufos de espinhos garantem que nenhum coelhinho jamais a devorará. Outras plantas são ainda mais estranhas. Uma parece um cacto, mas é manchada como uma girafa e tem, no alto, sete estruturas parecidas com tentáculos, que se movem e podem ser perigosas ou não.

Se a vida vegetal é estranha, os animais chegam a ser bizarros. O mistério do movimento das fitas verdes vegetais é resolvido quando uma criatura realmente estranha coloca o nariz para fora da terra. "Nariz", claro, é só um viés baseado em nossas experiências na Terra. À medida que a criatura vai emergindo, sua verdadeira forma é revelada. Com uns 13 ou 15 centímetros de comprimento, o animal parece um verme gordo, e locomove-se sobre sete pares de pernas longas que não se dobram, como um dragão chinês andando sobre muitas pernas-de-pau. Catorze espinhos longos e ameaçadores projetam-se de seu dorso e são um indício claro de que, para algum organismo, essa criatura constitui uma refeição.

Mais perto de você, o solo está coberto de areia limpa e branca. Uma criaturinha quitinosa rasteja veloz ao redor de seus pés, talvez comendo algo que está sobre o substrato ou apenas dando uma volta. Parece um caranguejo-ferradura sem cauda. Ou apenas um enorme besouro, com o dorso segmentado e muitas patas. Ele bate com o "focinho" nos dedos de seu pé por uns instantes, e depois retoma sua jornada errática. Você o observa enquanto ele se afasta, numa rota sinuosa.

A luz do sol, ao menos, é familiar. A luz brilhante, branco-amarelada, reluz em um céu azul límpido, sem qualquer nuvem. Uma sombra passa sobre você uma vez, duas. Ao olhar para cima, para ver o que é, de canto de olho você enxerga um lampejo e ouve um guincho vindo do chão, a alguma distância à sua frente. Olhando naquela direção, a fonte da sombra é revelada. Erguendo-se acima do solo num redemoinho de areia há um animal grande e estranho, de cor cinza-arenoso, com olhos que parecem cogumelos negros projetando-se de curtas hastes. As duas trombas articuladas que se projetam da face dele agarram a desafortunada criatura-besouro que você viu antes. O caçador tem um corpo robusto, com um babado ao longo dos flancos, mais ou menos como os que você veria nos quadris do maiô de uma menininha que entra pela primeira vez na piscina. O predador se move ondulando os flancos como uma sépia, com um movimento suave e fascinante, levando a presa com ele. A morte chegou a esse mundo alienígena.

A cena que acabo de descrever com certeza nunca foi vista por olhos humanos, mas não é ficção. Embora minha escolha de cor das plantas e criaturas seja fruto de um palpite científico bem

Figura 5.1. A vida animal e vegetal do período Cambriano é tão alienígena, do ponto de vista visual, quanto a que vemos em muitos filmes de ficção científica. Embora a vida extraterrestre deva ser muito mais estranha ainda, podemos começar a entender o espectro das possibilidades examinando primeiro a grande diversidade de vida terrestre ao longo dos últimos quinhentos milhões de anos. © 2006 The Field Museum, Chicago. Ilustrações de Phlesch Bubble Productions.

fundamentado, e não de conhecimento, essa cena vem da história antiga da Terra, sob os mares rasos do período Cambriano (Figura 5.1). As plantas, do jeito que as conhecemos, ainda não haviam evoluído, embora algas unicelulares tivessem se agrupado formando estruturas semelhantes a plantas, e as esponjas e os corais da época pudessem parecer vegetação a nossos olhos. O besouro articulado é um trilobita, do qual existem inúmeras espécies, enquanto o verme de catorze patas e com espinhos chama-se *Hallucigenia* (Figura 5.2). O temível predador dos oceanos primitivos com duas trombas, como um elefante siamês, é o *Anomalocaris*, que podia ter um metro ou mais de comprimento.

A biota do período Cambriano está preservada nas rochas sedimentares da formação Folhelho Burgess (situada nas Montanhas Rochosas do Canadá, na Colúmbia Britânica), bem como em outras partes do mundo. Ela contém muitas criaturas tão estranhas quanto qualquer Alienígena saído da ficção científica. A *Opabinia* (Figura 5.2), com seu corpo articulado, cinco olhos, uma cauda como a de um caça a jato, e pinças que parecem garras na ponta de um apêndice sinuoso como uma cobra, tão longo quanto o resto do corpo, não destoaria no próximo *blockbuster* de Hollywood, ambientado em um planeta orbitando uma estrela distante.

Este *não* é um livro sobre as origens da vida e sobre a evolução que produziu a diversidade existente nos últimos quinhentos milhões de anos. No entanto, a Terra é o único planeta do universo onde temos certeza de que existe vida. Embora a vida alienígena deva ser totalmente diferente da terrestre, compreender a gama de formas de vida que já existiram na Terra é o primeiro passo em nossa exploração do que poderemos encontrar "lá fora". Quero

Figura 5.2. A vida animal do período Cambriano inclui planos corporais que há muito se extinguiram, como no caso desses dois seres parecidos a artrópodes, *Hallucigenia* (*esquerda*) e *Opabinia* (*direita*). © 2006 The Field Museum, Chicago. Ilustrações de Phlesch Bubble Productions.

deixar claro que, por mais que eu ame a série *Jornada nas Estrelas* e suas continuações, elas pintam um universo totalmente improvável. Devido à necessidade pragmática de ter atores humanos fazendo papel dos personagens, as raças Alienígenas no universo dessas séries são, em sua esmagadora maioria, humanoides. É praticamente zero a chance de que os Alienígenas que venhamos a encontrar em nossa exploração do cosmos tenham aparência tão familiar. Nossa visita à pré-história nos dá uma leve pista de quão estranho um mundo alienígena pode ser.

Lições da vida terrestre

Desde antes de Lineu, os cientistas classificam as formas de vida em diferentes categorias. No início havia três reinos, basicamente animais, vegetais e minerais (embora o reino dos minerais logo tenha sido abandonado). Essa primeira classificação mostrou ser limitada demais para organizar a variedade assombrosa de tipos de vida que foram descobertos. Hoje existem alguns sistemas taxonômicos que, para nossos propósitos, não diferem muito uns dos outros (independentemente de quão acalorados são os debates entre seus vários proponentes).

Os biólogos classificam os seres vivos de acordo com suas características. As características determinantes podem ser genéticas ou morfológicas, e ambos os sistemas se sobrepõem consideravelmente, embora não de todo. Como exemplo, apresento um esquema de classificação bem popular. No nível mais alto estão os domínios, que separam a vida em Bacteria, Archaea e Eukarya. Os dois primeiros são reunidos sob o nome de Procariotas, que significa que suas células não têm núcleo. Eukarya significa apenas que as células dos organismos possuem núcleo, e inclui as formas de vida que você vai ver se olhar pela janela. As plantas, os animais e os fungos constituem reinos diferentes dentro do domínio Eukarya. Esses reinos, por sua vez, estão divididos em filos, classes, ordens, famílias, gêneros e espécies. Para dar uma ideia de como se faz a distinção, em cada nível, dos diferentes elementos que o compõem, vejamos a classificação da espécie humana. Começando com nossa localização no reino Animal, pertencemos ao filo dos Cordados (indicando que temos um canal oco pelo qual passam os nervos – em essência, uma medula espinal). A próxima subdivisão é a classe, e estamos na classe dos mamíferos, o que significa (entre outras coisas) que temos sangue quente e pelos e que nossas fêmeas produzem leite. Em seguida, pertencemos à ordem dos primatas, e depois à família dos hominídeos e, por fim, ao gênero *Homo* e à espécie *sapiens sapiens*. Dado que estamos interessados numa visão ampla ao investigarmos planos corporais, os detalhes dessas últimas distinções não nos interessam tanto.

Qualquer biólogo que se preze ficaria consternado com essa descrição grosseira de um sistema complexo, estabelecido após séculos de trabalho duro. E com razão. O estudo minucioso das relações evolutivas entre as espécies do planeta, determinando onde cada uma se encaixa, é uma façanha maravilhosa. De fato, ter entendido a tapeçaria da vida e como as espécies surgem, vivem e morrem, com certeza é uma das realizações mais bem-sucedidas da ciência. Quando incluímos os estudos genéticos mais recentes, é impossível não ficar assombrado com a história da vida neste planeta, e mais ainda com o fato de que a humanidade foi capaz de desvendar uma boa parte dela.

No entanto, nossas aspirações aqui não são tão grandiosas. Estamos interessados em Alienígenas, e não na vida alienígena em si. Lembre-se de que, em nosso contexto, "Alienígena" (com "A" maiúsculo) significa uma criatura capaz de projetar, construir e pilotar uma espaçonave, e com a qual a espécie humana pode, em princípio, um dia competir pelo domínio da galáxia. Não é essencial que os níveis de tecnologia sejam comparáveis, e nem que eles de fato construam uma espaçonave. As criaturas que viajam até a Terra em naves espaciais para nos invadir são um exemplo incontestável do que chamamos de Alienígenas, mas o mesmo se aplica aos Na'vi do filme *Avatar*, de James Cameron. Os Alienígenas devem ter mobilidade, inteligência e serem capazes de manipular o mundo à sua volta. Devem ter, *em princípio*, potencial para pilotar uma espaçonave. Não basta que sejam simplesmente uma forma de vida que evoluiu em um outro planeta.

Portanto, não temos necessidade de saber acerca do equivalente alienígena de um chimpanzé, e nem se o planeta tem uma criatura que lembra uma lula. O que queremos saber, ao nos depararmos com uma forma de vida Alienígena, é qual o espectro de formas possíveis que ela pode assumir? Para isso, precisamos considerar questões muito mais amplas. Qual a estrutura de sustentação do Alienígena? Ele tem um esqueleto interno como nós, ou um exoesqueleto, como uma lagosta? Tem sangue quente, frio ou não tem o que conhecemos como sangue? Como será que se reproduz? Tem sexos diferenciados e, se tiver, quantos são? É na esperança de conseguir responder a perguntas como essas que estudamos a vida terrestre. Afinal, sabemos que na Terra existem várias repostas para esses tipos de pergunta. Mesmo sendo provável que os Alienígenas sejam diferentes nos detalhes, podemos aprender muito sobre o que é possível, apenas olhando à nossa volta.

Assim, começamos nossa investigação estudando os domínios e os reinos. Dos três domínios, deixaremos a discussão sobre os Archaea para o próximo capítulo. O estilo de vida dos Archaea emprega vias metabólicas radicalmente diferentes, e o lugar apropriado para falar disso é na discussão sobre formas de vida que existem sob condições muito diferentes daquelas com que estamos acostumados.

O primeiro domínio que discutiremos é o das bactérias, que são, em geral, e unicelulares e não possuem núcleo. Poderiam os Alienígenas ser formados por bactérias que evoluíram? (E, com isso, refiro-me à formação de vida multicelular a partir de células com a estrutura de bactérias.) A resposta é provavelmente não. É uma questão de energia. A energia é produzida dentro das células, e a estrutura celular das bactérias tem composição muito menos complexa. Isto resulta numa quantidade muito menor de energia disponível para a célula fazer o tipo de coisas que seriam necessárias para criar um Alienígena inteligente. Embora as bactérias possam se juntar para trabalhar de forma cooperativa, esse tipo específico de vida simplesmente não gera energia suficiente para ser viável como unidade fundamental da estrutura de um Alienígena.

De fato, este é um bom momento para examinar os requisitos para decidir se um determinado plano corporal ou opção bioquímica é um bom candidato para produzir Alienígenas. A consideração mais fundamental é a energia. A evolução e o meio ambiente podem exercer, e exercem, uma poderosa pressão para moldar a direção que a vida segue, mas uma variação assim só pode ocorrer se houver energia suficiente disponível. Se não há energia suficiente para fazer algo, nada acontece. É mais ou menos como os carros. Existem Fords Modelo T, calhambeques e Ferraris. Os projetistas de carros criaram uma ampla gama de diferentes tipos de automóveis. No entanto, um elemento em comum a todos é a necessidade de uma fonte de energia. Quando consideramos a vida na Terra e como ela poderia ou não ter evoluído sob diferentes circunstâncias para resultar em um Alienígena inteligente, devemos ter em mente a questão das restrições de energia e dos carros. Para um carro, há muitos projetos e fontes de energia possíveis (por exemplo, gasolina, etanol, vento, energia solar, energia nuclear etc.), mas ele sempre precisa de algum tipo de energia para se mover. Sem energia, não há movimento.

Assim, se a fonte de energia é reduzida demais para possibilitar a evolução das características necessárias para um Alienígena – como inteligência, mobilidade e a capacidade de manipular energia –, então a existência daquele Alienígena se torna impossível.

Eukarya

Uma vez que os mecanismos de geração de energia das bactérias terrestres são insuficientes para possibilitar a evolução de um Alienígena, voltemos nossa atenção para os Eukarya. As células dos eucariontes são mais complexas que as bactérias. Cada célula dessas contém dentro de si estruturas ainda menores, elas próprias envoltas por membranas. A característica central dos eucariontes é o núcleo que lhes dá o nome e deriva das palavras gregas *eu* (bom) e *karyon* (cerne ou núcleo). Os eucariontes contêm outras organelas que são a fonte de energia celular. As mitocôndrias são as organelas que fornecem energia às células animais, enquanto os cloroplastos fornecem energia às plantas. Existe um extenso conhecimento sobre a forma e a função da vida eucarionte, e vamos abordá-lo de forma muito superficial, só entrando em detalhes quando for absolutamente necessário. É importante lembrar que os detalhes sobre os eucariontes não são cruciais – mas sua capacidade amplificada de criar energia, sim.

Sabendo que os eucariontes da Terra podem gerar energia suficiente, vale a pena explorar um pouco mais tais tipos de vida. Os eucariontes estão divididos em quatro reinos: além dos três mencionados antes, animais, plantas e fungos, existem também os protistas. Os três primeiros nós de certo modo compreendemos intuitivamente, com base em nossas experiências. "Protista" é como um termo genérico para os organismos que não se encaixam nos outros três reinos. Tendem a ser criaturas unicelulares e têm uma semelhança superficial uns com os outros. De fato, foi só no início da década de 1980 que a diversidade dos protistas começou a ser conhecida. A compreensão das interconexões evolutivas dos protistas é uma área ativa de pesquisas, mas sua natureza unicelular os torna inadequados para gerar Alienígenas. Para vida multicelular, precisamos voltar nossa atenção para os fungos, as plantas e os animais.

Fungos

Devido a sua semelhança superficial com as plantas, os fungos originalmente foram classificados como parte do reino Vegetal. Estudos mais detalhados revelaram diferenças consideráveis; por exemplo, eles não realizam fotossíntese e as paredes de suas células contêm quitina, e não a celulose presente nas plantas. A quitina é o material do qual o exoesqueleto de muitos artrópodes e insetos é feito. De fato, trabalhos recentes de genética revelaram que os fungos são mais aparentados aos animais do que às plantas, embora seja um parentesco distante. Ao contrário das plantas, fungos se alimentam de outros seres.

Assim, no que diz respeito a nossa pergunta: "É provável que Alienígenas tivessem evoluído a partir de fungos?", a resposta é não. Os fungos obtêm energia através de métodos muito ineficientes. Simplesmente não há energia disponível suficiente para que os fungos desenvolvam o tipo de comportamento que um Alienígena inteligente necessita.

Plantas

A questão não é tão clara de antemão quando examinamos as plantas. O tipo de Alienígena que estamos discutindo precisa se locomover de alguma forma, e as plantas em geral são imóveis. No entanto, a ficção científica e a literatura fantástica estão repletas de exemplos de plantas que se movem, desde a planta "Alimente-me, Seymour" em *A Pequena Loja dos Horrores* (Little Shop of Horrors, 1986) aos Ents de Tolkien, o Salgueiro Lutador das histórias de Harry Potter, as trífides de *O Terror Veio do Espaço* (The Day of the Triffids, 1962) e a criatura de *O Monstro do Ártico* (The Thing from Another World, 1951). Uma planta móvel é mesmo possível?

O reino das plantas é imensamente rico, abrangendo sequoias gigantescas, dentes-de-leão irritantes, cactos cheios de espinhos e taboas que balançam de forma lânguida. Sua variedade de planos corporais é imensa. Com certeza houve, em algum momento do passado, uma evolução no sentido do movimento? A habilidade fototrópica das plantas, de moverem-se na direção de locais ensolarados conta, ou não? Ou o fechamento súbito da folha de uma planta carnívora? Poderiam esses comportamentos simples evoluir em direção a uma mobilidade mais enérgica?

Creio que a resposta a essas perguntas na verdade é bastante clara, e pode ser explicada em termos de energia. Mas antes de discutirmos isso, devemos falar um pouco sobre as diferenças entre plantas e animais (os quais, sabemos, poderiam servir como base para a evolução de um Alienígena). Ambos são eucariontes, e suas células têm núcleos. As células das plantas têm paredes, normalmente feitas de celulose, e isso confere estrutura às plantas na ausência de um esqueleto. Em contrapartida, as células dos animais têm uma membrana. As plantas são autotróficas, o que significa que fabricam sua própria energia, enquanto os animais são heterotróficos, ou seja, precisam consumir a energia das plantas ou de outros animais e adaptá-la a suas necessidades. A fonte energética dos animais são suas mitocôndrias, que são minúsculas estruturas no interior da célula, enquanto as fontes correspondentes nas plantas são estruturas semelhantes chamadas cloroplastos. É nos cloroplastos que a fotossíntese ocorre, convertendo a luz em energia que pode ser usada no metabolismo. Eles contêm a clorofila que dá às plantas a sua cor verde característica.

As plantas carnívoras nos dão alguma informação? Se plantas podem comer insetos e outros animais, com certeza podemos crer que as plantas mais exóticas e fictícias são ao menos possíveis? Na verdade, você talvez se surpreenda ao saber que a dioneia (ou vênus-papa-moscas) e outras plantas carnívoras não obtêm nenhuma energia de suas presas – obtêm apenas nutrientes, em contraste com outras plantas, que extraem nutrientes por meio de suas raízes.

De fato, a maioria das plantas carnívoras evoluiu para viver em ambientes bem pobres em nutrientes; se forem transplantadas para ambientes mais ricos, elas em geral morrem. O cálcio da água de torneira pode matar uma dioneia – basicamente porque a planta captura e armazena os minerais de que precisa como uma pessoa faminta devoraria um porco assado encontrado num luau abandonado.

Mas as plantas carnívoras são bem raras. Dentre cerca de meio milhão de espécies de plantas, umas poucas centenas são carnívoras. A razão é que o objetivo premente de toda a vida é adquirir energia suficiente para se reproduzir. Como as partes das plantas envolvidas na predação não são eficientes em coletar energia, a planta paga um preço convertendo as folhas (coletores de energia solar) para outros usos. Basicamente, tais plantas evoluíram assim por necessidade. Da mesma forma que os cactos possuem especializações incomuns para a vida em locais com pouca água disponível, as plantas carnívoras desenvolveram suas capacidades únicas para poderem sobreviver em um "deserto de nutrientes".

Para que as plantas evoluíssem propriedades semelhantes às dos animais, precisariam ganhar um sistema nervoso, habilidades sensoriais e mobilidade. Isto requer uma quantidade tremenda de energia. Como as plantas só obtêm energia a partir da luz solar, podemos fazer alguns cálculos rápidos de quanta luz solar seria necessária para suprir as necessidades energéticas de um ser humano. Não que um Alienígena precise ser necessariamente parecido com o que definimos como humano, mas isto nos dá uma noção do tipo de exigência de energia necessária para uma criatura "meio como a gente".

Os gastos energéticos de um adulto em repouso são de cerca de 60 watts, mais ou menos o equivalente a uma lâmpada incandescente comum. Estamos falando de ficar sentado sem fazer nada, enquanto seu coração bate, os pulmões enchem e esvaziam, e todos os órgãos que estão dentro de seu corpo fazem o que têm de fazer para manter você ao longo do dia; se você se levantar e se mover, vai precisar de ainda mais energia.

Então, quanta energia é necessária para abastecer uma pessoa que fica largada no sofá? A quantidade de luz solar que atinge a superfície da Terra na altura do Equador é de cerca de 1000 watts por metro quadrado (supondo que a superfície que recebe a energia esteja sempre voltada diretamente para o sol). Isso significa que nosso Alienígena hipotético, equatorial, baseado na biologia das plantas, humanoide e preguiçoso, necessitaria uma área de mais ou menos 0,1 metro quadrado (o equivalente a um quadrado de 10 centímetros de lado), sempre voltada para o sol. Mas é claro que o sol não brilha 24 horas por dia. Nosso coração não para de bater à noite, e a incidência da luz do Sol não é sempre direta. Então talvez precisássemos do dobro da área de captura de luz solar, para armazenar energia para o período noturno, além de um pouco a mais para compensar a falta de eficiência no armazenamento da energia a ser usada durante a noite. De fato, levando em conta o período da noite e o fato de que o Alienígena não estaria sempre voltado para o Sol, a quantidade média de energia que uma criatura poderia obter seria de 200 a 300 watts por metro quadrado. Portanto, incluindo as considerações mais básicas, podemos pensar em termos de ter algumas dezenas de centímetros quadrados para coletar energia solar apenas para viver, sem se mexer. Para ganhar energia suficiente para se movimentar, seria preciso um pouco mais. Um quadrado com lados de 60 centímetros (equivalente a 0,36 metro quadrado) é uma área razoável, então soa promissor. Alienígenas-planta móveis são então uma possibilidade?

Há um problema. A clorofila não absorve energia com 100% de eficiência. Ela pode, em teoria, coletar cerca de 10% da energia solar. No entanto, a eficiência típica das plantas é só de um terço ou metade disso. Assim, um Alienígena-planta hipotético precisaria de uma área de superfície de um quadrado de 3 a 3,6 metros em cada lado. Mas, claro, um animal sólido desse tamanho teria um volume, e portanto peso muito maior (e necessidades metabólicas correspondentes). Se você pensar nisso por algum tempo, vai começar a entender por que as árvores e arbustos têm aquele formato, com um tronco compacto e ramos e galhos para, ao mesmo tempo, minimizar a massa e maximizar o potencial de coletar a luz solar.

Não devemos nos esquecer do fato de que as plantas também precisam de um sistema de raízes profundo para ter acesso à água e aos minerais do solo. Desenraizar, transplantar e reenraizar seria um procedimento dispendioso demais em termos de energia. No período de centenas de milhões de anos de evolução no planeta Terra, nenhuma planta desenvolveu habilidades de locomoção semelhantes às dos animais (ao menos, não vemos nenhum indício disso nos registros fósseis). Esse fato sugere que a habilidade de locomoção não é consistente com as limitações impostas pela obtenção de energia a partir da luz do Sol.

No entanto, os números mencionados acima nos dão uma ideia dos tipos de fatores que podem alterar a conclusão. Por exemplo, a clorofila, com sua eficiência de 3 a 5% na coleta de luz solar, não está à altura da tarefa sob um sol parecido ao nosso. Se algum outro composto químico mais eficiente fosse o responsável pela coleta de luz solar, isso mudaria os cálculos. Outro fator que poderia tornar mais viáveis os Alienígenas-vegetais móveis e inteligentes, seria ter evoluído em um ambiente no qual há na luz solar mais energia para ser absorvida. É claro que mais luz solar significa temperaturas mais altas, o que traz a preocupação de que água no tecido vegetal ferva. Por último, há outra opção: as plantas poderiam ficar sésseis muito tempo, recolhendo energia e armazenando-a, quem sabe em açúcares ou lipídios. Elas poderiam passar uma semana, um mês ou toda uma estação de crescimento coletando energia que seria usada para permitir que a planta se movesse, ou para dar mobilidade à prole. (Visualize uma árvore que deixa cair uma laranja ambulante, ou algo assim.) Isso pode soar extravagante, mas seria diferente, qualitativamente, do sono ou da hibernação dos animais?

Em resumo, devido a limitações físicas, é improvável encontrarmos um vegetal inteligente Alienígena que tenha evoluído num ambiente semelhante ao da Terra. Um Alienígena móvel, que absorve a maior parte de sua energia a partir da luz solar não é impossível, mas precisaria de outro composto químico para transformar a luz em energia metabólica, e possivelmente do fornecimento de luz solar por um ambiente de maior energia. Plantas móveis com alternância de fases móveis e sésseis também são uma possibilidade.

Devemos ter em mente que os heterótrofos (criaturas que consomem outras criaturas) têm uma vantagem em termos de serem capazes de simplesmente usar a energia acumulada por outros. Assim como ocorre aqui na Terra, podemos imaginar que existirão plantas que consomem e transformam luz solar ou energia química (discutida no próximo capítulo) e criaturas que tiram vantagem dessa capacidade e consomem tais plantas. Lembre-se de que uma folha de capim dá duro para converter luz solar em grama, mas uma ovelha pode consumir muitas folhas de capim, assim se beneficiando da energia solar coletada em uma área grande. Efetivamente, a grama se tornou uma extensão da área de coleta de energia da ovelha, sem que esta precise carregá-la consigo. Os animais podem consumir grande quantidade da energia produzida pelas plantas. Isto pode ser uma vantagem imbatível, mesmo em um planeta onde a mobilidade das plantas seja possível do ponto de vista energético. Afinal de contas, se as plantas têm mais energia, fornecerão mais energia aos seres que as comem.

Animais

Concluindo a discussão das limitações das formas de vida Alienígenas que evoluíram a partir de plantas voltamos nossa atenção para formas de vida parecidas com animais. Com quase certeza, qualquer Alienígena será baseado numa bioquímica diferente, com um sistema "genético" de codificação distinto. No entanto, sabemos com certeza que (1) a vida animal terrestre poderia produzir o equivalente a um Alienígena, e (2) a vida animal na Terra assumiu uma variedade enorme de formas. Assim, podemos dar uma olhada na variedade da vida presente na Terra para aprender algo sobre o que é possível.

O reino Animal consiste de vários filos. O filo que inclui os seres humanos é o dos Cordados, que significa, em termos gerais, "que possui uma coluna vertebral ou medula espinal". Há outros filos que não têm um sistema nervoso central. Alguns, como as esponjas, não têm células nervosas diferenciadas.

Ao analisar quais dos filos do reino Animal podem ter gerado uma forma inteligente e que usa ferramentas, parece haver alguns atributos essenciais. Tecido diferenciado parece ser importante, bem como uma certa capacidade de manipulação do ambiente. Um sistema nervoso central, protegido por uma espinha como a nossa, não parece ser essencial. Por exemplo, o polvo, que não tem ossos e tem um sistema nervoso em parte difuso, é capaz de exibir comportamentos notavelmente inteligentes. Polvos podem aprender formas e padrões, e podem ser treinados a abrir potes contendo comida. Em 1999, cientistas filmaram polvos em liberdade desenterrando metades de cocos do solo marinho, carregando-as com eles e usando-as para criar um abrigo protetor. Esse comportamento foi inventado pelos próprios polvos, e não ensinado a eles por humanos. Esse uso de ferramenta altamente inteligente deveria destruir por completo qualquer vertebrado-centrismo.

Mesmo os insetos podem mostrar evidência de vários tipos de inteligência. As abelhas demonstram uma capacidade considerável de comunicação. Usando uma espécie de dança, uma abelha forrageadora solitária pode voltar à colmeia e informar às outras abelhas a localização da fonte de alimento. As outras abelhas então podem ir direto à fonte. Isso poderia ser considerado um comportamento instintivo extremamente complexo, mas os pesquisadores descobriram que a habilidade comunicativa das abelhas depende de poderem dormir o suficiente. Quando são privadas de sono, sua dança de comunicação se torna menos acurada. Isso sugere um tipo de inteligência que poderia em princípio evoluir para se tornar algo parecido à inteligência humana, já que não parece ser um comportamento puramente instintivo.

O filo dos Cordados é o mais familiar para nós, e consiste de peixes, aves, mamíferos, répteis e anfíbios. Essas são as classes de animais que exibem comportamentos mais consistentes com a inteligência. Assim, pelo restante do capítulo, exploraremos o espectro de tipos de corpo, formas de mobilidade, estratégias de manipulação de objetos e outros modos pelos quais os organismos interagem com o ambiente. Como veremos, há um número incrível de opções. No entanto, durante a discussão, devemos nos resguardar do perigo do Cordado-centrismo, e ter em mente que animais invertebrados exibem capacidades que poderiam ter resultado em vida inteligente numa história alternativa de nosso planeta.

Considerações Alienígenas

Há várias propriedades que podem ser levadas em conta quando tentamos imaginar como seria um Alienígena, por exemplo, simetria, número de membros e tamanho. Nas páginas seguintes, discutiremos 20 dessas considerações, aproveitando as lições que a vida na Terra nos ensina.

Simetria corporal

A simetria mais familiar é denominada *simetria bilateral*. Significa que os lados esquerdo e direito são imagens especulares um do outro. Essa é a forma corporal da maior parte dos animais superiores. No entanto, não é a única opção possível. Simetria esférica, na qual o corpo se parece com uma bola, é possível em um ambiente aquático, mas difícil de imaginar em terra firme, onde a gravidade poderia distorcer o formato do corpo, a não ser que este fosse rígido. Outra simetria comum é a radial. É a simetria de medusas, anêmonas e estrelas-do-mar. Estrelas-do-mar têm cinco braços ou mais, demonstrando uma forma especial de simetria radial, e muitas águas-vivas têm uma simetria quadrirradial.

Uma última forma de simetria é a falta total de simetria. Trata-se de uma forma de vida com algum tipo de estrutura amorfa, com projeções e calombos aqui e ali. Um exemplo de vida terrestre com esse tipo corporal é a esponja. Dada a variedade de simetrias que existe na Terra, é difícil imaginar que tipo de simetria um Alienígena teria.

Número de membros

Há um bom número de escolhas possíveis neste quesito. Os tetrápodes, como sugere o nome, têm quatro membros; o termo engloba os mamíferos, as aves e a maioria dos lagartos. As cobras não têm nenhum membro, apesar de terem evoluído a partir de um ancestral tetrápode. Os insetos têm seis membros, enquanto as aranhas e os polvos têm oito. A *Hallucigenia* tinha catorze. As lacraias têm de 20 a 300 pernas, enquanto os piolhos-de-cobra têm de 36 a 400, sendo que uma espécie rara tem 750. A criatura pré-histórica *Opabinia* tinha apenas um apêndice.

Parece que as formas de vida na Terra têm pouco a nos ensinar sobre o número de apêndices que uma forma de vida pode ter. No entanto, nossa condição de que este seja um Alienígena capaz de competir com a humanidade pelo domínio galáctico torna provável que ele tenha ao menos um apêndice com o qual possa manipular o mundo à sua volta. Essa não é uma condição criada pela vida em si, mas pela necessidade de inventar e usar tecnologias avançadas.

Tamanho

Nossas experiências terrestres não podem nos informar muito sobre que tamanho devemos esperar que os Alienígenas tenham. O tamanho dos animais varia desde o de minúsculos insetos ao das gigantescas baleias. Outras restrições sugerem ser improvável que os Alienígenas inteligentes sejam totalmente aquáticos, embora um modo de vida anfíbio ou mesmo semiaquático, como no caso de focas ou pinguins, seja possível. Embora baleias e golfinhos sejam inteligentes, precisamos voltar à nossa definição de Alienígenas. Espécies aquáticas não podem usar o fogo, que é necessário para que uma espécie atinja o nível tecnológico para ser qualificada como Alienígena.

A necessidade de mobilidade em terra torna improvável a existência de animais muito grandes, como por exemplo Alienígenas do tamanho de baleias. Sabemos, é verdade, que existiram dinossauros muito grandes; este pode ser um limite máximo razoável para o tamanho dos Alienígenas.

No extremo oposto de tamanho, os problemas dizem respeito ao sistema nervoso e à inteligência. Se a criatura é pequena demais, não existe a possibilidade de desenvolvimento de inteligência individual. A situação fica meio confusa devido ao conceito de inteligência coletiva. Abelhas e vespas individuais parecem ter uma inteligência mínima, mas seu comportamento em grupo é na verdade bastante complexo.

Inteligência individual é observada em polvos, pequenos primatas, guaxinins e animais de tamanho semelhante. Isto define em linhas gerais o limite de tamanho mínimo para um Alienígena inteligente com sistema nervoso do tipo terrestre: mais ou menos o tamanho de um gato pequeno. Com uma estrutura cerebral diferente, essa restrição pode ser removida.

Obviamente, qualquer discussão de tamanho depende da gravidade do planeta no qual os Alienígenas evoluíram, e o tipo de estrutura de esqueleto que sustenta o equivalente do tecido muscular.

Um planeta com uma constante gravitacional menor permitirá criaturas maiores.

Esqueleto

Qualquer animal terrestre provavelmente dependerá de um esqueleto de algum tipo. O polvo, que não tem ossos, teria uma dificuldade considerável de locomoção em terra, comparado a um animal com algum tipo de esqueleto. Os tipos comuns de esqueletos animais são o endoesqueleto (no interior do corpo, como nas aves, mamíferos e lagartos) ou exoesqueleto (em volta do corpo, como nos insetos e lagostas). Não consigo ver muita vantagem de um sobre o outro, exceto que uma criatura dotada de exoesqueleto precisará fazer a muda para crescer. No entanto, há outras opções, incluindo uma mistura de ambos os tipos, ou uma forma de vida com jovens que têm ossos que se dissolvem ao chegar à idade madura, quando um exoesqueleto se forma. As tartarugas, embora não tenham na verdade um exoesqueleto, combinam uma casca externa dura com um esqueleto interno tradicional. E, claro, um esqueleto não precisa significar ossos: cartilagem, quitina e outras substâncias também podem ser usadas.

Sistema nervoso

De acordo com a lenda, se você for atacado por um zumbi tem que dar um tiro na cabeça dele. É a única forma de ter certeza. A razão disso é o sistema nervoso central existente nos mamíferos. Temos um cérebro que se conecta ao resto do corpo, primeiro pela medula espinal e depois por uma rede ramificada de nervos. Esse esquema tem certas vantagens, pois centraliza o pensamento e o controle motor que dirige o corpo. No entanto, não há nenhuma razão *a priori* que impeça uma criatura de ter um sistema nervoso difuso, com partes do equivalente a um cérebro espalhadas pelo corpo. Se chegarmos a encontrar um Alienígena assim, é melhor torcer para que ele nunca se transforme em zumbi.

Locomoção

Há um número tremendo de estratégias de locomoção usada pelos seres vivos da Terra, como andar, voar, nadar, rastejar, saltar, cavar e balançar-se pelos braços (como fazem certos macacos). Também existem mamíferos que se movem na superfície da água.

Em termos de natação, existe o movimento do peixe (mover a cauda de um lado para o outro) ou do golfinho (mover a cauda para cima e para baixo). Há o uso de nadadeiras, como nas tartarugas, e a propulsão "a jato" das lulas e sépias. As capacidades natatórias evoluíram de maneira independente várias vezes, resultando em formas corporais similares, hidrodinâmicas, impostas pela necessidade de deslocamento rápido pela água.

O voo evoluiu na Terra pelo menos quatro vezes, nas aves, pterossauros, morcegos e insetos, sugerindo que esta é uma adaptação relativamente comum. Um Alienígena voador é inteiramente plausível.

Não há nenhuma razão para selecionar uma forma particular de locomoção para os Alienígenas.

Velocidade

A velocidade de um animal está ligada a vários outros fatores. Por exemplo, um animal muito encouraçado é mais lento do que um sem couraça. Os predadores tendem a ser velozes. Por outro lado, os humanos, dentro do reino Animal, não são especialmente rápidos. Não há muito que o mundo animal possa nos dizer sobre a velocidade dos Alienígenas.

Cor

A cor dos animais cobre toda a gama do arco-íris. Os Alienígenas poderiam ser de qualquer cor.

Defesas e ataques

As defesas naturais e a capacidade de ataque que os Alienígenas podem ter são muito variadas. Os seres humanos, a bem da verdade, não impressionam muito em termos de suas capacidades de ataque e defesa, mas superam suas limitações estruturais com a habilidade de usar armas. Qualquer Alienígena capaz de construir uma espaçonave terá habilidades semelhantes. Porém, não há razão para que os Alienígenas não possuam outras capacidades. Na natureza, os animais exploram uma miríade de estratégias de ataque e defesa, da camuflagem do dragão-marinho-folhado (um tipo de cavalo-marinho), do tigre ou da sépia, ao veneno da cobra, do escorpião ou do ornitorrinco macho. Os mamíferos em geral não são venenosos, talvez porque sejam rápidos o bastante para matar usando os dentes e as garras, enquanto o veneno leva tempo para agir.

Carapaças, chifres e espinhos oferecem proteção, como nos casos do jabuti e do anquilossauro, ou do porco-espinho e do baiacu. E, claro, simplesmente evitar o conflito, dando uma boa corrida, é uma escolha sábia de defesa; os coelhos, os andorinhões e as gazelas são capazes de se deslocar com extrema rapidez.

Regulação de temperatura

A temperatura interna de um animal pode ser regulada pelo próprio metabolismo (endotermia) ou pode depender do ambiente, como no caso dos insetos, peixes e répteis (ectotermia). Em geral, a regulação interna da temperatura é uma escolha evolutiva mais segura, já que as espécies ectotérmicas podem ficar lerdas quando as condições ambientais ficam mais frias. Entretanto, não há razão para supor que os Alienígenas virão de um planeta tão frio quanto a Terra. Pode ser que o planeta deles seja quente o bastante para não tornar necessária a evolução da endotermia.

Dado que o metabolismo depende de enzimas que tendem a funcionar melhor num intervalo bastante estreito de temperatura, animais endotérmicos geralmente têm uma vantagem considerável, mas, no ambiente certo, a pressão seletiva pode ser pequena.

Sangue

O sangue não é necessário para todos os animais. Alguns insetos usam um fluido chamado hemolinfa para transportar oxigênio para seus tecidos. No entanto, os animais superiores têm em seu líquido interno uma substância que aumenta a capacidade de transporte de oxigênio. O tipo mais familiar de sangue apresenta um composto chamado hemoglobina, que contém ferro e dá ao sangue sua cor vermelha. Cada molécula de hemoglobina pode ligar-se a até quatro moléculas de oxigênio; a presença de hemoglobina no sangue aumenta em até 70 vezes a capacidade de transporte de oxigênio, em comparação com o que seria transportado se o gás estivesse dissolvido apenas em água.

Porém, a molécula de hemoglobina, à base de ferro, não é a única opção possível. Por exemplo, alguns insetos têm sangue à base de cobre, e usam um composto chamado hemocianina, que transporta oxigênio com um quarto da eficiência da hemoglobina, o que o torna mais apropriado para criaturas com exigências metabólicas mais modestas. O sangue oxigenado contendo hemocianina é azul. Já as ascídias e os pepinos-do-mar têm no sangue uma proteína à base de vanádio, chamada hemovanadina. Ainda há controvérsias sobre o papel dessa proteína no transporte de oxigênio. Em condições normais tem cor verde, mas quando oxidada fica amarelo-mostarda.

Dieta

Na verdade, é muito difícil saber qual a dieta de um Alienígena, mas na Terra existem três opções: carnívoro, herbívoro ou onívoro. Carnívoros comem carne, herbívoros comem plantas, e onívoros comem as duas coisas. Há vantagens e desvantagens para todos os três. Os herbívoros têm mais acesso à comida, já que as plantas existem em todo lugar. No entanto, a matéria vegetal tende a ter menos calorias, o que leva o animal a comer com muita frequência. Os carnívoros têm menos opções alimentares, e precisam capturar e comer outros animais. Isso impõe restrições a seus corpos, desde as armadilhas das aranhas, a espreita dos jacarés e a caça de tocaia dos gatos à estratégia de caça em grupo dos lobos. Os carnívoros obtêm um aporte nutritivo substancial quando atacam com sucesso, mas não têm uma fonte de alimento tão garantida quanto os herbívoros.

Os onívoros (grupo ao qual pertencem os humanos) têm o benefício de ambas as fontes alimentares. É difícil imaginar um Alienígena inteligente que não tenha ao menos capacidades onívoras, embora ele possa optar pelo uso mais frequente de uma das fontes alimentares. Devemos também ter em mente que é possível que os Alienígenas necessitem de certos minerais ou outras substâncias, assim como seres terrestres requerem água e sal. É possível, portanto, que os Alienígenas precisem ingerir materiais diretamente do solo, como fazem os veados ao lamberem depósitos de sal. Posto que os Alienígenas terão evoluído em um ecossistema com uma herança biológica comum, é provável que parte da obtenção de minerais seja feita por plantas, para posterior ingestão pelos Alienígenas.

Respiração

Respiração é a entrada de gases vitais do ambiente (oxigênio, no caso da maioria da vida na Terra) e a remoção dos gases residuais (sobretudo dióxido de carbono). Como discutiremos no próximo capítulo, os Alienígenas podem optar por usar moléculas diferentes em seus processos metabólicos, mas os mecanismos de troca de gases com o ambiente provavelmente serão parecidos, já que o fenômeno está sujeito a algumas restrições físicas básicas. Essas restrições incluem a coleta de gases do exterior e sua difusão para os tecidos do corpo. O sistema respiratório provavelmente será interno; do contrário, algum fator externo poderia bloquear a capacidade de respirar (imagine, por exemplo, que seus pulmões estivessem do lado de fora do corpo e você ficasse coberto de lama.)

Os insetos pequenos têm sistema respiratório mais simples, que utiliza a difusão de gases para dentro e para fora do sistema circulatório. Pesquisas recentes revelaram que os insetos têm diversas técnicas respiratórias, e que alguns usam os músculos para expandir e contrair seus sistemas respiratórios, de forma não muito diferente dos animais superiores.

Animais terrestres em geral usam um sistema de pulmões, com uma rede intricada de caminhos ramificados. O interior de um pulmão animal lembra um pouco uma árvore, e pelo mesmo motivo básico. Essa estrutura maximiza a área de troca de gases, com o menor volume possível. O sistema pulmonar de aves, répteis e mamíferos difere nos detalhes, mas a estrutura básica é similar.

Animais que respiram na água, como peixes e moluscos, usam um sistema de brânquias para extrair oxigênio da água. Extrair oxigênio da água é uma operação complicada. A água contém cerca de 3% do oxigênio contido no volume equivalente de ar. Em consequência, a evolução dotou os peixes de guelras altamente eficientes, que extraem aproximadamente 80% do oxigênio da água (compare-se com a eficiência de extração de 25%, dos mamíferos respirando ar). Ainda assim, a escassez de oxigênio pode tornar mais difícil a evolução de Alienígenas que vivam debaixo d'água. Os anfíbios têm um sistema duplo, respirando por pulmões e pela pele. Essa habilidade de respirar através da pele é de grande utilidade quando estão submersos em água rica em oxigênio.

Hábitat

O Alienígena vive sobre o solo, debaixo da terra, dentro d'água ou no ar? Quanto a essa questão, podemos eliminar algumas opções. Existem animais em todos esses ambientes; no entanto, é essencialmente impossível para nosso Alienígena respirar somente água. Isso porque impusemos a necessidade de que fosse capaz de construir uma espaçonave. Embora esteja claro que a inteligência pode existir debaixo d'água (por exemplo, golfinhos e polvos), construir uma nave requer tecnologia, em especial a manipulação de metais. É muito difícil imaginar uma tecnologia avançada que não tenha que forjar metal. Isso requer calor, o que significa fogo. Como não pode haver fogo debaixo d'água, parece que nossos Alienígenas não podem respirar (exclusivamente) água. Um alienígena cavernícola aquático é possível; um Alienígena no sentido que empregamos no contexto deste livro, não.

Reprodução

A variedade de estratégias reprodutivas utilizadas pelos animais é impressionante. Existe a reprodução sexuada dos animais superiores e a reprodução assexuada frequentemente observada em organismos microscópicos. Alguns organismos podem usar as duas estratégias, dependendo do ambiente. A reprodução assexuada cria clones da mãe, que terão a mesma susceptibilidade desta às doenças ou a mudanças ambientais. A reprodução sexuada garante a mistura do material genético. Isso resulta em um fundo genético mais diversificado e é uma proteção contra uma alteração no ambiente, que pode matar alguns indivíduos, mas para a qual outros podem estar mais bem adaptados. E, é claro, para a reprodução sexuada pode ocorrer fertilização externa ou interna, e o organismo pode pôr ovos ou dar à luz a cria viva.

Algumas espécies produzem uma prole numerosa, já que muitos dos descendentes não sobreviverão para se reproduzir. Um exemplo são as rãs e os coelhos. Outras espécies produzem menos descendentes, mas passam mais tempo com eles para garantir que sobrevivam. Essa é a tática evolutiva adotada pelos seres humanos.

Em algumas espécies que usam a reprodução sexuada existem hermafroditas, indivíduos que têm os órgãos reprodutivos de ambos os sexos e podem tanto fertilizar outro indivíduo quanto a si mesmos. Também existem espécies com enorme dimorfismo sexual, como o peixe-pescador das profundezas, no qual o macho, muito menor que a fêmea, se funde com ela e se atrofia até não ser mais que uma mera fonte de esperma.

Uma adaptação incomum é a de algumas espécies que possuem mais de dois sexos. São aquelas nas quais os indivíduos mudam de macho para fêmea e de novo para macho. Há espécies nas quais há machos "alfa" grandes que têm haréns, e os machos menores têm uma coloração que imita a das fêmeas, o que lhes permite se esconder nos haréns e assim se acasalarem. Há insetos em que uma única fêmea dominante põe ovos e as outras fêmeas são reprodutivamente neutras. Mesmo na Terra, o sexo pode ser complicado para uma espécie. Não há motivo para supor que a dicotomia macho e fêmea se aplicará aos Alienígenas.

Sentidos

Que sentidos terá nosso Alienígena? O sentido do tato parece ser crucial para praticamente todos os seres vivos. Seja você predador ou presa, é importante ter uma percepção tátil de seu ambiente, nem que seja para saber quando está sendo mordido por outra criatura. A audição é um caso semelhante, embora haja uma grande variação de capacidade auditiva entre as espécies. O paladar, ou algo semelhante, permite aos organismos determinar se algo é comida ou não. A visão é um sentido muito importante, e evoluiu várias vezes independentemente. Os vertebrados, os cefalópodes (polvos e lulas) e os cnidários (como a vespa-do-mar, um tipo de água-viva) têm olhos semelhantes a câmeras, cada um desses grupos com um histórico evolutivo separado.

Existem pelo menos dez "tecnologias de olho" diferentes, que provavelmente se originaram de um pequeno ponto de proteínas fotorreceptoras em um ancestral comum unicelular. Os detalhes, porém, variam, desde o olho do tipo humano, no qual o foco é obtido pela variação do formato da lente, até outro sistema em que a lente não muda, mas o formato do olho sim. Ainda, há as lentes múltiplas dos insetos, os olhos reflexivos das vieiras (um grupo de moluscos), e muitas outras estruturas. Assim, embora os detalhes da visão variem muito, podemos concluir que nosso Alienígena provavelmente será capaz de ver. A visão é simplesmente uma adaptação valiosa demais em um ambiente iluminado para ser dispensada.

Claro, quando falamos em "ver", não queremos dizer "ver o mesmo que nós vemos". Algumas cobras podem detectar o infravermelho. Aves, répteis e abelhas podem ver parte do espectro do ultravioleta. As possibilidades de visão de um Alienígena são, portanto, muito diversificadas.

É importante lembrar que a visão das criaturas terrestres em geral é otimizada para ver luz onde o sol é mais brilhante. Os Alienígenas que evoluem em outro mundo provavelmente desenvolveriam a habilidade de ver melhor usando a luz mais intensa disponível no mundo deles. Assim, é possível que eles pudessem ver algum tipo de luz que não conseguimos enxergar bem.

Entre os sentidos que alguns organismos terrestres têm, mas não os humanos, estão a ecolocalização dos morcegos e golfinhos (útil em ambientes com pouca luz), a habilidade de sentir campos elétricos, como em alguns peixes e nos tubarões, e o sentido magnético de muitas espécies migratórias (como, por exemplo, certas aves, os atuns, salmões, as tartarugas-marinhas e outros). Também podemos imaginar Alienígenas que desenvolvam sensibilidade para as ondas de rádio.

Não é obrigatório, claro, que os Alienígenas tenham todos os sentidos que nós temos. Por exemplo, uma espécie subterrânea não teria necessidade de desenvolver a visão. Os sentidos táteis e auditivos talvez fossem universais, pois seriam úteis em qualquer ambiente. Um sentido de olfato ou paladar oferece um método de análise química. Por exemplo, alguns venenos têm um gosto ou cheiro ruim. Ter os dois sentidos pode não ser crucial, mas ter um deles ou algo similar com toda a probabilidade proporcionaria uma vantagem de sobrevivência importante.

Comunicação

A comunicação entre os Alienígenas estará atrelada a seus sentidos. Eis algumas opções que os Alienígenas podem explorar: movimento, cheiro, luz, som ou rádio. Imagine tentar falar com um Alienígena que usa odores para se comunicar. (Dada a lentidão com que os cheiros se propagam e se dissipam, esta é uma alternativa improvável, mas ajuda a refletir sobre as possíveis dificuldades da comunicação entre humanos e Alienígenas.)

Tempo de vida

Esse quesito é difícil de generalizar a partir da vida terrestre. Os camundongos vivem poucos anos, enquanto algumas tartarugas vivem até cerca de 200 anos. Parece não haver nenhuma correlação forte com taxas metabólicas na Terra. Dada a quantidade de fatores que participam na determinação da longevidade, porém, fica difícil prever o tempo de vida de um Alienígena; só se pode afirmar que um Alienígena deve conseguir viver o bastante para dominar a tecnologia das gerações anteriores.

Estrutura social

Os animais podem formar grupos, pequenos ou numerosos, ou ter um modo de vida solitário. É provável que os Alienígenas sejam criaturas sociais de uma forma ao menos um pouco análoga à dos seres humanos. A necessidade de comunicação e de retenção de conhecimento técnico ao longo das gerações praticamente garante que indivíduos terão de trabalhar juntos.

Conclusão

Esta discussão dos atributos da vida com certeza não pretende ser enciclopédica, mas apenas dar uma ideia da variedade possível no caso de a vida alienígena evoluir tendo o carbono como elemento constitutivo básico e uma bioquímica semelhante à nossa. É claro que, em outro planeta, com luz solar e química diferentes, a vida pode ser muito diferente. Explorar algumas outras dessas opções é o objetivo do próximo capítulo.

Em resumo, o estudo da biologia na Terra com certeza nos ensina algo sobre as possibilidades, quando discutimos como poderia ser um Alienígena. É claro que esse breve panorama não explorou todas as possibilidades. Ao mesmo tempo, é muito Terracêntrico. No entanto, ele mostra parte do espectro de possibilidades que poderíamos encontrar. Sabemos que esta nossa conversa não esgota todas as possibilidades, mas poderíamos fechar com este pensamento: saber algo é melhor que não saber nada, desde que você tenha consciência de que não sabe tudo.

SEIS

ELEMENTOS

"O terceiro planeta é incapaz de sustentar a vida... Nossos cientistas disseram que há oxigênio demais em sua atmosfera."

– Ray Bradbury, *As Crônicas Marcianas*

No capítulo anterior, examinamos o que a vida terrestre familiar tem a nos dizer sobre como poderia ser um Alienígena. Tais observações não pretenderam esgotar o assunto, pois foram baseadas em uma amplitude bioquímica muito limitada. Animais que respiram oxigênio e convertem glicose em energia e plantas que convertem a luz do Sol sequer cobrem todo o espectro bioquímico observado aqui na Terra, quanto mais todo o espectro do possível. Há criaturas na Terra que usam o metano para existir e outras que extraem energia de compostos químicos, em vez de explorar (direta ou indiretamente) a luz do Sol. Existem ainda a respiração à base de compostos de enxofre e a fermentação, só para citar algumas alternativas.

Ao final deste capítulo, falaremos sobre formas mais "exóticas" de vida na Terra. Nosso verdadeiro interesse é quanto aos Alienígenas que poderiam potencialmente visitar nosso planeta, mas a história deles está ligada de forma inextrincável à questão da vida alienígena num sentido amplo. Deve-se ter a segunda para ter a primeira. Assim, vamos dedicar algum tempo à exploração do que sabemos sobre a vida alienígena e as limitações impostas a tal vida por simples considerações da química e das leis físicas.

O leitor deve estar ciente de que qualquer texto sobre o assunto é passível de estar incompleto. Como destacou J. B. S. Haldane, ensaísta de divulgação científica e geneticista pioneiro, em seu livro *Possible Worlds and Other Papers* [Mundos Possíveis e Outros Artigos Científicos, 1927], "O Universo não só é mais estranho do que supomos, mas é mais estranho do que podemos supor". É bastante razoável supor que o universo deve ter um ou dois truques na manga e que mais de uma vez nos surpreenda. Ainda assim, vale a pena discutir o que sabemos a respeito da química pertinente. No mínimo vamos descobrir quais são as considerações importantes para a moderna astrobiologia.

O que é vida?

Essa questão é aparentemente muito simples, e ainda assim tem frustrado alguns dos melhores cientistas e filósofos, há décadas. Embora não tenha sido o primeiro tratado sobre o assunto, o clássico livro do físico Erwin Schrödinger (do famoso gato de

Schrödinger), *O Que é Vida?*, de 1944, é um desses exemplos. É uma interessante tentativa inicial de usar as ideias da física moderna para abordar a questão. James Watson e Francis Crick, os descobridores do DNA, creditaram este livro como sendo uma inspiração para sua pesquisa subsequente.

A definição de vida não está estabelecida nem nos dias de hoje. Os cientistas modernos conseguiram fazer uma lista de características essenciais que parecem identificar a vida. Um ser vivo deve ter a maioria, se não todas, das seguintes características:

- regular o ambiente interno do organismo;
- metabolizar ou converter energia para realizar as tarefas necessárias para a existência do organismo;
- crescer por meio da conversão de energia em componentes do corpo;
- se adaptar em resposta a mudanças do ambiente;
- responder a estímulos;
- reproduzir-se.

Tais características a distinguem da matéria inanimada.

Essas propriedades podem nos ajudar a identificar a vida quando nos deparamos com ela, mas não nos dão de fato uma ideia das limitações impostas pelo universo às formas que a vida pode assumir. O propósito dessa seção é poder avaliar se um aspirante a escritor de ficção científica está sendo ridículo quando cria uma história em torno de um Alienígena com ossos feitos de ouro e sódio líquido como sangue. E então, o que nosso conhecimento atual nos diz que a vida exige? Uma combinação de teoria e experimentação sugere que há quatro requisitos cruciais para a vida. São eles (em ordem decrescente de certeza):

- desequilíbrio termodinâmico;
- ambiente capaz de manter ligações covalentes entre os átomos durante longos períodos de tempo;
- ambiente líquido; e
- um sistema estrutural que possibilite a evolução darwinista.

O primeiro é basicamente obrigatório. A energia não promove a mudança; antes, são as diferenças de energia a fonte da mudança. "Desequilíbrio termodinâmico" significa simplesmente que há lugares com mais energia e outros com menos energia. Essa diferença gera um fluxo de energia, que os organismos podem explorar para suas necessidades. No fundo isso não é diferente do funcionamento de uma usina hidrelétrica: há um lugar onde a água é profunda (alta energia) e um lugar onde a água é rasa (baixa energia). Da mesma forma como o fluxo de água de um lado da represa para outro pode girar uma turbina para criar eletricidade ou um moinho para moer grãos, um organismo explora uma diferença de energia para promover as mudanças de que necessita para sobreviver.

O segundo requisito não é nada mais do que dizer que a vida é feita de átomos, unidos em moléculas de maior complexidade. Tais moléculas devem estar unidas com firmeza suficiente para serem estáveis. Se as moléculas ficam se desfazendo o tempo todo, é difícil imaginar que possam resultar em uma forma de vida sustentável. É essa exigência que estabelece algumas restrições quanto a quais átomos podem desempenhar um papel importante na estrutura de qualquer vida. Espero que, depois dessa discussão, você compreenda a razão da frase muito repetida na ficção científica, "forma de vida baseada em carbono".

O terceiro requisito é menos crucial; no entanto, é difícil imaginar a vida evoluindo em um ambiente que não seja líquido. Os átomos não se movem com facilidade em um ambiente sólido, e um ambiente gasoso envolve densidades muito mais baixas e consegue carregar uma quantidade muito menor dos átomos necessários que servem como elementos de construção e como nutrientes. Os líquidos podem dissolver substâncias e movê-las de um lado a outro com facilidade.

Por fim, o quarto requisito pode não ser necessário para a vida alienígena, mas é crucial para os Alienígenas. Com certeza a vida multicelular ou seu equivalente não será a primeira forma de vida a se desenvolver. A primeira forma de vida que se desenvolve será algo análogo aos organismos unicelulares da Terra (na verdade, é mais provável que seja mais simples... afinal de contas, os organismos unicelulares modernos já são bastante complexos). Para formar espécies de complexidade crescente, pequenas mudanças no organismo serão necessárias. A evolução darwinista é o processo pelo qual uma criatura é criada com diferenças quanto a seus pais. A primeira coisa necessária é que o organismo sobreviva à mudança. Afinal, se a mudança o mata, é o fim da linha para aquele indivíduo. Quando há mudanças que permitem ao organismo filial sobreviver e que possivelmente lhe conferem propriedades diferentes, os processos de seleção se tornam importantes. As criaturas que posteriormente se reproduzirem com mais eficiência aos poucos irão crescer em população, até dominar seu nicho ecológico.

Vamos então falar sobre tais conceitos com mais detalhes.

Desequilíbrio termodinâmico

A consideração mais importante para qualquer forma de vida é a necessidade de desequilíbrio termodinâmico. Essa ideia grandiloquente é ao mesmo tempo intuitiva e contraintuitiva.

Se você diz a alguém que a energia é necessária para a vida, isso provavelmente não vai gerar nenhuma discussão. As plantas absorvem a luz do sol, as pessoas comem comida; a necessidade de energia é autoevidente. Mas a realidade é um pouco mais sutil. Energia tem um significado técnico em ciência. A energia pode ser encontrada em uma bola que foi lançada, em uma mola encolhida e em uma banana de dinamite.

No entanto, o que a vida necessita não é energia, e sim diferença de energia. Se a energia é igual por todos os lados, isso não é útil. O que é útil são as diferenças de energia. Para ilustrar essa distinção sutil, imagine um reservatório de água represado por uma barragem (Figura 6.1).

Do lado da água, tudo está igual. Embora a pressão mude com a profundidade, a uniformidade impede a água de se movimentar de um lado para o outro. Ela tende a ficar parada. No entanto, a água tem um tipo de energia que os cientistas chamam de "energia potencial" (energia potencial é o tipo de energia em que alguma coisa se moveria se permitíssemos, como a água se moveria se rompêssemos a barragem, ou como uma flecha voaria a partir de um arco esticado se a corda fosse solta).

Agora imagine que há um buraco no fundo da barragem. A água iria jorrar do lado da água para o lado do ar. É assim, na verdade, que funciona uma usina hidrelétrica. A água em movimento gira uma turbina, que gera energia elétrica.

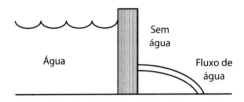

Figura 6.1. A água represada por uma barragem é um exemplo de diferença de energia, e essa diferença pode ser convertida em um fluxo de água de alta pressão que pode girar uma turbina elétrica. Embora em biologia e bioquímica as diferenças de energia provenham da diferença de concentrações de substâncias químicas retidas por uma membrana celular, ou das ligações entre átomos dentro das moléculas, o princípio é o mesmo.

O ponto essencial a ser entendido aqui é que uma diferença de energia (e um fluxo posterior da alta energia para a energia mais baixa) é fundamental para a geração de força elétrica, e que o mesmo também é verdadeiro em um sentido mais geral. É este o significado quando falamos de "desequilíbrio termodinâmico". Termodinâmico significa energia, e desequilíbrio significa "não igual", ou diferente.

A vida funciona da mesma forma. As diferenças de energia permitem que a energia flua e realize os tipos de mudanças que permitem a existência da vida. Para a vida, é importante ser capaz de armazenar essas diferenças de energia para uso no momento conveniente. Dessa forma, um organismo pode se deslocar por aí, carregando consigo sua fonte de energia. Isso proporciona proteção contra eventos ao acaso que possam restringir o acesso à energia.

Para ter uma ideia de por que isso é importante, imagine uma vaca alienígena hipotética que deve comer constantemente para sobreviver. Se a vaca existe em uma área de capim alienígena de crescimento e existência constantes, não há problema. No entanto, imagine uma seca. Com a morte da grama, sendo incapaz de se deslocar para uma nova área, a vaca morreria de imediato. Ou imagine uma planta que usa a luz do sol, como fazem as plantas da Terra, mas que não consegue armazenar energia. Ela viveria durante o dia, mas morreria toda noite. Sem uma fonte garantida de energia ininterrupta, a vida dessas formas é muito vulnerável. O armazenamento de energia é necessário para que a vida exista.

Parece provável que a vida feita de átomos (assim como nós) deva explorar o armazenamento de energia em moléculas. Certos átomos podem ser unidos usando a energia disponível (como as plantas fazem com a luz do sol). Mais tarde, a energia pode ser extraída pela conversão de moléculas que contêm muita energia em moléculas com menos energia, e a energia extra será usada para viver. Fazemos isso quando comemos um biscoito e metabolizamos os açúcares ou gorduras. Talvez um exemplo ainda mais intuitivo disso seja quando queimamos madeira. A celulose combina-se com o oxigênio através de uma série de reações químicas, resultando em dióxido de carbono e água. Sabemos que uma fogueira libera calor – no fim das contas, esse costuma ser o objetivo de uma fogueira –, mas o que não é tão óbvio é que o que estamos vendo, quando assamos nossos *marshmallows*, é as moléculas com grande quantidade de energia armazenada em suas ligações se transformando, em outras moléculas com menos energia.

As restrições impostas pelos átomos

Os cientistas sabem muito sobre química, sobre a forma como os átomos interagem e as propriedades da matéria que eles formam. Com certeza esse conhecimento pode nos dizer muita coisa sobre quais elementos são cruciais para a vida. Nós somos "formas de vida baseadas em carbono", como se costuma dizer em ficção científica. Mas a ficção científica também menciona outras possibilidades. O Horta, do episódio "Demônio da Escuridão" [The Devil in the Dark], de *Jornada nas Estrelas*, era uma forma de vida construída com base em átomos de silício. Os *outsiders* de Larry Niven, em sua série *Known Space* [Espaço Conhecido], têm uma bioquímica que inclui hélio líquido. Dada a imaginação dos escritores de ficção científica, tanto profissionais quanto amadores, posso imaginar que deve haver, guardada na gaveta de alguém, uma história sobre o encontro da humanidade com uma espécie inteligente, com ossos de platina e sangue de ouro fundido, que excreta diamantes (se alguém roubar essa ideia e escrever uma história, quero uma porcentagem dos direitos autorais). Então, o que a ciência nos conta sobre a gama de combinações fisicamente possíveis entre átomos? Para explorarmos esse tema, precisamos pensar sobre alguns requisitos moleculares para a vida que são bem simples.

A vida não pode existir sem átomos combinando-se entre si e formando moléculas mais complexas. Assim, a forma como esses átomos se interconectam é um aspecto fundamental. Embora possa ser óbvio que as regras da química são um dos aspectos que definem qualquer forma de vida, essa afirmação é bem vaga. Podemos na verdade fazer algo melhor e apresentar, no texto a seguir, algumas considerações detalhadas.

Por exemplo, a vida alienígena (e sobretudo formas de vida Alienígena) deverá exigir uma química complexa. Compostos químicos que desempenhem funções análogas a nossos familiares carboidratos, proteínas, DNA e assim por diante, terão que formar moléculas constituídas por muitos átomos interligados. Assim, duas considerações importantes na química da vida serão a identificação dos átomos que (1) podem fazer muitas conexões com átomos vizinhos e (2) podem fazer conexões fortes o suficiente para que as moléculas sejam estáveis.

Alunos de química há muito tempo devem aprender sobre valências, que basicamente são o número de ligações que o átomo de qualquer elemento em particular consegue fazer. Para conseguir fazer moléculas complexas, um átomo tem que ser capaz de conectar-se a muitos átomos próximos. Isso pode ficar incrivelmente claro se consideramos os elementos que são gases nobres (hélio, neônio, argônio etc.), que habitam a coluna da extrema direita na Figura 6.2. Esses elementos não interagem com outros átomos. Cada átomo dos elementos nobres permanece sozinho. Eles simplesmente não participam de forma alguma de reações químicas. Em consequência, podemos ter certeza de que esses elementos não desempenham um papel substancial no metabolismo de qualquer forma de vida e com certeza não desempenham um papel estrutural em nenhuma delas.

Podemos agora analisar a coluna imediatamente à esquerda dos elementos nobres. Essa coluna – que inclui hidrogênio, flúor e cloro – consiste de átomos que podem fazer uma ligação com um átomo vizinho. Uma vez que todos esses elementos agem de forma semelhante, podemos exemplificar usando apenas o hidrogênio. É como uma sala cheia de pessoas com um só braço. Elas podem dar a mão apenas a uma outra pessoa por vez. Em um mundo onde o hidrogênio é um dos tijolos na construção da vida, é possível fazer apenas moléculas muito simples, constituídas por dois átomos idênticos. Se o hidrogênio consegue formar apenas uma ligação, então um átomo de hidrogênio liga-se a um segundo

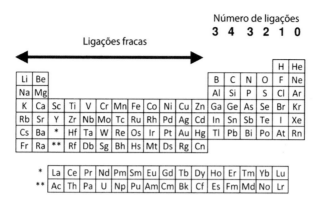

Figura 6.2. Cada um dos tipos de átomos que constituem a matéria tem uma personalidade, com capacidade variável para fazer ligações mais fortes e mais fracas, e também diferentes números de ligações. Essa variação entre os elementos é fundamental para a compreensão de toda a matéria, incluindo a própria vida. Estudantes de química podem achar meio estranha a posição do hidrogênio (H), por estarem acostumados e vê-lo no alto da coluna que inclui o lítio (Li) e o sódio (Na). No entanto, cada átomo de hidrogênio pode ser visto como sendo capaz de doar ou aceitar um elétron para formar uma ligação, e assim pode naturalmente ser colocado em qualquer dessas duas posições.

átomo. Ambos formam uma única ligação e o resultado é uma molécula de dois átomos, como mostra a Figura 6.3. O mesmo se aplica a todos os elementos dessa coluna.

Movendo-nos uma coluna para a esquerda, encontramos os elementos capazes de realizar duas ligações. O exemplo mais leve desses átomos é o oxigênio. Uma vez que o oxigênio pode formar duas ligações, ele pode juntar-se a dois átomos de hidrogênio. É assim que a água se forma, com um átomo de oxigênio e dois de hidrogênio. Invocando nosso exemplo dos braços, o oxigênio é um elemento com dois braços. Ele pode dar as mãos a dois átomos de hidrogênio ou dar as mãos a outro átomo de oxigênio. Movendo-nos

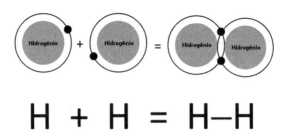

Figura 6.3. Estas são duas formas de representar como os átomos de hidrogênio (H) combinam-se para formar uma molécula de hidrogênio (H$_2$). Os elétrons dos dois átomos são compartilhados entre eles. Embaixo, vemos uma forma abreviada de representar a ligação, com o símbolo atômico representando o átomo e um traço (–) representando a ligação.

de novo, mais uma coluna para a esquerda, encontramos os elementos de três ligações. De modo semelhante, um átomo de nitrogênio pode se conectar com três átomos de hidrogênio e formar amônia.

No entanto, a coluna que permite as estruturas moleculares mais intrincadas é a do carbono. Este, e os demais elementos da coluna, podem formar quatro ligações. Prosseguindo nossa exploração da ligação com o hidrogênio, um átomo de carbono ligado a quatro átomos de hidrogênio forma uma molécula de metano. Em nossa analogia dos braços, o nitrogênio tem três braços, enquanto o carbono tem quatro.

Como qualquer átomo, o carbono pode se conectar com mais átomos além do hidrogênio. Ele pode se combinar com outros átomos de carbono, bem como com todos os outros átomos da tabela periódica. Veja bem, isso também é verdade quanto às colunas do nitrogênio e do oxigênio, mas é a capacidade de formar quatro ligações que permite a criação das moléculas mais complexas. A Figura 6.4 dá apenas uma ideia dos tipos de estruturas que se tornam possíveis quando se tem átomos com tantas possibilidades de ligação. São essas as moléculas da vida na Terra.

Agora você provavelmente deve ter passado à minha frente e pensado: "Mas e quanto aos outros elementos naquela coluna?" Afinal de contas, o silício também pode formar quatro ligações atômicas. Seria possível a vida baseada em silício?

Com certeza os átomos de silício podem compor moléculas complexas; no entanto, a situação é mais complicada do que apenas substituir os átomos de carbono por átomos de silício. Como

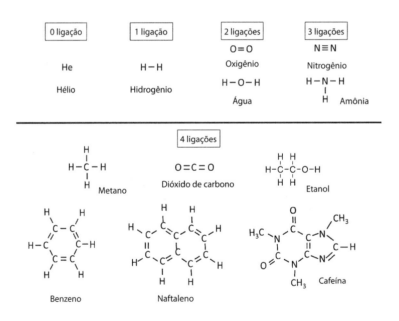

Figura 6.4. Os diferentes elementos podem participar de diferentes números de ligações, indo de zero a quatro. Quanto maior o número de ligações em que um dado elemento pode participar, mais complexas serão as moléculas que ele tem capacidade de formar.

um exemplo simples, tomemos o dióxido de carbono comum que exalamos ao respirar. O dióxido de carbono é um gás, e isso o torna mais fácil de ser transportado pelo fluido (isto é, o sangue) em nosso corpo. Em contrapartida, o dióxido de silício é um sólido, conhecido pelo nome mais comum de "areia". Voltaremos à vida baseada em silício no final do capítulo.

A força das ligações

O número de ligações em que um átomo pode participar é uma consideração muito importante, mas de igual importância é a força dessas ligações. O mundo molecular e atômico é um lugar frenético, onde o movimento constante é a norma. Devido ao simples calor, os átomos vibram, rebotam um contra o outro e sofrem uma sequência contínua de colisões. Se as ligações não fossem fortes o bastante, as colisões atômicas e moleculares poderiam despedaçar as moléculas da vida, da mesma forma que uma entrada dura no futebol pode fazer um estrago. Sem um ambiente molecular estável, com certeza não poderia existir a vida.

Podemos compreender este ponto de uma forma visual, considerando um desses *reality shows* que inventam competições ridículas. Suponha que esse programa seja chamado União, de modo que duas pessoas são de algum modo atadas uma à outra e devem permanecer dessa forma por toda a temporada. Se a conexão se rompe, elas são desclassificadas. Suponha que uma dupla está atada por uma linha de costura comum, enquanto a outra é conectada pelo tipo de corda que os alpinistas usam. Não é preciso muita imaginação para perceber que a dupla atada por uma linha está em tremenda desvantagem. Nas simples ações do dia a dia, como caminhar de um lado para o outro, escovar os dentes, dormir, e assim por diante, alguma coisa vai partir a linha. Em contrapartida, muito pouca coisa que o par atado pela corda possa encontrar fará com que seja separado.

Há mais de um modo pelo qual os átomos podem se ligar, mas o mais forte é chamado de "ligação covalente". Em uma ligação covalente, alguns dos elétrons de cada átomo individual são compartilhados pelos dois átomos. De certo modo, os dois átomos meio que se fundem um ao outro em uma unidade molecular única. E essas ligações são de fato fortes. Para dar uma ideia da escala, dois átomos de hidrogênio podem se ligar desse modo e formar uma molécula de hidrogênio. A ligação é tão forte que, se você pegar o gás hidrogênio à temperatura e pressão ambientes, vai precisar de um volume de gás do tamanho da Via Láctea para ter uma chance de 50% de quebrar uma única molécula em seus dois átomos constituintes. São moléculas *realmente* difíceis de dividir. Se não fossem, um volume contendo tantos átomos assim teria muitas moléculas quebradas.

Voltando à questão de quais átomos têm maior probabilidade de ter um papel significativo na existência de vida, podemos indagar se diferentes elementos podem formar ligações mais fortes ou mais fracas. Acontece que elementos com menor massa podem formar ligações muito mais fortes do que os de maior massa. A razão é meio sutil, mas por sorte não é difícil de entender. Tudo se resume ao grau com que os átomos se sobrepõem um ao outro. Quanto maior a fração que se sobrepõe, mais aqueles dois elétrons são compartilhados, e mais forte é a ligação. Este ponto é ilustrado na Figura 6.5.

Esta figura é simplificada, mas tem algumas características valiosas. Os átomos consistem em um núcleo e um enxame de

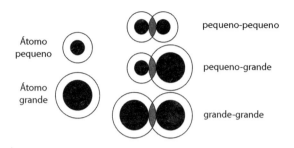

Figura 6.5. A força de uma ligação covalente depende muito do quanto os elétrons dos átomos se sobrepõem. Quanto maior a fração de tempo que eles se sobrepõem, mais forte a ligação. Aqui, a área branca representa os elétrons disponíveis para a ligação, enquanto a área cinzenta representa a região de sobreposição. Em moléculas menores, a área cinzenta corresponde a uma fração maior da área branca.

elétrons à volta dele. Os elétrons mais próximos do núcleo (ou nos níveis de energia mais baixa, se você já estudou química) em geral não estão disponíveis para formar ligações, enquanto os elétrons mais externos estão. Na Figura 6.5 escolhi representar a porção central e não interativa do átomo como um círculo preto. O círculo externo branco representa os elétrons disponíveis para formar ligações. Você notará que desenhei um átomo pequeno e um grande. Para ambos os átomos, a espessura da área branca é a mesma.

Então formei moléculas, conectando dois átomos entre si. Até certo ponto, pode-se dizer que os átomos compartilham os elétrons na região entre os dois átomos onde as áreas brancas se sobrepõem. Essa região de sobreposição está indicada em cinza. Agora compare a região cinza com a região branca em moléculas de átomos pequenos e moléculas de átomos grandes. Você pode ver que, nas moléculas de átomos pequenos, a área cinza representa uma fração maior da área branca. Átomos menores compartilham seus elétrons com seus vizinhos durante uma fração maior de tempo, e essa é a base para as ligações muito mais fortes dos elementos mais leves.

Essas considerações simples mostram o porquê de ser natural, de certa forma, que a vida seja formada por carbono. O carbono pode formar quatro ligações fortes com os átomos vizinhos, permitindo a formação de moléculas complexas. Outros átomos leves não podem formar tantas ligações, o que reduz a complexidade da química possível, enquanto outros átomos pesados não conseguem formar ligações tão fortes, reduzindo assim a probabilidade de que as moléculas sejam estáveis. O carbono é um elemento ideal para a química molecular complexa.

Talvez não seja algo surpreendente que nós, formas de vida baseadas em carbono, cheguemos à conclusão de que o carbono seria a base ideal para formar a vida. Este é o chamado "chauvinismo carbônico". Voltaremos a este ponto quando tivermos terminado nossa visão geral dos componentes importantes da vida e analisaremos possibilidades químicas alternativas.

Oxigênio

Todas as formas de vida multicelular da Terra usam o oxigênio como parte de seu sistema respiratório, embora isso não seja verdade para todas as formas de vida. O papel do oxigênio é o de receptor de elétrons. O movimento dos elétrons é a fonte da energia da vida, de modo que um elemento que pode aceitar elétrons é um facilitador do fluxo de energia. O oxigênio é um excelente aceitador de elétrons.

Será o uso do oxigênio uma característica necessária da vida no universo? Bom, a resposta é, de forma clara, não, tendo em vista o que sabemos sobre a vida na Terra que usa outras substâncias para respirar. De fato, temos bastante certeza de que as primeiras formas de vida na Terra teriam sido mortas pela presença de oxigênio. Assim, o que é que acontece com o oxigênio e por que ele se tornou tão onipresente na Terra atualmente? Será que o uso universal do oxigênio pela vida multicelular na Terra significa que a respiração do oxigênio é universal?

A resposta é, com certeza, não, mas vale a pena dedicarmos um pouco de tempo para aprender o básico sobre o papel do oxigênio na história da vida na Terra. Não sabemos muito sobre a primeira forma de vida na Terra. A vida formou-se e muitas espécies

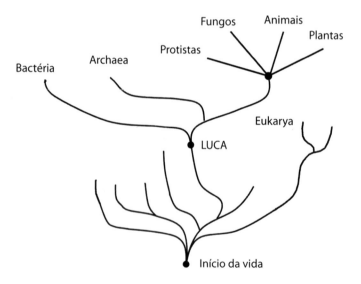

Figura 6.6. Aqui é mostrada a forma como se crê que os primeiros organismos vivos surgiram e sofreram especiação. Com o tempo, todos os ramos iniciais da vida desapareceram à exceção de um organismo que é o último ancestral comum, ou LUCA. Este diagrama mostra apenas os pontos mais básicos, uma vez que se acredita que misturas genéticas entre espécies tenham ocorrido quando os organismos eram mais simples.

evoluíram e se tornaram mais complexas. Como sempre ocorre no caso da evolução, algumas espécies prosperaram, enquanto outras se extinguiram. Acredita-se que um desses organismos complexos é o antepassado de todas as espécies existentes, enquanto os demais desapareceram. Esse antepassado é chamado de último ancestral comum, ou LUCA (sigla, em inglês, para "*last universal common ancestor*"). Uma árvore genealógica que mostra como a vida pode ter-se ramificado está representada na Figura 6.6.

Trabalhando em retrospectiva a partir dos dias de hoje, os biólogos têm bastante certeza de que a humanidade compartilhou com os chimpanzés um ancestral comum. Esse ancestral comum, por sua vez, compartilhou com outros primatas um ancestral ainda mais anterior. Os primatas compartilharam com outros mamíferos um ancestral comum. Recuando no tempo, hoje acreditamos que cada um dos domínios, reinos, filos, classes e assim por diante, mencionados no capítulo anterior, originaram-se a partir de um ancestral comum, cujos descendentes variavam ligeiramente entre si e assim constituíram o ponto de partida para o surgimento das diferenciações morfológicas e biológicas que hoje vemos nas várias divisões da vida. Cada um dos domínios de Prokarya, Eukarya e Archaea teve um diferente ancestral comum, embora pesquisas modernas sugiram que os Eukarya foram formados por uma mistura de ancestrais anteriores Archaea e Prokarya.

Levando tal padrão um passo além, supostamente teria havido um organismo que foi o ancestral de todas as formas de vida na Terra. Mas esse ancestral (o último ancestral comum, ou LUCA, mencionado acima) não foi a primeira forma de vida surgida na Terra. Usando genética e bioquímica comparadas, os cientistas descobriram muita coisa sobre o LUCA. Por exemplo, para viver ele usava DNA e cerca de duas centenas de proteínas. O LUCA já era um organismo muito complexo, bem diferente da primeira forma de vida. É difícil saber qual foi a adaptação do LUCA que lhe deu uma vantagem para sobreviver e prosperar, enquanto todos os seus primos contemporâneos foram condenados à extinção. Mas ele sobreviveu, e aqui estamos nós.

O LUCA provavelmente não dependia de oxigênio para respirar. Embora nosso conhecimento da bioquímica do LUCA seja incompleto, parece ser verdadeiro que o ferro era parte importante de suas vias metabólicas. Este fato é um indício bem convincente de que o LUCA viveu antes que a atmosfera terrestre tivesse oxigênio em abundância. Sabemos disso porque o ferro de fato adora combinar-se com oxigênio em uma forma que é *extremamente* insolúvel na água. Se houvesse um monte de oxigênio por aí, o ferro se combinaria com ele e seria removido do ecossistema sob a forma de ferrugem. Como você sem dúvida já teve oportunidade de ver, a ferrugem não se dissolve na água e, uma vez que o ferro está na forma de ferrugem, fica indisponível para uso futuro. Para que um organismo com grande dependência do ferro sobreviva, deve existir um ambiente anóxico (com pouco ou nenhum oxigênio).

Embora a data da formação da vida na Terra seja objeto de um debate ainda em aberto, o período de cerca de 3,5 bilhões de anos atrás é uma proposta aceitável, e os registros se tornam cada vez mais consistentes a partir de 2,7 bilhões de anos. Estudos da composição isotópica de rochas muito antigas sugerem que por volta de 2,4 bilhões de anos atrás haveria muito pouco oxigênio na atmosfera. Entretanto, por volta dessa época a quantidade de oxigênio começou a aumentar. A fonte do oxigênio presumivelmente seriam as bactérias fotossintéticas. Por cerca de meio bilhão de anos, o ferro do oceano absorveu oxigênio e assentou-se sobre o fundo oceânico. Este processo prosseguiu até que o ferro fosse inteiramente consumido, e é a origem das minas de ferro que hoje exploramos.

Uma vez que o ferro foi consumido, o oxigênio na atmosfera começou a aumentar com muito mais rapidez. Como mencionei, a fonte do oxigênio foram as bactérias fotossintéticas que existiam desde as primeiras formas de vida, mas, dado o lado reativo do oxigênio, ele rapidamente se ligava a outras substâncias, no oceano e depois em terra firme. Entretanto, uma vez que essas substâncias tão ávidas por oxigênio foram saturadas, no mar e na terra, a concentração de oxigênio na atmosfera aumentou. À medida que a concentração de oxigênio atmosférico crescia, esse gás foi exposto à luz ultravioleta do sol. Isso levou à formação do ozônio, que protege a superfície da Terra contra a luz ultravioleta (e torna possível a vida em terra firme). Sem a proteção do ozônio, a luz ultravioleta esterilizaria a superfície do planeta, da mesma forma como usamos essa luz para esterilizar instrumentos cirúrgicos e matar algas e parasitas em aquários.

Há cerca de 800 milhões de anos, a quantidade de oxigênio na atmosfera começou a aumentar rapidamente. Esse aumento no oxigênio com frequência é citado como tendo contribuído para a origem da vida multicelular (e, de especial relevância para a ideia dos Alienígenas, para a origem da vida animal). O oxigênio fornecia um grande reservatório, na atmosfera, de uma substância que era um excelente aceptor de elétrons, cujo uso na respiração e no metabolismo poderia gerar muita energia.

Assim, o oxigênio está onipresente na Terra e desempenha um papel fundamental como parte do balanço energético de todos os animais. A questão, quando pensamos sobre os Alienígenas, é "será o oxigênio *necessário?*". Sabemos que existem formas de vida na Terra que usam outras substâncias como aceptores de elétrons, como ferro férrico, nitratos, sulfatos e dióxido de carbono, entre outros. No entanto, essas formas alternativas de respiração são encontradas em micróbios, não em animais multicelulares, sugerindo que as vantagens da respiração de oxigênio são consideráveis, e que, havendo a possibilidade, a evolução provavelmente vai empurrar a bioquímica nessa direção.

Mesmo na Terra, o mecanismo através do qual o oxigênio é usado para dar energia aos organismos não é um processo simples, mas sim de múltiplas etapas. Portanto, é possível que, em um planeta com um ambiente anóxico, a evolução leve a um processo com etapas múltiplas para a obtenção do nível de energia necessário para sustentar a vida Alienígena. No entanto, dadas as vantagens do oxigênio, parece plausível que a vida no fim encontre uma forma de explorá-lo, caso esteja presente. Isto nos leva ao próximo ponto.

Abundâncias químicas

A química que temos discutido é, neste ponto, parcialmente acadêmica. Por exemplo, o carbono pode muito bem ser o átomo perfeito com o qual construir a vida, mas se ele não existir em um planeta, não vai ser usado. Do mesmo modo, se não houver oxigênio presente, será impossível usá-lo para respirar. Assim, precisamos saber quais elementos estão disponíveis em maior abundância no universo. Para entender como certos elementos podem ser mais comuns ou menos comuns, precisamos entender suas origens.

A teoria atual é que o universo começou há pouco menos de 14 bilhões de anos, em um evento cataclísmico chamado Big Bang. A física deste evento é fascinante, mas para nossos propósitos só precisamos saber que o universo no passado foi tão quente que os átomos não podiam existir; de fato, prótons e nêutrons não conseguiam se formar, pois as temperaturas não lhes permitiam coalescer e nascer a partir do caldo de energia e partículas subatômicas que existia à época.

À medida que o universo se expandiu, ele resfriou de forma análoga às explosões com que temos mais familiaridade, e muito cedo na história do universo os prótons e nêutrons surgiram, seguidos pelos elementos hidrogênio e hélio. Para todos os propósitos, não existia nenhum outro elemento. Seguindo nossa discussão acima, a vida não conseguiria se formar em tal universo. O hélio não forma moléculas e o hidrogênio só consegue fazer moléculas simples constituídas de dois átomos. Se a história fosse apenas essa, não estaríamos aqui tendo essa discussão. Deve haver mais coisas que precisamos levar em conta.

Toda manhã, quando o sol nasce, somos recordados de uma coisa aparentemente trivial, mas importante. O sol brilha e irradia calor. Ele o faz porque massas muito densas de hidrogênio e de hélio podem sofrer fusão nuclear. E a fusão nuclear é uma das mais puras formas de magia científica que a humanidade já descobriu e compreendeu.

Nos tempos medievais, os antigos cientistas, denominados alquimistas, estavam obcecados com a transformação de materiais de uma forma em outra; de "metais básicos" (por exemplo, chumbo) em ouro. Não há dúvida de que a química moderna deve muito aos alquimistas do passado, mas estes estavam fadados ao fracasso em sua busca da transformação de um elemento em outro. Tal objetivo está simplesmente além da capacidade das reações químicas.

No entanto, a fusão nuclear das estrelas realiza exatamente isso. Os núcleos de elementos leves são combinados, formando elementos mais pesados. Nessas fundições estelares, hidrogênio e hélio são fundidos e dão origem ao oxigênio, ao carbono, ao nitrogênio, ao silício e a todos os elementos mais leves que o ferro. A fusão nuclear padrão, que acontece nas estrelas, é incapaz de criar elementos mais pesados.

Mas algumas estrelas queimam depressa e de forma furiosa, e terminam a vida com uma explosão espetacular denominada supernova. Quase num piscar de olhos, essas estrelas morrem, num evento de calor e reações nucleares que empalidecem qualquer estrela mais complacente. Com sua morte, formam-se elementos ainda mais pesados, havendo até mesmo a criação de ouro que escapou aos antigos alquimistas. É por esse motivo que Carl Sagan com tanta frequência afirmava que somos todos feitos da "poeira das estrelas". Sem as estrelas, não existiria vida e nem mesmo os planetas. De fato, as primeiras estrelas se formaram quando o universo não podia ter planetas. Os ingredientes dos planetas simplesmente não existiam. Mas, com sua morte, as primeiras estrelas espalharam uma mistura complexa de elementos através do cosmos. Esses elementos misturaram-se com as nuvens de hidrogênio já existentes e formaram novas estrelas.

Nosso Sol é uma estrela de segunda ou terceira geração, tendo se formado há cerca de 5 bilhões de anos. Quando o Sol nasceu, o universo já tinha quase 9 bilhões de anos, tempo suficiente para que as primeiras estrelas já tivessem fabricado os outros elementos da tabela periódica.

Os elementos presentes quando nosso Sistema Solar surgiu formavam o reservatório a partir do qual os planetas e qualquer vida possível deveriam ser compostos. A Figura 6.7 mostra a abundância relativa dos 30 elementos mais leves em nosso Sistema Solar. O hidrogênio e o hélio constituem 99,9% da matéria no Sistema Solar, mas os planetas coalesceram a partir do 0,1% remanescente. Dos elementos restantes, carbono, oxigênio e nitrogênio (os elementos da química orgânica e da vida como nós as conhecemos) são os seguintes mais disponíveis. A abundância relativa de todos os elementos concorda bem com nosso entendimento de como eles são formados nas fornalhas estelares onde foram criados. O silício, que é o primo químico do carbono, está presente em quantidades que correspondem a 10% daquelas do carbono. Assim, uma interpretação ingênua deste gráfico pode fazer você dizer, "Bom, é, faz sentido que a vida seja feita de carbono, uma vez que ele é mais abundante que o silício". Por outro lado, não é preciso pensar muito para dizer, "Ei, espera aí. Se o carbono é tão mais abundante que o silício, por que então a Terra é uma grande rocha (isto é, dióxido de silício) em vez de ser feita principalmente de carbono? O que rola?".

E, naturalmente, essa é uma pergunta interessante. A questão das abundâncias relativas de elementos no Sistema Solar nos diz muita coisa, mas a vida não poderia formar-se a partir dos elementos que existem dentro do Sol. Ela provavelmente teria que se formar sobre a superfície (ou sob ela, ou na atmosfera) de um planeta. Assim, as abundâncias corretas dos elementos a considerar seriam aquelas na superfície do planeta. (A mesma lógica que mostra que a composição química da estrela é apenas marginalmente relevante também elimina a composição química do núcleo de um planeta como uma consideração importante. É a composição da crosta planetária que define o reservatório de elementos químicos a partir dos quais a vida pode ser formada.) Eu uso a palavra "planetário" de uma forma um tanto genérica. A vida poderia ter se formado em luas de planetas que são eles próprios estéreis. Veremos em breve o motivo pelo qual o silício não tem um papel central na vida da Terra.

Neste ponto, começamos a ver como é difícil generalizar a discussão da química e da vida Alienígena. Afinal de contas, o ambiente dos vários planetas e luas de nosso próprio Sistema Solar é extremamente variado. As nuvens de gás de Júpiter são muito diferentes da superfície calcinada de Mercúrio, das vastidões geladas de Europa e de nossa própria Terra. É essa ampla gama de ambientes que torna tão difícil para os astrobiólogos decidirem por onde começar a procura pela vida.

No entanto, precisamos nos lembrar de que estamos interessados nos Alienígenas, e não na vida alienígena em si. Os Alienígenas são criaturas com inteligência suficiente para utilizar ferramentas e algum dia competir com os humanos pela dominação galáctica. Assim, é difícil imaginar como Alienígena uma forma de vida suspensa nas nuvens de um planeta gigante gasoso. É muito mais fácil imaginar como competidor uma criatura em um objeto planetário rochoso. Para começar, o acesso a metais é muito importante para fabricar a maioria das ferramentas e armas. Em um ambiente gelado, outros materiais podem servir ao mesmo propósito. Mas em qualquer caso a superfície de um planeta rochoso é, provavelmente, o reservatório relevante de elementos em torno do qual podemos construir nossa discussão sobre vida Alienígena.

Abundâncias de elementos no Sistema Solar

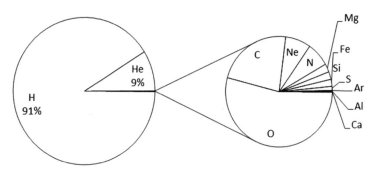

Figura 6.7. A distribuição de elementos em nosso Sistema Solar é totalmente dominada por hidrogênio (H) e hélio (He). Mesmo o carbono (C) e o oxigênio (O), relativamente comuns, representam menos de 0,1%.

Podemos começar com a composição química da crosta terrestre como uma linha de base. Esta é dada na Figura 6.8. Há notáveis diferenças na composição química da Terra quando comparada com as abundâncias de elementos do Sol, reiterando que os detalhes da formação dos planetas são críticos. Hidrogênio e hélio são raros. Vemos também que os gases nobres (hélio, neônio, argônio etc.) são notáveis por sua ausência. Esses elementos são gasosos e não se juntam a outros para formar sólidos. O oxigênio é o elemento mais presente, seguido pelo silício. A mistura reflete as várias rochas (feldspato, quartzo etc.) que constituem a superfície da Terra. O carbono é muito raro em comparação com o silício (uma fração minúscula de uma fração minúscula, comparado com um quarto da crosta terrestre sendo constituído de silício). E isto provavelmente nos indica algo significativo. Mesmo com a quantidade muitíssimo maior de silício disponível, e o fato de que ambos os elementos podem formar quatro ligações, a vida é formada a partir do carbono. A capacidade de formar quatro ligações é muito importante, mas há outras considerações que devem ser levadas em conta ao pensarmos sobre a composição química da possível vida. Discutiremos no final do capítulo os problemas do silício como um componente da vida. (Sei que já prometi isto mais de uma vez, mas precisamos um pouco mais de contexto para explorar as limitações do silício como a base da vida, bem como para apresentar um modo criativo de superar as notáveis vantagens do carbono.)

Também vamos falar, um pouco mais adiante, sobre a natureza do líquido que forma a vida. Na Terra, esse líquido é sempre a

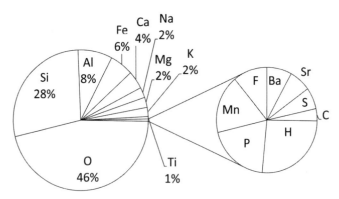

Figura 6.8. As abundâncias de elementos da crosta terrestre refletem o fato de que ela é constituída de rocha, que tem um componente muito alto de silício (Si) e de oxigênio (O). A diferença pronunciada entre a constituição química da crosta terrestre e o Sistema Solar como um todo destaca como os acidentes da formação planetária podem afetar de forma significativa o reservatório químico disponível para a criação da vida.

água. Quando finalizarmos nossa discussão sobre disponibilidade química, poderemos dar uma olhada na composição química dos oceanos da Terra. Isto é demonstrado na Figura 6.9. Por serem nossos oceanos constituídos de água (H_2O), o oxigênio e o hidrogênio são os átomos mais abundantes. Além do mais, como a maior parte da água na Terra é salgada, não é surpresa que o sódio e o cloro, elementos que constituem o sal comum (NaCl), estejam presentes. Os outros elementos estão presentes caso possam unir-se em moléculas que são solúveis em água.

Numa última olhada na disponibilidade de elementos, voltamo-nos para o corpo humano. Embora o objetivo desta discussão seja saber quais elementos estão disponíveis para constituir os componentes básicos da vida, é natural perguntar, "Certo, mas

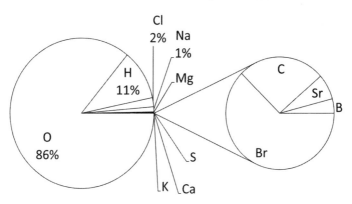

Figura 6.9. A constituição de elementos da água do oceano decorre do fato de ser composta por água (H_2O), na qual encontra-se dissolvido o sal (NaCl). O carbono (C) é um elemento-traço da água marinha.

quais elementos formam a vida de fato?". Isto é mostrado (só para os humanos) na Figura 6.10.

Carbono, oxigênio, hidrogênio e nitrogênio dominam a química humana, com um punhado de outros elementos adicionados à mistura. Nosso sangue reflete nossas origens nos oceanos da Terra. O cálcio é usado nos ossos e no metabolismo celular. Traços de minerais são encontrados em nossos alimentos.

A questão fundamental é se outras composições químicas são possíveis para os Alienígenas, e a resposta deve ser sim. Os biólogos ainda estão debatendo se a composição da vida da Terra é um acidente histórico ou uma consequência inevitável das propriedades

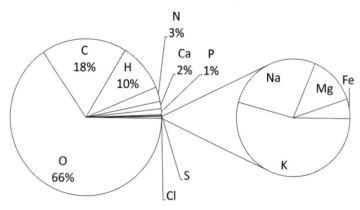

Figura 6.10. Este gráfico mostra as abundâncias de elementos no corpo humano. Podemos ver por que os Alienígenas de cristal no episódio de *Jornada nas Estrelas – A Nova Geração*, "Terra Natal" [Home Soil], referem-se aos humanos como "horríveis sacos constituídos quase somente de água". Dadas as abundâncias químicas da crosta e dos oceanos da Terra, é notável ver quais elementos estão mais presentes no tecido humano vivo, com 97% vindo do oxigênio (O), carbono (C), hidrogênio (H) e nitrogênio (N).

atômicas dos elementos e suas abundâncias relativas. Portanto, não é de surpreender que os astrobiólogos não tenham deduzido que forma os Alienígenas, ou mesmo a menos restritiva vida alienígena deve assumir. Mas as limitações da química e a disponibilidade de elementos com certeza são considerações importantes nas discussões deles. Os tópicos que discutimos aqui – do número de ligações atômicas, à força dessas ligações, à disponibilidade de elementos e acidentes e pressões evolutivos – resultaram em nós. Formas de vida baseadas em carbono e que respiram oxigênio não são inevitáveis, mas agora vemos as vantagens dessa receita em particular.

Vantagem líquida

A vida na Terra é sempre baseada em água, especificamente na água líquida. Isso, sem dúvida, leva a duas questões: por que líquida, e por que água? A questão líquida é mais fácil de responder. A matéria normalmente existe em fases sólida, líquida e gasosa. O problema com a fase sólida é a baixa mobilidade das substâncias químicas. A mistura de substâncias em fase sólida é possível, mas é muito lenta. A vida pode se formar nessas circunstâncias, mas tal vida nunca será um Alienígena na forma como entendemos aqui (embora precisemos ter em mente a ideia de vida robótica, como mencionado ao final do capítulo). Além do mais, a menos que o ambiente seja totalmente seco, as vantagens da vida baseada em líquido são tão claras que ou a vida de base líquida, evoluída de forma independente, vai excluir por competição a vida de base sólida, ou a evolução vai encontrar um modo de que a vida de base sólida se adapte para usar líquidos.

Em contrapartida, a fase gasosa da matéria tem uma mobilidade suprema. De fato, em muitos livros escolares do nível básico, um gás é definido como a fase da matéria que preenche qualquer volume no qual é introduzida. Assim, conseguir que as moléculas de gás se movam de um lado para o outro não é o problema. O problema é que um gás não é eficiente para dissolver nada. Enquanto a água salgada consegue carregar uma boa carga de átomos de sódio e de cloro, o ar salgado carrega apenas um pouco de água, que é a que contém o sal. Assim, é igualmente improvável que encontremos formas de vida (e em especial Alienígenas) com um solvente gasoso.

Com isso, sobra a fase líquida. Os líquidos podem se mover com facilidade e são capazes de dissolver substâncias, que assim também podem se mover de um lado para o outro, como o sal na água salgada. Para que um líquido seja um solvente útil, ele deve ter duas propriedades. Primeiro, deve permanecer líquido sob muitas condições, e uma implicação clara é de que a substância deve existir em estado líquido dentro de uma ampla gama de temperaturas. Segundo, deve ser capaz de dissolver e transportar os elementos. Afinal de contas, a incapacidade de transportar com eficiência outros átomos foi o motivo pelo qual os solventes sólidos e gasosos foram rejeitados.

Na Terra, o solvente universal da vida é a água. Essa substância miraculosa pode não ser um solvente universal, mas é útil discutir as incríveis propriedades da água para compreendermos que tipos de características outros solventes potenciais devem possuir.

As ligações covalentes que já examinamos não são os únicos tipos de ligações moleculares possíveis. Outro tipo importante de ligação é chamado de ligação iônica. Enquanto em uma ligação covalente dois átomos adjacentes compartilham elétrons, em uma ligação iônica um átomo doa um elétron para outro átomo. Isso faz com que um átomo tenha uma carga positiva e o outro tenha uma carga negativa. Os dois átomos então se ligam um ao outro por suas respectivas cargas. O sal comum (cloreto de sódio) é formado assim.

As moléculas de água são um exemplo de molécula polar. Isso significa que, mesmo que não tenham uma carga elétrica total, em seu interior a carga elétrica não é distribuída de forma homogênea. Assim, um lado da molécula é, eletricamente falando, "mais negativo", enquanto o outro lado é "mais positivo". A interação entre os dois lados das moléculas de água e as moléculas ionicamente ligadas pode romper estas últimas. No caso do sal, não são as moléculas de sal que estão presentes na água quando ele é dissolvido, mas átomos de cloro e de sódio que flutuam livremente. Vemos isso na Figura 6.11. Isto não seria possível se a água não fosse uma molécula polar.

As cargas elétricas dos átomos criam campos elétricos, o meio pelo qual os átomos são atraídos uns pelos outros. A água é capaz de barrar campos elétricos com muita eficiência, e esse é um dos motivos pelos quais pode dissolver tão bem as coisas. Os átomos dissolvidos (digamos, o sódio com carga positiva e o cloro com carga negativa) não são capazes de ver um ao outro. Se fossem, seriam atraídos e recombinariam. Essa propriedade da matéria é chamada de "constante dielétrica", e é muito alta para a água, com um valor numérico de 80, que significa que a água consegue dissolver 80 vezes mais de um soluto do que se não tivesse tal propriedade. A água também pode se romper enquanto na forma líquida, doando ou aceitando um átomo de hidrogênio, formando

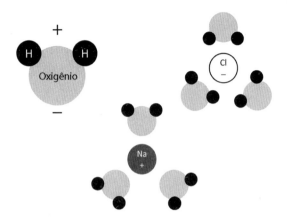

Figura 6.11. A água é uma molécula polar, o que significa que o arranjo de átomos de hidrogênio e oxigênio faz com que um lado da molécula tenha uma carga levemente positiva, enquanto o outro tem uma carga negativa. Essa propriedade ajuda a água a dissolver materiais que estão unidos por uma ligação iônica, como o sal comum, ou cloreto de sódio (NaCl), mostrado aqui.

OH⁻ (hidróxido, uma base) ou H_3O^+ (hidrônio, um ácido). A existência de ácidos e bases pode ser fundamental para muitas reações químicas relevantes para a vida.

A água é líquida dentro de um intervalo de temperaturas de 100 °C. Esta é uma faixa bem ampla, e vai se tornar importante no próximo capítulo, quando examinarmos o conceito de zona planetária habitável. Esta é a faixa de distâncias a partir de uma estrela na qual o solvente (em nosso caso, a água) permanecerá líquido.

A água tem outra propriedade tremendamente útil. É necessária uma quantidade imensa de calor para alterar sua temperatura. Se você mora em algum lugar junto à costa, sabe que a temperatura na praia é mais fresca no verão e mais quente no inverno do que nas áreas circundantes. Isto ocorre porque, num dia de verão muito quente, quando o sol castiga você e você acha que vai derreter, a água tende a estar mais fria que o ar. Enquanto o sol brilha sobre você, ele também está brilhando sobre a água. No entanto, a água precisa absorver uma quantidade (relativamente) enorme de energia para mudar de temperatura, de modo que ela permanece fria (e assim refresca a área perto da praia, mais ou menos como se você se sentasse perto da geladeira com a porta aberta). Em termos numéricos, é cinco vezes mais fácil aquecer a areia do que a água.

Da mesma forma, durante o inverno, quando sopram os ventos gelados e a temperatura do ar despenca, um grande reservatório de água vai conter um calor considerável. Esta é a razão pela qual o Atlântico Norte permanece livre de gelo tão ao norte, enquanto o ar está gelado de fazer bater os dentes. No oposto das preocupações do verão, devido às propriedades da água, o oceano tem que perder muito mais energia para mudar sua temperatura.

A água tem ainda mais propriedades úteis e incomuns. Além da água líquida ser, na essência, uma grande esponja de calor, é necessária muita energia para fundir o gelo (e uma quantidade correspondentemente grande de energia deve ser liberada para congelar a água). Do mesmo modo, uma grande quantidade de energia está envolvida na conversão de água em vapor, e vice-versa. Tais propriedades são essenciais na regulação térmica da superfície da Terra.

Outra característica curiosa da água é que, diferente da maioria das outras substâncias, a fase sólida da água (gelo) tem densidade mais baixa do que a fase líquida. Basicamente, o gelo flutua. Pense no que aconteceria se o contrário fosse verdadeiro. Quando o tempo ficasse frio, o gelo congelaria e iria para o fundo do lago ou do oceano. À medida que o gelo descesse, ele derreteria um pouco, mas ao fazer isso resfriaria a água abaixo dele. No fim, a água do fundo ficaria quase na temperatura do gelo. Prosseguindo o derretimento e o afundamento, haveria gelo no fundo do corpo d'água. Depois disso, ano após ano, o gelo afundaria, aumentando a espessura da camada gelada, até que o lago ou oceano estivesse todo congelado, sólido, com apenas uma porção rasa na superfície onde a água descongelaria na época quente do ano. Os polos da Terra estariam totalmente congelados do fundo do mar até perto da superfície.

No entanto, o gelo de verdade flutua e isola do ar mais frio a água por baixo dele. Novamente, o gelo ajuda a regular a temperatura dos arredores. Sem água, o ambiente da Terra seria bem diferente.

Os químicos já pensaram sobre outros possíveis solventes que ao menos teriam potencial para substituir a água. Uma consideração importante é a pressão atmosférica na superfície do planeta. Não temos como não ter um viés de percepção, pois a pressão na superfície da Terra nos parece normal. Em contrapartida, a pressão na superfície de Vênus é 92 vezes a pressão na Terra. Sob tais pressões, outras substâncias podem ser líquidas dentro de uma faixa maior de temperatura. Por exemplo, em Vênus, a água pode ser líquida de 0 a 177 °C.

Para a discussão a seguir, vamos nos limitar à pressão de uma atmosfera terrestre. Sob a pressão com a qual estamos familiarizados, as seguintes substâncias já foram consideradas como solventes possíveis: água, amônia, fluoreto de hidrogênio e metano (Tabela 6.1)

Podemos ver os méritos dos diversos materiais. A amônia tem boas propriedades térmicas, mas uma faixa muito estreita de temperatura na qual é líquida. Por outro lado, o fluoreto de hidrogênio

Tabela 6.1. Comparação entre possíveis solventes

Solvente	Faixa do estado líquido °C (1 atm)	Densidade g/cm³	Capacidade térmica J/g K	Calor de vaporização kJ/mol	Constante dielétrica	(Densidade sólida) / Densidade líquida
Água	0 a +100	1	4,2	41	80	0,9
Amônia	−78 a −34	0,7	4,6	23	25	1,2
Fluoreto de hidrogênio	−83 a +20	1	3,3	0,4	84	1,8
Metano	−182 a −161	0,4	2,9	8	2	1,1

Nota: para quem tem inclinação pela ciência, as unidades são: atm = atmosfera, mol = mol, J = joule, g = grama, K = Kelvin, cm = centímetro. A capacidade térmica é a energia necessária para mudar a temperatura do líquido, enquanto o calor de vaporização informa o grau de dificuldade de evaporação da substância. As densidades citadas são para a forma líquida da substância.

tem uma ampla faixa de temperatura na qual é líquido, e é necessária uma energia considerável para aquecer o líquido, com a desvantagem de que ele pode se converter com facilidade à fase gasosa. Também tem uma constante dielétrica elevada, o que é atraente. Por outro lado, as Figuras 6.7 a 6.10 mostram que o flúor é bem raro no universo. Além do mais, ele reage prontamente com a água para formar ácido fluorídrico, e com rochas portadoras de silício para formar fluoreto de silício. Este é um material inerte, que captura o fluoreto e o deixa indisponível para a respiração.

O metano é um material interessante; embora não seja um solvente polar, é uma substância sempre lembrada quando se pensa em bioquímica alternativa. O metano pode ser encontrado em sua forma líquida, por exemplo, na superfície de Titã, uma das luas de Saturno.

Hidrocarbonetos como o metano têm algumas vantagens sobre a água. Com certeza as evidências empíricas sugerem que a reatividade das moléculas orgânicas é razoavelmente versátil em hidrocarbonetos solventes. No entanto, como os hidrocarbonetos não são polares, são menos reativos a algumas moléculas orgânicas instáveis.

A superfície de Titã é excelente para testar muitas dessas considerações. Titã não está em equilíbrio termodinâmico, tem muitas moléculas contendo carbono e está coberto com solvente líquido. A temperatura é baixa, o que permite uma ampla gama de ligações covalentes e polares. Na verdade, existem aí muitas das características que parecem ser essenciais para a vida. Isto nos leva a especular que, se a vida é um resultado inevitável da bioquímica, então Titã deveria ter ao menos vida primitiva. Se no fim das contas não houver vida lá, então podemos começar a suspeitar que haja algo de único no ambiente na Terra, talvez incluindo o uso de água como solvente. Assim, não é de surpreender que uma análise dos oceanos de metano de Titã seja um objetivo de alta prioridade nos planos de exobiologia da NASA.

A evolução faz a diferença

A última propriedade que parece ser necessária para a vida alienígena, e com certeza para os Alienígenas, é algum tipo de evolução darwinista. Seja como for que a vida apareça, ela não vai surgir inteiramente formada, como um Alienígena inteligente, do mesmo modo como isso não aconteceu na Terra. O começo de tudo serão formas de vida simples. Elas vão se defrontar com ambientes instáveis, competição com membros da mesma espécie e de outras, predação, e assim por diante. Deve haver um mecanismo pelo qual os organismos possam mudar e se adaptar. Se não houver, eles vão morrer e desaparecer. É simples assim.

No entanto, a forma exata como isso funciona ainda é objeto de debate. Por exemplo, na Terra, os planos esquemáticos para a vida estão armazenados em nosso DNA. Quatro ácidos nucleicos — adenina, guanina, citosina e timina — são os componentes básicos da familiar escada em espiral da vida. Esses ácidos nucleicos constituem os "degraus" da escada, enquanto as laterais são chamadas de cadeias principais e consistem de um fosfato combinado a uma desoxirribose (um açúcar), que separa os degraus da escada.

A evolução ocorre por meio de uma série de pequenas mudanças, que culminam em mudanças maiores no organismo. O organismo então compete no ecossistema e pode ter maior sucesso reprodutivo. É um procedimento bem padrão.

O que é um pouco mais sutil é a percepção de que mudanças significam apenas isso... mudanças. É imperativo que a estrutura molecular que contém o código genético seja estável contra pequenas mudanças. As propriedades químicas da cadeia principal do DNA devem dominar a estrutura. A troca de um ácido nucleico não pode fazer com que toda a escada se desmonte. Isso é crítico. Se a alteração fizer com que toda a estrutura (e, portanto, o organismo) se torne inviável, então temos um desastre.

Podemos generalizar essas ideias para além das especificidades do DNA. As moléculas genéticas de qualquer Alienígena devem ser capazes de (1) alterar-se sem destruir a molécula e (2) replicar-se de forma acurada com a nova alteração. Os sistemas autorreplicadores são bem conhecidos em química, mas sistemas que conseguem gerar cópias inexatas, com essas cópias inexatas também sendo fielmente replicáveis, não. Isso pode sugerir que o código genético dos Alienígenas talvez necessite de algo análogo às cadeias principais do DNA, nas quais o código pode ser "encaixado" como uma peça de LEGO. Com certeza os detalhes das moléculas serão diferentes, mas tal funcionalidade provavelmente é necessária.

Extremófilos

Os extremófilos são organismos que vivem sob condições adversas a muitas formas de vida. Bem, segundo minhas observações, isso deveria incluir pessoas que gostam de estar ao ar livre em Houston em agosto, ou um colega meu que veraneia na Antártida, mas "extremo" é um bocado mais extremo que isso. Há muito tempo a humanidade vem usando ambientes extremos para preservar os alimentos. Hoje sabemos que isso ocorre porque tais técnicas matam ou impedem o desenvolvimento de bactérias que de outra forma causariam a deterioração. Algumas das técnicas incluem aquecer (isto é, cozinhar) os alimentos, refrigerá-los, salgá-los ou mesmo irradiá-los.

E todos nós sabemos que isso funciona. Temos refrigeradores e *freezers*. Somos aconselhados a assar um rosbife malpassado a uma temperatura interna de cerca de 60 °C, ou cozinhar a até 80 °C a carne bem passada ou todas as aves. A razão disso é tanto cozinhar a carne – para convertê-la de algo cru em algo apetitoso – quanto matar as bactérias que vivem na carne crua.

Há outros métodos para preservar os alimentos que você já viu na mercearia que frequenta. Há legumes, frutas e carnes-secas dos quais a água foi removida, o que inibe o crescimento de bactérias. Nozes e outros alimentos vêm embalados a vácuo para reduzir o oxigênio disponível na embalagem. Processar o alimento usando alta pressão pode matar os micróbios. Isto é usado para vários produtos, incluindo guacamole e suco de laranja.

O sal é usado na conservação de carnes, como acontece com o bacon e com o presunto. A salinidade alta mata os germes. A defumação é outro método que permite armazenar a carne. O açúcar, embora seja rico em calorias, é um bom modo de preservar frutas. Geleias e frutas glaceadas podem ter uma vida útil muito maior.

Além de ser usado por seus efeitos de alteração do humor, o álcool é útil para preservar algumas frutas. Isso em geral é feito em combinação com a utilização de açúcar como conservante.

Alterar a acidez ou a alcalinidade dos alimentos é outra forma de prolongar seu tempo de vida. Na elaboração de picles há adição de sal, mas é o uso do vinagre (com sua acidez correspondente) que prolonga o prazo de validade da conserva. E se você tem ascendência escandinava, talvez aprecie lutefisk, que é o peixe preparado com lixívia, altamente alcalina.

A alteração da atmosfera também é uma técnica útil. O alimento, como por exemplo grãos, pode ser colocado em um recipiente cujo ar é substituído por nitrogênio ou dióxido de carbono puros. A remoção do oxigênio elimina insetos, micróbios e outros intrusos indesejáveis.

O ponto fundamental é que a humanidade conhece, há milênios, inúmeras formas de preservar os alimentos. A deterioração de alimentos tem origem em criaturas indesejáveis (muitas vezes micróbios de algum tipo) que "comem" o alimento e liberam produtos de excreção. Por meio de combinações entre as técnicas mencionadas acima, conseguimos aprender como matar as bactérias que de outra forma estragariam nosso alimento.

Nossa experiência nos proporcionou alguma compreensão quanto à gama de condições sob as quais pode existir a vida do tipo da que existe na Terra. Entretanto, estudos relativamente recentes têm revelado que a vida é na verdade muito mais resiliente do que pensávamos.

Os biólogos deram o nome de "extremófilos" (que significa "que gostam de condições extremas") a organismos que prosperam em ambientes que matariam a maior parte das formas de vida com as quais estamos familiarizados. O estudo dos extremófilos é uma ciência muito jovem, mas já nos permite discutir um pouco da amplitude de condições sob as quais uma vida exótica tem sido encontrada.

No fundo dos oceanos, às vezes a profundidades extraordinárias, existem locais onde o magma abriu caminho a partir do interior da Terra até o leito oceânico. Nesses pontos, chamados de fontes hidrotermais, água superaquecida jorra a partir do magma. Essa água pode ser aquecida muito além do ponto de fervura de 100 °C com o qual estamos acostumados, mas a tremenda pressão da profundidade oceânica faz com que permaneça na forma líquida. Dentro da fonte hidrotermal, a água pode atingir uma temperatura de quase 370 °C, certamente elevada o suficiente para matar qualquer forma de vida comum.

A poucos metros dessas fontes, a temperatura da água pode estar muito próxima do ponto de congelamento, em torno de 1,5 °C. Nesse gradiente de temperatura cresce um ecossistema incomum. No topo da cadeia alimentar estão tipos relativamente comuns de mariscos e de caranguejos, que consomem alimento das formas padrão. No entanto, na base da cadeia estão bactérias termofílicas (que gostam de calor), que podem viver a temperaturas acima do ponto comum de fervura da água, de 100 °C. Essas bactérias não utilizam as mesmas vias metabólicas da vida comum. Em vez de usarem o oxigênio como receptor de elétrons, usam enxofre ou às vezes ferro. Tais materiais são lançados no mar em abundância, dissolvidos pela água a partir da fonte de magma.

Na verdade, a visão atual é de que tais procariontes sejam talvez o mais parecido que existe, na natureza, ao último ancestral comum (LUCA) da vida na Terra. Como é possível? Bem, devemos nos lembrar de que o LUCA já era uma forma de vida sofisticada, e que por certo não era a única na época em que existiu. O que se segue é especulação pura, mas podemos imaginar que tal forma de vida pode ter sobrevivido ao impacto de um cometa na Terra ou algo assim. O impacto teria vaporizado os oceanos, e apenas a vida mais resistente ao calor, e habitante das maiores profundidades, pode ter sobrevivido.

Formas de vida resistentes ao calor e que respiram enxofre não são o único tipo de seres que existe em ambientes extremos. Na outra ponta do espectro estão os organismos criófilos, que gostam do frio. Embora a água pura congele a 0 °C, a água salgada continua líquida a temperaturas muito mais baixas. As formas de vida no extremo gelado do espectro têm problemas bem diferentes daqueles de suas primas termofílicas. Se a água congela, ela se expande e pode romper as membranas celulares. Além disso, as temperaturas reduzidas diminuem de forma significativa a velocidade das reações químicas realizadas pelos seres vivos. Em essência, a vida gelada "vive devagar". Além disso, assim como a manteiga gelada é difícil de cortar, a manteiga quente é quase líquida, pois o frio pode enrijecer as membranas celulares da vida "fria". São necessárias adaptações químicas para mitigar os problemas do frio.

Até onde sabemos, não há vida eucariótica capaz de existir a temperaturas fora da faixa de −15 a 60 °C. O valor mais baixo está abaixo do ponto normal de congelamento da água, mas água com elevada salinidade pode manter-se líquida a tal temperatura. Tem sido observada vida microbiana dentro da faixa de temperatura de −30 a 120 °C. Um exemplo de organismo criofílico é *Chlamydomonas nivalis*, uma alga responsável pelo fenômeno da "neve de melancia", em que a neve tem a cor e até um leve cheiro de melancia.

A discussão sobre os aspectos químicos da vida pode lançar luz sobre as limitações incontornáveis que a temperatura pode impor à vida com base no carbono. Devido à força da ligação que envolve os átomos de carbono, é difícil imaginar que exista vida, numa pressão normal, a temperaturas muito superiores a 326 °C; esta é mais ou menos a temperatura mais alta que o forno de sua cozinha consegue atingir. Sem dúvida, a pressão pode afetar a velocidade com que as moléculas se partem, e a decomposição molecular pode ser mais baixa a pressões altas. Deve ser seguro dizer que a vida baseada em carbono não é possível acima de 538 °C, sob qualquer pressão.

A água é essencial para a vida, mas é possível que existam extremófilos que não necessitem de grande quantidade dela. Procurar vida em locais com pouca água é uma forma de compreender melhor os campos de possibilidades. E a Terra tem alguns lugares extremamente secos. O deserto do Atacama em geral é considerado o local mais seco da Terra. Alguns locais nesse deserto recebem escassos centímetros de água por ano, e algumas estações meteorológicas nunca registraram qualquer chuva. Há montanhas elevadas (com mais de 6,5 mil metros) que se esperaria que estivessem cobertas de geleiras, e que são completamente secas. De fato, existem leitos secos de rios que se estimou estarem assim há 120 mil anos. Alguns lugares no deserto do Atacama são considerados como sendo os lugares naturais da Terra com condições mais comparáveis às de Marte. Na verdade, a NASA tem conduzido trabalhos nesse local para ajudar a projetar as sondas marcianas. Eles chegaram até a experimentar uma busca por vida nas areias do Atacama, usando técnicas que podem vir a solucionar de forma definitiva a questão da vida em Marte.

Também há formas de vida que são halófilas (que gostam de sal). A maioria das formas de vida não conseguiria sobreviver no Mar Morto, no Oriente Médio. Entretanto, há liquens e vida celular que adaptaram sua química para manter o ambiente interno de tal forma que conseguem sobreviver e crescer. Algumas dessas formas de vida inclusive só conseguem sobreviver em ambientes de alta salinidade. É difícil acreditar que um ambiente que poderia curtir um presunto possa ser um bom lugar para a vida se manifestar e no entanto isso é verdade.

Formas de vida também têm sido encontradas em ambientes altamente ácidos ou básicos, e mesmo na presença de radioatividade mil vezes mais alta do que aquela que mataria as mais resistentes formas de vida normal. Tais observações com certeza ampliaram o espectro de ambientes nos quais os cientistas calculam que a vida possa existir com sucesso.

Com a descoberta de tais extremófilos, os cientistas intensificaram a busca pelos nichos que a vida pode ocupar na Terra. Já extraímos vida de amostras obtidas em perfurações feitas a cerca de três quilômetros abaixo da superfície da Terra. A vida tem sido encontrada flutuando no ar rarefeito da estratosfera. Foram encontrados micróbios a 16 quilômetros de altura acima do solo. Esse ambiente é extremamente inóspito; a temperatura e a pressão são muito baixas, o fluxo de luz ultravioleta é muito alto, e quase não existe água. A sobrevivência neste ambiente hostil inevitavelmente levanta questões sobre a teoria da "panspermia", que é a premissa de que a vida poderia ter chegado à Terra a partir de algum outro corpo celeste... talvez Marte. Embora isto pareça improvável, não está descartado. Mas a vida teve de começar *em algum lugar*, de modo que as questões que temos discutido aqui ainda são relevantes, mesmo que a vida tenha começado em outro lugar. De interesse para nós aqui é a compreensão de que algumas formas de vida primitivas podem existir em um ambiente que mataria criaturas que vivem mais perto da superfície da Terra. No entanto, essa forma de vida primitiva não seria um Alienígena. Mas o fato nos dá alguma informação adicional sobre exatamente quão resiliente pode ser a vida que existe na Terra, com nossa bioquímica baseada em carbono e água.

Vida baseada em silício?

Dentre muitos e muitos subgêneros na ficção científica, existem a FC *soft* e a FC *hard*. Na ficção científica *hard*, o escritor tenta levar adiante a trama focando mais em ciência, mostrando os detalhes técnicos da forma mais plausível possível, enquanto na ficção científica *soft* os autores dão mais espaço para os sentimentos, relacionamentos e questões psicológicas de seus personagens humanos, deixando os detalhes mais científicos de lado. No caso das histórias sobre vida alienígena, uma alternativa comum ao tipo de vida com o qual estamos familiarizados é a vida baseada no átomo de silício. Os argumentos já apresentados quanto às vantagens do carbono (em particular as quatro ligações disponíveis e a rica complexidade química que as acompanha) são bastante convincentes, sugerindo que as quatro ligações disponíveis sejam uma condição necessária para a vida complexa. De fato, os químicos catalogaram mais moléculas envolvendo o carbono do que todas as moléculas conhecidas que não o incluem. Pense nisso. Se você pegar todos os elementos exceto o carbono, e tentar recriar todos os compostos conhecidos, você terá menos compostos do que aqueles que já foram encontrados contendo carbono.

Tendo em vista as vantagens das quatro ligações, é natural que um autor de FC *hard* que queira afastar-se da vida com base no carbono invoque o silício como o próximo candidato a elemento básico com o qual construir um ecossistema ficcional. Só há um problema: não é tão simples assim.

Já apresentamos a simples objeção de que, se por um lado exalamos dióxido de carbono como um resíduo gasoso, por outro o dióxido de silício é sólido e estamos mais familiarizados com ele sob o nome de areia. Esse fato em particular foi observado já em 1934, no conto "A Martian Odyssey" [Uma odisseia marciana] de Stanley G. Weinbaum, no qual ele descreve uma criatura marciana baseada em silício que excreta tijolos a cada dez minutos. Tais tijolos são o resíduo da respiração.

No entanto, os problemas com o silício são muito mais profundos e fundamentais. Muito mais prejudiciais são os problemas do silício com a estabilidade em interações com outros átomos e a velocidade com que ele interage quimicamente.

Uma característica muito importante da forma como o carbono se liga a outros elementos é que a força de ligação entre dois átomos de carbono (C–C) é muito semelhante às ligações carbono-hidrogênio (C–H), carbono-oxigênio (C–O) e carbono-nitrogênio (C–N). Por conta disso, energeticamente é bem fácil para uma reação tirar um átomo e conectar outro. Do ponto de vista energético, não importa muito qual desses elementos participam da ligação, de modo que essas trocas ocorrem livremente.

Em contrapartida, o silício não tem essa propriedade. A ligação do silício com o oxigênio (Si–O) é muito mais forte do que com o hidrogênio (Si–H), com o nitrogênio (Si–N) ou mesmo com outro átomo de silício (Si–Si). Em consequência, o silício liga-se facilmente com o oxigênio (formando dióxido de silício) e é muito difícil quebrar tal ligação e colocar outro átomo no lugar.

O que descrevi é uma característica de uma ligação interatômica simples. Quando atentamos para as ligações múltiplas, de novo o carbono é muito superior. Uma ligação dupla de carbono requer o dobro da energia de uma ligação simples, enquanto a ligação tripla usa o triplo. Não precisaria ser assim. Os detalhes das ligações múltiplas são diferentes daqueles das ligações simples, e o carbono simplesmente teve sorte.

Para o silício, em comparação, é muito mais difícil formar ligações duplas e triplas. Isto está relacionado com o tamanho e o formato dos átomos. As imagens da Figura 6.5 dão uma impressão geral simplificada do formato dos átomos. O silício e o carbono realmente parecem esferas com projeções saindo deles, e tais projeções participam nas ligações. Como a esfera do silício é maior que a de carbono, e as projeções do silício não são maiores que as do carbono, as projeções de dois átomos de silício adjacentes ficam mais afastadas entre si. Isso torna mais difícil aproximar as projeções de outros átomos para partilhar elétrons, o que torna uma segunda ligação muito mais fraca que a primeira. Em consequência, a força das ligações duplas entre átomos adjacentes de silício não é muito diferente de uma ligação simples. Com isso,

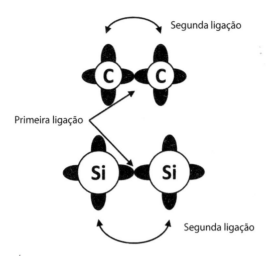

Figura 6.12. Por conta de seu tamanho e formato, os átomos de silício têm dificuldade em fazer ligações duplas e triplas. A segunda ligação do silício é muito mais fraca que a primeira. Em contrapartida, no carbono a segunda ligação tem força comparável à primeira. As áreas pretas representam elétrons disponíveis para ligação. No silício, os elétrons que participam da segunda, terceira e quarta ligações estão separados por uma distância maior e, consequentemente, ligam-se com menos força.

fica muito mais difícil uma química complexa utilizando o silício. Este ponto está ilustrado na Figura 6.12.

Por fim, a facilidade com que as reações podem ocorrer é muito maior com os átomos de silício. Pense em um forno a gás que sem querer ficou ligado, de modo que o gás natural contendo carbono se espalha. O gás pode encher a casa, mas não vai explodir sem que uma fagulha sirva de estopim. No entanto, o correspondente "gás natural de silício" reagiria espontaneamente, sem a fagulha. Essa rapidez de reação reduz o tempo necessário para formar moléculas complexas.

Então quer dizer que a vida com base em silício é impossível? Poderia o povo de pedra do planeta X estar tendo uma discussão sobre as vantagens da vida baseada em silício? Bem, claro. Os fatores mencionados neste capítulo não são absolutos, e você não deve pensar que estamos explorando completamente todas as opções. Mas esses fatores são motivos fortes para não achar que a vida com base em silício poderia ser tão provável quanto outros mundos repletos de vida baseada em carbono. Até Carl Sagan declarou que, embora fosse um chauvinista moderado da água, era um tremendo chauvinista do carbono.

Assim, os cientistas devem levar em conta a possibilidade de vida alienígena baseada em outros átomos que não o carbono, mas não se deve considerá-la altamente provável. No entanto, quando falamos dessa forma sobre a vida de silício, devemos nos lembrar que isso se refere à vida que evoluiu diretamente de substâncias inanimadas. Há outra forma de vida de silício que devemos considerar.

Silício de segunda geração

"Resistir é inútil. Você será assimilado." Esta é uma das frases clássicas de uma das nêmesis da humanidade em *Jornada nas Estrelas – A Nova Geração*. Os borgs são ciborgues, uma combinação de sistema orgânico e implantes cibernéticos, que obviamente inclui metais e silício. Na série *Berserker*, de Fred Saberhagen, criaturas robóticas autorreplicadoras vagueiam pelo cosmos, empenhadas em destruir a vida. Em *2001 – Uma Odisseia no Espaço*, um computador chamado HAL torna-se autoconsciente e se volta contra sua tripulação. Em *O Exterminador do Futuro*, um robô autoconsciente recebe a missão de exterminar a humanidade. Os cilônios de *Battlestar Galactica* estão em guerra com os humanos. Os Daleks de *Doctor Who* andam por aí dizendo *"exterminate"* ("exterminar"). As criaturas com base em silício da ficção científica com frequência são os vilões.

Há muitos exemplos de inimigos cibernéticos da humanidade na literatura de ficção científica. A narrativa com frequência é semelhante à de Frankenstein, em que uma forma de vida artificial sai de controle e volta-se contra seu criador. No entanto, esse tipo de organismo deve ser considerado vida no sentido em que utilizamos o termo Alienígena. Tais criaturas cibernéticas (sejam inimigos ou amigos) não teriam evoluído diretamente de matéria inanimada, mas devemos levá-las em conta quando pensamos em que tipo de Alienígenas podemos um dia encontrar. De fato, quando consideramos uma forma de vida de segunda geração – no sentido de uma forma de vida que foi cuidadosamente planejada por uma primeira forma de vida inteligente (sendo que, com "primeira", refiro-me a uma forma que evoluiu do zero) – muitas das considerações aqui listadas deixam de ter importância. Metais, silício, outros elementos podem facilmente ser partes essenciais da vida criada. Mesmo a vida de segunda geração baseada em carbono poderia ter uma bioquímica mais complexa e eficiente.

Mas, de fato, a ideia de vida de segunda geração talvez não seja a primeira preocupação dos cientistas que procuram por Alienígenas no universo. Entretanto, se espaçonaves Alienígenas algum dia aparecerem sobre as cidades da Terra, provavelmente será melhor torcer para que não tenham o formato de grandes cubos como as espaçonaves dos borgs. Sabe... só por precaução...

Conclusão

Neste capítulo tentei descrever as considerações mais importantes quanto à criação da vida, mas de forma alguma você deve achar que o que eu disse aqui é verdade absoluta. Algumas coisas são bem indiscutíveis; por exemplo, parece absolutamente improvável que o hélio tenha algum papel muito importante na bioquímica dos Alienígenas. O hélio simplesmente não participa de ligações atômicas. Além disso, há uma vantagem evidente em usar o carbono como elemento base. Sendo capaz de fazer muitas ligações, ele possibilita uma química complexa e uma biologia diversificada. Também é verdade que, sem energia adequada (e uma diferença energética que possa ser explorada), a vida não pode existir.

No entanto, é difícil ir muito além dessas conclusões. Uma vez estabelecidas as condições químicas e físicas mínimas para a vida, a evolução é uma poderosa ferramenta de otimização. Os ciclos bioquímicos são extremamente complexos na Terra, e literalmente não dá para acreditar que a bioquímica alienígena não seja totalmente diferente da bioquímica que conhecemos em nosso planeta, e tão complexa quanto ela.

Além do mais, conhecemos o suficiente de química para saber que algumas vias metabólicas possíveis não fornecem a mesma quantidade de energia que outras. Isso de fato impõe alguns limites para os Alienígenas que possamos encontrar. No entanto, quando levamos em conta que a vida pode existir em planetas com temperatura ou pressão muito diferentes das que encontramos na Terra, as limitações podem não ser tão absolutas quanto parecem.

O que espero ter feito é dar a noção de que nem todas as ideias que você pode encontrar na ficção científica são possíveis; por exemplo, uma nuvem de gás senciente é bem difícil de imaginar. Mesmo assim, o campo das possibilidades é ainda muito vasto. Os astrobiólogos definitivamente têm uma tarefa bem difícil pela frente.

SETE

VIZINHOS

> "Às vezes, penso que o sinal mais garantido de que existe vida inteligente em algum outro lugar do universo é que ninguém ainda tentou fazer contato conosco."
>
> Bill Watterson, *Calvin e Haroldo*

Até aqui, discutimos a visão que a humanidade tem dos Alienígenas, sem dar muita atenção para a contribuição da moderna astronomia observacional. As primeiras conjecturas sobre a superfície de Marte, apresentadas por Percival Lowell e seus contemporâneos, eram baseadas em informações fornecidas pela melhor ciência da época, e ainda assim muitos cientistas fizeram pouco de suas crenças, considerando-as ridículas. Você deve se recordar, entretanto, que naquela época as discussões sobre a existência de canais em Marte já duravam décadas. Dizia-se que tais canais tinham milhares de quilômetros de comprimento, e que irrigavam extensas faixas da superfície do planeta, com dezenas ou até centenas de quilômetros de largura.

Isso nos dá uma ideia da tecnologia disponível àqueles cientistas precursores. Pelos padrões de hoje, era rústica. Se cientistas cautelosos e sérios podiam imaginar terem observado um extenso sistema de canais em nosso vizinho planetário mais próximo, seria pouco realista esperar que os cientistas de então tivessem um panorama mais detalhado e preciso da possível vida em Marte.

Isso não quer dizer que os cientistas do início do século XX não explorassem todos os instrumentos que tinham à disposição. Como mencionamos no Capítulo 1, tais cientistas tinham acesso à espectroscopia, e assim eram capazes de fazer medições rudimentares da composição de algumas atmosferas planetárias e de determinar a presença de substâncias vitais à vida terrestre, como oxigênio e água. Por exemplo, a maioria dos cientistas da época estava ciente de que Marte era seco (daí o motivo pelo qual a mitologia dos canais foi tão bem-aceita) e tinha muito pouco oxigênio. No entanto, tais descobertas não foram senão um primeiro passo no caminho até a moderna planetologia.

Prosseguindo na revisão do que vimos até agora, no Capítulo 2 analisamos o impacto dos relatos de extraterrestres, a maioria vinda de observadores que tinham conhecimento da ciência da época. Suas histórias, fossem ou não relatos objetivamente verdadeiros, incorporavam temas culturalmente familiares, religiosos (Adamski) ou de pesadelos (Betty e Barney Hill). Para a visão que o público tinha dos Alienígenas em meados do século XX, a ciência da época importava menos do que esses relatos de óvnis.

A ficção científica discutida nos Capítulos 3 e 4 é, por definição, especulativa. É comum os autores de ficção terem um conhecimento considerável do pensamento científico contemporâneo, mas seu objetivo é contar uma história; com frequência, uma história que revela mais sobre a humanidade do que sobre ciência ou o comportamento de Alienígenas reais. Não devemos achar que essas histórias precisam obedecer de forma estrita e rígida ao conhecimento científico vigente.

Mesmo quando abordamos um pensamento mais científico e racionalista, nos Capítulos 5 e 6, essa discussão foi mais sobre a compreensão do espectro de possibilidades, levando em conta o que temos aqui na Terra e, depois, as limitações impostas pelas leis físicas do universo. Embora sejam informações valiosas, aquilo que poderia ser e aquilo que de fato é são duas coisas bem diferentes. Os humanos poderiam ter evoluído no sentido de terem 2,7 metros de altura ou poderiam descender de uma linhagem que não viesse da árvore genealógica dos primatas. Mas nada disso foi o que de fato aconteceu.

Assim, para compreender o que são Alienígenas reais e verdadeiros, a única maneira de termos uma resposta definitiva é nos encontrar com eles, apertar sua mão, ou tentáculo, ou qualquer que seja a saudação apropriada, ou de algum modo nos comunicar com eles. Uma vez que não temos nenhuma evidência palpável de que os Alienígenas existem (a despeito dos relatos do Capítulo 2), o que sabemos de fato? O que a ciência descobriu sobre a existência de vida extraterrestre (e, mais importante, de Alienígenas)? O que sabemos sobre a probabilidade de encontrar vida se algum dia explorarmos a galáxia?

Onde estão eles?

Enrico Fermi foi um físico italiano brilhante, que é conhecido do público como o homem que liderou a equipe que primeiro controlou a energia nuclear sob Stagg, o campo de futebol americano, em Chicago, em 2 de dezembro de 1942. Seu impacto na física na verdade foi muito mais amplo e, entre muitos outros tributos, ele foi homenageado ao emprestar postumamente seu nome ao Fermi National Accelerator Laboratory, importante laboratório norte-americano para o estudo dos constituintes básicos do universo. Além de ser simplesmente brilhante, Fermi tinha um dom para tentar chegar a conclusões usando simples estimativas. Nós, físicos, chamamos de "problema de Fermi" uma pergunta que é fácil de fazer, difícil de responder de forma precisa, mas passível de ser estimada refletindo-se sobre ela. O exemplo mais conhecido de um Problema de Fermi é "Quantos afinadores de piano existem em Chicago?". Sabendo o número de habitantes na cidade e então estimando quantas residências têm um piano, quanto tempo um piano fica afinado, quanto tempo demora para afinar um piano e a duração de uma semana de trabalho, é possível obter uma resposta estimada razoável (pela estimativa atual, por volta de 125).

Fermi vivia em um mundo acadêmico de elite – uma mente ativa circundada por outras de calibre semelhante. Eles conversavam sobre todo tipo de assunto, examinando-os por todos os ângulos, tentando chegar à verdade. Uma das questões mais importantes envolvendo extraterrestres foi formulada em uma conversa informal na hora do almoço. A história é mais ou menos esta.

Em um dia de verão do ano 1950, Enrico Fermi estava visitando o laboratório Los Alamos, que foi a instalação secreta governamental onde havia se dado boa parte do desenvolvimento das primeiras armas nucleares. Ele e três colegas, um dos quais era Edward Teller, estavam indo almoçar. Conversavam sobre uma charge publicada na edição de 20 de março do *New Yorker*, que explicava um recente surto de roubo de latas de lixo na cidade de Nova York como tendo sido perpetrado por Alienígenas que os levavam para seus discos voadores (a óvnimania do final da década de 1940 ainda estava fresca na mente do público). A conversa enveredou então por uma discussão bem-humorada entre Teller e Fermi sobre as chances da humanidade em ultrapassar a velocidade da luz na década seguinte, com Teller sugerindo uma chance em um milhão e Fermi calculando 10%. Durante a caminhada, os números mudavam, enquanto eles se digladiavam mentalmente.

Depois que começaram a comer, a conversa tomou um rumo diferente, e Fermi ficou calado. De repente exclamou: "Onde está todo mundo?", gerando uma risada geral, pois os demais compreenderam de imediato que ele se referia aos extraterrestres.

A premissa do paradoxo de Fermi é a seguinte. A Via Láctea tem cerca de 13 bilhões de anos de idade e contém entre 200 e 400 bilhões de estrelas. Nosso próprio Sol tem apenas pouco mais de 4 bilhões de anos, sugerindo que já existem estrelas faz um bom tempo. Se os Alienígenas são comuns na galáxia, houve bastante tempo para que evoluíssem – talvez centenas de milhões de anos ou mais antes de a humanidade surgir – e visitassem a Terra. Desta forma, então, onde estão eles?

A exclamação de Fermi é a origem do paradoxo, mas a questão foi revisitada em 1975 por Michael Hart (levando algumas pessoas a se referirem ao paradoxo Fermi-Hart). Hart publicou "An Explanation for the Absence of Extraterrestrial Life on Earth" [Uma explicação para a ausência de vida extraterrestre na Terra] no *Quarterly Journal of the Royal Astronomical Society*. Nesse artigo, ele analisou alguns dos motivos pelos quais ainda não teríamos sido contatados, indo do puro desinteresse dos Alienígenas em colonizar a galáxia ou em contatar-nos até a ideias de que a Terra está sendo tratada como uma reserva natural. Talvez exista algum tipo de Primeira Diretriz como em *Jornada nas Estrelas*, em que as civilizações não são contatadas até desenvolverem a capacidade de viagens interestelares. Como recordamos dos Capítulos 3 e 4, explicações desse tipo são dadas em *O Dia em que a Terra Parou* e, claro *Jornada nas Estrelas*. O que Hart conseguiu mostrar foi que tecnologia não era o problema. Partindo de pressupostos simples, ele mostrou que uma civilização que enviasse duas naves, viajando a 10% da velocidade da luz para estrelas próximas, e então gastasse algumas centenas de anos desenvolvendo a infraestrutura para construir outro par de astronaves de movimento lento, poderia povoar completamente a Via Láctea em poucos milhões de anos. Dadas as escalas de tempo envolvidas, a partir do fato de que existem estrelas que são bilhões de anos mais velhas do que o Sol, parece impossível que não tenhamos sido visitados antes. Se a vida inteligente extraterrestre fosse apenas levemente comum na galáxia e algumas poucas espécies tivessem a curiosidade e a natureza exploratória da humanidade, parece que a esta altura já saberíamos que não estamos sozinhos. Hart concluiu que havia uma nítida possibilidade de que a humanidade bem poderia ser uma das primeiras espécies inteligentes a se desenvolverem na galáxia. Em suma, o bordão de *Arquivo X*, "We are not alone" [Não estamos sozinhos] poderia muito bem estar seriamente equivocado.

Sem dúvida, a resposta para a pergunta é desconhecida, por isso o termo "paradoxo" é aplicado a ela. O autor Steven Webb explorou essa questão em seu fascinante livro *If the Universe Is Teeming with Aliens, Where Is Everybody? Fifty Solutions to Fermi's Paradox and the Problem of Extraterrestrial Life* [Se o universo está repleto de alienígenas, onde está todo mundo? Cinquenta soluções para o paradoxo de Fermi e o problema da vida extraterrestre], de 2002. O livro de Peter Ward e Donald Brownlee, *Sós no Universo? – Porque a Vida Inteligente É Impossível Fora do Planeta Terra* (Rare Earth: Why Complex Life Is Uncommon in the Universe), de 2003, é igualmente divertido, e toma a posição de que é difícil para um planeta desenvolver vida inteligente. A obra descreve as muitas formas pelas quais um desastre planetário pode interromper o desenvolvimento da vida senciente em um planeta.

Por mais bem elaborados que sejam, argumentos do tipo apresentado nesses livros e em outros semelhantes devem ater-se aos fatos. E para definir que tipo de dados são necessários, é útil ter um paradigma como guia. A questão da vida extraterrestre próxima a nós há muito tem sido guiada por uma equação simples, desenvolvida em 1961.

A equação de Drake

Por mais de meio século, Frank Drake tem sido um líder no campo da busca por vida extraterrestre. Ele começou como radioastrônomo, utilizando o Observatório Nacional de Radioastronomia, localizado em Green Bank, na Virgínia Ocidental. Embora tenha realizado pesquisas sobre a física de objetos astronômicos emissores de ondas de rádio, ele é mais conhecido por usar esse conhecimento na busca por supostas civilizações habitantes de planetas que orbitam estrelas próximas. A ideia é bem simples. A humanidade vem emitindo transmissões de rádio ou televisão há cerca de cem anos. Uma vez que as ondas de rádio viajam à velocidade da luz, isso significa que, por cem anos-luz em todas as direções, uma civilização suficientemente avançada poderia ouvir nossas transmissões e saber que estamos aqui. Revertendo tal lógica, podemos em vez disso ouvir o cosmos usando nossos próprios radiotelescópios. Se houver civilizações próximas com um nível comparável de tecnologia, parece provável que sejamos capazes de ouvi-las. Como não sabemos se algum dia será possível viajar a velocidades maiores que a da luz, talvez a forma mais rápida de comunicação entre as estrelas seja por meio de ondas de rádio. Se existe uma vasta civilização galáctica lá fora, talvez possamos interceptar transmissões de uma estrela a outra. Uma vez que temos o tipo certo de equipamento, deveríamos de fato prestar atenção. Talvez nosso primeiro contato com uma civilização extraterrestre seja a captação de algum velho programa humorístico, que vaga perdido pelo cosmo sob a forma de ondas de rádio.

Vamos falar mais sobre a história da busca por extraterrestres com a utilização de emissões de rádio daqui a pouco, mas o assunto agora é a equação de Drake. Em 1960, Drake realizou sua primeira busca de ondas de rádio provenientes das estrelas próximas e recebeu uma solicitação da Academia Nacional de Ciências para organizar uma conferência sobre a questão da vida extraterrestre. A conferência foi proferida em Green Bank, em 1961. Drake percebeu que ele precisava de uma pauta para a conferência, e assim ele criou sua famosa equação, como um meio de guiar a discussão. Ele escreveu todas as coisas que você precisa saber para predizer o número de civilizações extraterrestres na galáxia. Como veremos, essa equação não se origina de nenhuma teoria particular da formação da vida, mas é basicamente um clássico problema de Fermi.

Devido à natureza da conferência, ela se concentrava nas chances de receber uma transmissão de rádio extraterrestre.

A equação de Drake é muito simples:

$$N = R_* \times f_p \times n_e \times f_l \times f_i \times f_c \times L$$

onde:

- N = número de civilizações em nossa galáxia das quais poderíamos receber transmissões de rádio
- R_* = taxa média de formação de estrelas na galáxia
- f_p = fração dessas estrelas que possuem planetas
- n_e = número médio de planetas que poderiam sustentar a vida em torno dessas estrelas com planetas
- f_l = fração desses planetas habitáveis que pode desenvolver a vida
- f_i = fração desses planetas com vida que pode desenvolver vida inteligente
- f_c = fração desses planetas com vida inteligente que desenvolve rádio ou outra tecnologia detectável por nossas tecnologias, e
- L = período de tempo durante o qual a civilização será detectável.

Para um cientista, há muitas críticas em potencial que podem ser feitas à equação de Drake. Obviamente, a taxa relevante de formação de estrelas não é a taxa que vemos hoje, mas a de vários bilhões de anos atrás. Além disso, a equação prevê o número de civilizações que surge de forma espontânea. Um ponto fraco dessa abordagem é que, se alguma cultura desenvolveu as viagens interestelares, a equação ignora o avanço da cultura, ciência e tecnologia que ocasione a colonização rápida de outros planetas através da galáxia. Por exemplo, mesmo que a criação de vida inteligente seja extremamente rara, tão rara que apenas uma cultura possa ter desenvolvido nosso nível de tecnologia antes de nós, se ela desenvolveu a capacidade de percorrer distâncias interestelares e teve a mesma ânsia exploratória que a humanidade, isso poderia resultar em muito mais planetas emissores de sinais de rádio do que a equação de Drake sugere.

Ainda assim, a equação nos dá um ponto de partida e nos fornece o tipo de parâmetro que é importante levar em conta enquanto os cientistas tentam fazer uma estimativa razoável do número de civilizações extraterrestres usuárias de tecnologia na galáxia. Talvez esteja evidente que a maioria desses fatores não é conhecida em absoluto, embora não sejamos completamente ignorantes quanto ao que constitui um intervalo razoável de valores.

Vamos dar uma olhada nas estimativas realistas modernas. Para começar, a taxa de formação de estrelas (R_*) está razoavelmente bem determinada por meio da pesquisa astronômica. Além disso, agora somos capazes de estimar a fração de estrelas ao redor da qual os planetas se formam (f_p). Discutiremos esses estudos um pouco mais tarde, mas as pesquisas de busca por exoplanetas nos levam a crer que cerca de metade das estrelas desenvolve algum tipo de sistema planetário. Nossa tecnologia atual encontra antes de qualquer coisa sistemas em que um planeta grande orbita perto da estrela, e sabemos que cerca de 40% das estrelas pesquisadas em nossa vizinhança estelar têm essa característica. Se combinarmos essa informação com o fato de que existem estrelas com planetas, mas sem um gigante como Júpiter, a fração de estrelas com sistemas planetários com certeza aumenta um pouco.

Tabela 7.1. Valores para a equação de Drake mostrando diferentes cenários

Equação	R_* (/ano)	f_p	n_e	f_l	f_i	f_c	L (anos)	N
Drake (1961)	10	0,5	2	1	0,01	0,01	10.000	10
Moderna (otimista)	20	0,5	2	1	0,1	0,1	100.000	20.000
Moderna (pessimista)	7	0,5	0,01	0,13	0,001	0,01	1.000	0,00005
Moderna (realista)	7	0,4	2	0,33	0,01	0,01	10.000	1,8

Nota: Os valores para a equação de Drake são basicamente suposições ponderadas e revelam os preconceitos da pessoa que as faz. O cenário otimista foi tornado improvável pelas mensurações modernas, ao menos em nossa vizinhança galáctica próxima. O cenário pessimista garante que estamos virtualmente sozinhos na galáxia. O cenário realista sugere que exista apenas um punhado de civilizações avançadas na galáxia, embora talvez existam cerca de 200 espécies inteligentes que ainda não desenvolveram uma tecnologia detectável.

R_* = taxa média de formação de estrelas; f_p = fração dessas estrelas que possuem planetas; n_e = número médio de planetas que poderiam sustentar a vida em torno dessas estrelas com planetas; f_l = fração desses planetas que de fato desenvolve a vida; f_i = fração desses planetas que desenvolve vida inteligente; f_c = fração desses planetas que desenvolve tecnologia ou meio de comunicação de rádio; L = período de tempo durante o qual a civilização será detectável; N = número de civilizações das quais poderíamos receber transmissões de rádio ou de algum outro meio.

Determinar o número de planetas habitáveis (ou luas de planetas gasosos gigantes) uma vez que um sistema planetário se formou (n_e) é muito mais difícil. Essa investigação é um tópico quente de pesquisa na comunidade científica, com o lançamento, em 2009, da missão Kepler. Quando estiver lendo este livro, o que você aprender aqui já estará definitivamente desatualizado. Então, caso seu interesse por este tópico fascinante seja tão grande quanto o meu, fique atento às novas pesquisas sobre as buscas por vida Alienígena.

Não sabemos a fração de planetas potencialmente habitáveis que de fato contêm vida (f_l), mas deve ser bem alta. O fato de que a vida evoluiu na Terra tão depressa depois que o planeta se resfriou o suficiente para permitir a existência de água líquida sugere que a vida poderia se desenvolver com facilidade. Pode-se empregar técnicas de estatística e, a partir do período de tempo que a vida levou para se desenvolver na Terra, encontrar um limite mínimo para essa fração. A menos que a Terra tenha qualidades excepcionais, que façam dela um planeta não representativo, parece que a probabilidade de um planeta do tipo da Terra desenvolver vida é superior a 20%.

Outro fator mal conhecido é a fração de planetas que desenvolve vida que continua evoluindo até a vida inteligente (f_i). Há dois modos bem diferentes de pensar a respeito disso. A primeira escola de pensamento sugere que o desenvolvimento da inteligência é inevitável. Os proponentes fazem notar a observação de um aumento constante na inteligência das espécies ao longo das eras. Por tal corrente, havendo tempo suficiente, a formação da inteligência é praticamente inevitável. Outra forma de pensar chama a atenção para o fato de que já existiram milhões de espécies de vertebrados e só os humanos desenvolveram o tipo de inteligência que temos. Se alguma coisa tivesse levado a linhagem dos hominídeos à extinção 100 mil anos atrás, não há indicação de que outra espécie teria adquirido inteligência de lá para cá. Outro ponto a considerar é que, mesmo que os dinossauros tenham dominado o planeta por 150 milhões de anos, não há sinais do desenvolvimento de uma inteligência significativa nesse período. Isto sugere que o desenvolvimento da inteligência é bem raro.

A fração de civilizações inteligentes e tecnologicamente avançadas que anunciará sua presença (f_c) poderia parecer um tanto alta. Temos apenas a nós para usar como exemplo. Nós raramente tentamos nos comunicar de forma intencional com civilizações potenciais à volta de estrelas adjacentes, mas não temos que fazer isso intencionalmente. Afinal de contas, desde o início do século XX, a humanidade vem transmitindo sua existência para o cosmos. A Figura 7.1 mostra a bolha de rádio e televisão ao redor da Terra em 2010.

O fator final, que é o tempo durante o qual uma civilização vai emitir um sinal detectável (L) também não é bem conhecido. Na Terra, as civilizações costumam ficar em seu auge por várias centenas de anos, mas as civilizações posteriores com frequência usam a tecnologia da civilização antecedente. Além do mais, não sabemos por quanto tempo mais usaremos rádio e televisão para nos comunicarmos. No entanto, a menos que a vida humana na Terra seja dizimada pela guerra ou por um cataclismo atômico, por uma devastação ambiental extrema e rápida ou por algum tipo de guerra biológica intencional, parece provável que o uso de rádio, televisão ou algum tipo de emissão eletromagnética prossiga por centenas, se não milhares, de anos.

Dada a dificuldade inerente em determinar os parâmetros que entram na equação de Drake (e mesmo em saber se tal equação é uma representação matemática apropriada da questão), é inevitável que persista a incerteza quanto ao número de civilizações tecnologicamente avançadas que imaginamos existir em nossa galáxia. A equação de Drake sem dúvida supõe que as civilizações sejam independentes, sem polinização cruzada. Ela também não aceita uma civilização que se estenda por um extenso

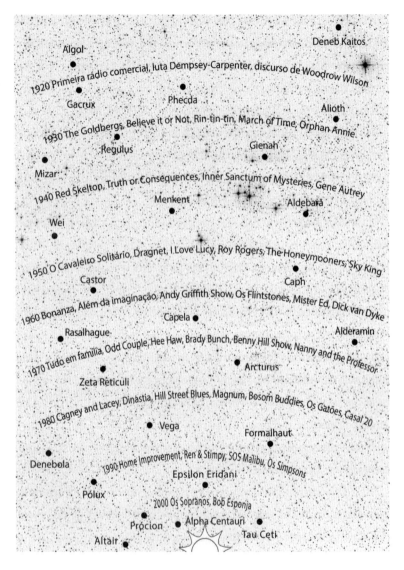

Figura 7.1. Estrelas próximas têm sido agraciadas com nossos sinais de rádio e televisão por quase um século. É fácil imaginar que nosso primeiro contato com os Alienígenas não será intencional, mas acontecerá pela interceptação de reprises da série animada de televisão americana-canadense *Ren & Stimpy*, criada por John Kricfalusi para a Nickelodeon, por uma civilização extraterrestre. É algo que faz pensar.

segmento da galáxia. Uma civilização disseminada permite a extinção de partes da sociedade, mas é mais difícil de acreditar que uma cultura que abranja milhões de sistemas estelares possa desaparecer por completo.

A escala de Kardashev

Em 1964, Nikolai Kardashev formalizou a ideia de variações no nível de avanço tecnológico de civilizações extraterrestres. Ele definiu três classes distintas:

Nível I: uma civilização que pode utilizar totalmente a energia de uma estrela que chega a um planeta.
Nível II: uma civilização que pode utilizar totalmente os recursos energéticos de uma estrela.
Nível III: uma civilização que pode utilizar totalmente os recursos energéticos de toda uma galáxia.

A adição de um Nível IV (uso da energia produzida por todo o universo visível) e Nível V (uso da energia do multiverso) foram modificações posteriores e raramente são usadas.

Talvez fique óbvio que uma civilização de Nível III será mais detectável do que uma civilização de Nível I, da mesma forma que um holofote é mais fácil de enxergar a grandes distâncias do que uma vela.

Enquanto continuamos a ler sobre as buscas por vida extraterrestre, devemos ter em mente que, ao olharmos para além de nosso Sistema Solar, não estamos necessariamente em busca de vida com nível tecnológico igual ao nosso. É bem possível que uma civilização extraterrestre possa estar bem mais adiantada que nós. Até certo ponto, a atual fase tecnológica de nossa civilização (isto é, a fase em que tanto a eletricidade quanto o rádio já foram dominados) tem apenas uns 100 anos de idade. Imagine os tipos de tecnologia que poderemos dominar no ano 3000. É provável que um mero milênio nos traga avanços incalculáveis. Agora, imagine que uma civilização em nossa vizinhança estelar tenha atingido nosso nível de desenvolvimento tecnológico quando os Neandertais estavam desaparecendo, quando uma linhagem de primatas do Mioceno sofreu as primeiras mutações que levaram ao Homo sapiens ou mesmo quando o impacto de um meteorito em Chicxulub matou os dinossauros. Tais Alienígenas presumivelmente teriam dominado tecnologias com as quais nem podemos sonhar em conceber. Dado o tremendo número de estrelas existentes e partindo do pressuposto de que a Terra não é um planeta excepcional, parece inevitável que qualquer espécie extraterrestre inteligente que encontremos seja mais avançada do que nós. Então, o que de fato vemos?

O Grande Ouvido

A ideia de usar o rádio para tentar "ouvir" vida em outros planetas é antiga e remonta até Nikola Tesla. Em Colorado Springs, no verão de 1899, ele acreditava ter estabelecido comunicação com extraterrestres, embora não soubesse se eram de Marte ou de Vênus (lembre-se de que isso foi no auge do frenesi da imprensa quanto à questão dos canais em Marte). Ele recebeu em seu equipamento grupos de um, dois, três ou quatro *clics*. Isso lembra o modo como os marcianos se comunicavam no filme de 1952, *Marte – O Planeta Vermelho* (discutido no Capítulo 3). Ele escreveu sobre a experiência na edição de 19 de fevereiro de 1901 de *Collier's Weekly* (e também em muitos outros lugares; Tesla era tanto um gênio técnico quanto um divulgador prolífico). Ele disse: "Não existiria nenhum obstáculo intransponível para a construção de uma máquina capaz de transmitir uma mensagem a Marte, e tampouco haveria qualquer grande dificuldade em gravar os sinais transmitidos a nós pelos habitantes daquele planeta". Seu trabalho nessa área há muito foi desacreditado, com diversas explicações sendo sugeridas, a mais provável das quais era que ele simplesmente não entendia seu equipamento. Isso não é lá muito surpreendente, uma vez que os pronunciamentos de Tesla com frequência eram mais espetaculares que seus feitos, e seus feitos eram de fato bem espetaculares. O ponto mais importante é que a ideia de usar ondas de rádio para se comunicar com outros planetas tem seus antecedentes no próprio início do uso da tecnologia pela humanidade.

Os esforços de Tesla podem ter sido os primeiros, mas ele não estava sozinho. Cerca de duas décadas depois, Guglielmo Marconi fez afirmações parecidas. Marconi e Tesla eram queridinhos da mídia (pense em Steve Jobs numa época em que tal tipo de inovação tecnológica era raro) e receberam grande atenção da imprensa. Em 1919, Marconi acreditava ter recebido transmissões de rádio de fora da Terra. Suas evidências incluíam a recepção simultânea de sinais em Nova York e em Londres, sugerindo que a fonte não fosse local. Os críticos apontaram que radiorreceptores na Torre Eiffel e em Washington, D.C., não ouviram nada. O *New York Times* cobriu a história por várias semanas, com frequência na primeira página.

Os editores do jornal sugeriram que talvez fosse melhor que a humanidade não fizesse contato com a vida em outros planetas. O raciocínio deles era que a outra forma de vida, sendo mais antiga e assim mais avançada, teria tecnologia muito superior à nossa, e que a humanidade não estava pronta para esse tipo contato, pois se fossem hostis, não teríamos a mínima chance contra eles. Esse alerta foi repetido mais tarde no século XX pelo físico Stephen Hawking, que observou que, quando uma cultura avançada se encontra com uma menos avançada, a última invariavelmente sofre. Este é outro motivo para achar melhor "ficar na moita". Em retrospectiva, Marconi e Tesla estavam monitorando frequências que eram muito baixas para penetrar a ionosfera da Terra, mas ainda assim seus esforços eletrizaram o público.

Em 1919, o periódico *Scientific American* já era uma revista de vanguarda e, duas semanas após Marconi ter feito suas afirmações, publicou um artigo sobre elas seguido, dois meses depois, por outro artigo verdadeiramente visionário. Marconi dizia ter recebido algumas cartas em código morse, e a *Scientific American* apontava as dificuldades inerentes em usar tal código para comunicação interplanetária. A publicação ia mais longe, e sugeria uma forma de comunicação com Marte que poderia funcionar, antecipando em décadas a transmissão de uma mensagem similar pelo radiotelescópio de Arecibo, em Porto Rico. Nessa tentativa muito posterior, a humanidade emitiu um sinal para o espaço, propositalmente, com a esperança de que um dia ele fosse interceptado por extraterrestres. A mensagem sugerida pela *Scientific American* em 1920 é mostrada na Figura 7.2.

A crença nos canais marcianos havia desaparecido entre os cientistas, com a oposição de Marte de 1909, mas a ideia persistiu na imaginação pública por muito mais tempo. Durante a oposição de Marte de 1924, em que Marte e a Terra estiveram particularmente próximos, foi feita outra tentativa de busca de sinais de rádio vindos do planeta vizinho. De 21 a 23 de agosto (data da oposição), os Estados Unidos declararam um "Dia Nacional do Silêncio de Rádio", nome um tanto equivocado. O que de fato se pretendia era que todo o tráfego de ondas de rádio fosse desligado por cinco minutos, a cada hora, na hora em ponto, por um

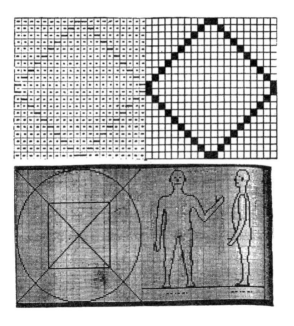

Figura 7.2. Esta figura da edição de 20 de março de 1920 da *Scientific American* mostra uma primeira tentativa de elaborar uma mensagem que fosse compreensível para uma civilização extraterrestre. Já é difícil para alguém que só fala inglês escrever uma mensagem que fosse entendida, digamos, por uma pessoa que só leia chinês, quanto mais por uma cultura tão diferente da humanidade como provavelmente é uma civilização Alienígena. *Scientific American*.

período de 36 horas. Nesse tempo, os receptores deveriam ouvir os céus, à procura daquele sinal marciano. O governo dos Estados Unidos participou, com o oficial chefe de comunicação do Exército ordenando que suas estações de rádio ficassem alertas para transmissões incomuns, enquanto o secretário da Marinha ordenou que as mais poderosas estações de rádio sob seu comando transmitissem o mínimo possível e ficassem atentas. Muito poucas emissoras comerciais atenderam o pedido, exceto uma em Washington, D.C. A tentativa foi um fracasso decepcionante do ponto de vista científico, mas a ideia foi interessante.

No decorrer das décadas seguintes, a ideia da comunicação interplanetária persistiu entre uns poucos, incluindo rádio-operadores amadores. O fato é que a tecnologia da época não estava à altura do projeto. Além disso, por volta de 1930 a comunidade científica havia praticamente descartado a possibilidade de vida inteligente em Marte, e com isso o novo objetivo era a comunicação interestelar. Esta estava definitivamente além da capacidade dos equipamentos da época.

Na década de 1950, o campo da radioastronomia nasceu. Os astrônomos sabiam que os corpos astronômicos emitiriam radiação eletromagnética fora do espectro visível. Grandes antenas parabólicas de rádio começaram a ser construídas para estudar elementos como o centro da galáxia, o Sol e fontes similares. E é aqui que nos encontramos de novo com Frank Drake (o mesmo da equação de Drake).

Drake era radioastrônomo e estava envolvido na construção do novo radiotelescópio de 42 metros, em Green Bank, na Virginia Ocidental. Essa antena imensa estava localizada no Observatório Nacional de Radioastronomia (NRAO) e assinalava haver sido tomada uma decisão nacional quanto ao que seria melhor para um país, ter um grande laboratório central gerido pelo governo ou muitos centros de pesquisa menores, espalhados por várias universidades e onde pesquisadores individuais pudessem ter maior controle sobre seus interesses de pesquisa. A política dos grandes laboratórios prevaleceu.

Já fazia muito tempo que Drake tinha interesse em procurar nos céus sinais de rádio extraterrestres. Durante suas primeiras pesquisas astronômicas, ele havia captado um sinal transitório que nunca foi explicado. Ele não era dado a afirmações extravagantes, mas passou-lhe pela mente que talvez o sinal não fosse emitido por nenhum transmissor na Terra. Ele arquivou mentalmente a ideia enquanto se dedicou a uma carreira mais tradicional de pesquisa. Foi a qualidade de seu trabalho que lhe abriu caminho para um cargo na maior e mais recente instituição de rádio do país.

O NRAO era um lugar dinâmico, com o lançamento de sua pedra fundamental em 1957 e início da construção do telescópio em 1958. Um punhado de físicos e rios de dinheiro receberam a tarefa de construir um novo laboratório de radioastronomia de tirar o fôlego. A grande antena parabólica era muito maior que as anteriores, e sua construção teve muito mais problemas do que os que normalmente ocorreriam ao construir algo que nunca havia sido construído antes. Assim, nesse meio-tempo, o NRAO decidiu construir um telescópio de 26 metros, que era um desafio técnico muito mais simples e permitiria às instalações iniciarem as atividades. O telescópio de 26 metros passou a operar no início de 1959.

Foi apenas no verão de 1959 que Drake pôde se dedicar a sua ideia de usar os equipamentos do NRAO para buscar sinais extraterrestres. Por consenso, a equipe científica concordou que (1) a primeira prioridade teria de ser da pesquisa de radioastronomia mais tradicional, e que (2) dada a natureza potencialmente sensacional da busca extraterrestre, seriam discretos em suas atividades. A ideia era fazer uma busca simples e ver o que descobririam, sem o medo da interferência que poderia advir de uma história negativa nos jornais.

Entretanto, o mundo da pesquisa científica de ponta não era menos competitivo em 1959 do que é hoje. Há um grande fundo de verdade no chavão, de que na ciência de alto risco, há o primeiro e o não primeiro. Não há segundo lugar. Em setembro de 1959, Philip Morrison e Giuseppe Cocconi, dois físicos de inclinação teórica, publicaram um artigo discutindo como uma busca de extraterrestres por meio de rádio poderia ser feita. Preocupado com a possibilidade de perder os créditos pelo que, sem dúvida, era uma pesquisa importante, Otto Struve, diretor do observatório de Green Bank, divulgou suas atividades em uma série de palestras proferidas em novembro no Instituto de Tecnologia de Massachusetts (MIT) – meros dois meses depois que o artigo teórico saiu. As palestras atraíram de imediato a atenção da imprensa. Artigos na revista *Time*, no *New York Times* e no *Saturday Review* diziam ao público que os astrônomos iam tentar ouvir as transmissões dos Alienígenas. O *Saturday Review* disse sobre a apresentação de Struve: "Ele tentava não ir longe demais sem deixar de dizer aquilo em que muitos astrônomos vieram a acreditar – que outros seres inteligentes compartilham nossa ocupação do cosmos, que alguns deles com toda a probabilidade são culturalmente superiores a nós e que nossa existência é suspeitada, se não conhecida com certeza, por eles".

A resposta da imprensa foi tipicamente positiva. A exposição na mídia resultou na doação de amplificadores de última geração, que melhorariam o desempenho do equipamento. A era das buscas modernas por transmissões extraterrestres havia começado.

O termo SETI (Search for Extraterrestrial Intelligence ou Busca por Inteligência Extraterrestre) não foi cunhado até meados dos anos 1970, mas isso era exatamente o que Drake e seus colegas estavam fazendo. Drake batizou de "Ozma" os esforços de 1960, por causa da princesa Ozma, das sequências de O Mágico de Oz, do escritor L. Frank Baum. Este dizia estar em contato por rádio com Oz, e que havia sido desse modo que tomara conhecimento de suas histórias. Drake e companhia estavam tentando contatar uma terra muito mais estranha do que o reino criado por Baum.

Em 8 de abril de 1960, teve início a Operação Ozma. A equipe voltou-se para duas estrelas, Tau Ceti e Epsilon Eridani. Acreditava-se que ambas eram suficientemente parecidas com nosso Sol para ser interessantes. Análises posteriores refrearam bastante o entusiasmo por tais estrelas, mas elas continuaram sendo alvo das modernas tentativas de caçar exoplanetas. Enquanto observavam essas estrelas, pareceu haver um sinal transitório vindo de Epsilon Eridani, mas foi descoberto que sua origem era terrestre. O estudo foi uma primeira tentativa, e assim cobriu uma porção limitada do espectro de rádio. Nenhum sinal extraterrestre foi observado.

Isso levanta um ponto importante. O espectro de rádio é muito amplo e transmissões artificiais são bem estreitas. A Comissão Federal de Comunicações dos Estados Unidos alocou o intervalo de 9 kHz a 275 GHz para uso. Traduzido para comprimentos de onda, essas frequências de rádio vão de uma fração de polegada a alguns quilômetros de comprimento. Embora não devamos esperar que os extraterrestres ajam de acordo com as escolhas humanas, uma única estação de rádio AM pode ocupar cerca de 20 kHz desse intervalo, enquanto uma estação de FM pode ocupar 200 kHz. Assim, é possível acomodar, dentro da amplitude semiarbitrária usada pelos humanos, 13 milhões de estações AM e mais de um milhão de estações de FM. Para ver os detalhes técnicos de uma transmissão, o espectro deve ser fatiado de forma ainda mais fina. Como veremos abaixo, os buscadores do programa SETI em geral se concentram em uma fração do espectro de rádio possível, mas ainda assim devem vasculhar simultaneamente centenas de milhões de canais de rádio.

Embora o espectro de rádio seja amplo, a amplitude de frequências que os cientistas usam para os estudos SETI historicamente tem sido mais estreita. A amplitude específica que eles usam foi selecionada para evitar faixas de frequência com muito ruído decorrente de fontes de ocorrência natural. Por exemplo, a atmosfera da Terra irradia de forma abundante comprimentos de onda abaixo de 2,5 centímetros, enquanto a galáxia irradia comprimentos de onda acima de mais ou menos 30 centímetros. Embora esses limiares não sejam perfeitamente definidos, os cientistas do SETI que queiram ouvir fora desse intervalo de comprimentos de onda terão de lidar com um "chiado de rádio" muito mais forte. Além disso, devemos lembrar que o NRAO era na verdade um centro de radioastronomia, não do SETI. Isso não é incomum, e mesmo hoje em dia, quando novas instalações são construídas, o SETI é quase sempre uma consideração secundária.

Por sorte, as limitações impostas pelo ruído de rádio indesejável afetam igualmente radioastrônomos e pesquisadores do SETI, permitindo que o mesmo equipamento seja usado para ambos os objetivos. O NRAO foi fundado para o estudo de fenômenos astronômicos, e assim o equipamento foi otimizado para um comprimento de onda de cerca de 20 cm, pois isso permitiria aos pesquisadores estudarem o hidrogênio interestelar, em busca de campos magnéticos.

Como já vimos, o Ozma não conseguiu observar nenhum sinal SETI, mas gerou grande entusiasmo, culminando com a conferência de novembro de 1961, na qual foi apresentada a equação de Drake. Uma nova era de ciência exploratória teve início.

Nos cinquenta anos seguintes, houve muitas iniciativas de busca por inteligência extraterreste, embora com certeza tenha havido intervalos nos quais não foram tentadas observações. Um telescópio foi construído em Delaware, Ohio, e começou as operações em 1963. Fundado pela National Science Foundation (NSF, Fundação Nacional de Ciência) e operado pela Universidade Estadual de Ohio, a instituição foi chamada Big Ear [Grande Ouvido]. Entre mais ou menos 1963 e 1971, o local foi usado para pesquisa radioastronômica tradicional, mapeando fontes de rádio extrassolares. Entretanto, depois que os fundos da NSF foram cortados, a instalação voltou-se para a pesquisa SETI, funcionando de 1973 a 1995. Em 1977, o assim chamado sinal Uau! (em inglês, Wow!) foi registrado, recebendo esse nome por causa de um "Uau!" chamativo que alguém escreveu na folha impressa onde o sinal foi observado (Figura 7.3). Esse sinal ainda é considerado o candidato mais interessante a transmissão de rádio extrassolar já registrado (o que não significa que sua origem tenha sido de fato extrassolar). Pela orientação do telescópio no momento, o sinal parece ter se originado na constelação Sagitário, perto do grupo de estrelas Chi Sagitarii. Apesar de muitas tentativas adicionais de observar essa região do céu, nenhum sinal semelhante voltou a ser registrado.

Como já discutimos, para encontrar transmissões de rádio em uma faixa muito estreita de comprimentos de onda, é importante ser capaz de fatiar de forma muito fina o espectro de rádio. A década de 1980 inaugurou uma era em que se tornou possível estudar de forma simultânea um milhão de canais de rádio, seguida pela era dos bilhões de canais dos anos 1990. Com tais avanços técnicos, a velocidade de progresso aumentou rapidamente, da mesma forma que a tecnologia dos computadores cresce aos saltos. Originalmente as buscas SETI eram financiadas pelo governo dos Estados Unidos, mas estavam sempre vulneráveis à ridicularização por parte de políticos preocupados com os orçamentos, que podiam tirar vantagem política menosprezando as buscas por "homenzinhos verdes". Em 1983, os fundos governamentais foram por fim cortados. Os defensores do SETI prosseguiram mesmo sem essa fonte de dinheiro e, em 1984, o Instituto SETI começou a funcionar como uma instituição sem fins lucrativos, patrocinada por fundos privados. As primeiras observações começaram em 1992.

As pesquisas atuais do SETI são dominadas pelo Allen Telescope Array [Conjunto de Telescópios Allen], batizado em homenagem a Paul Allen, benfeitor do projeto e cofundador da Microsoft. A princípio, essa iniciativa técnica foi conduzida num esforço de colaboração entre o Instituto SETI e a Universidade da Califórnia, Berkeley, mas esta se retirou do projeto e transferiu as instalações para o SRI (Stanford Research Institute). Mesmo com as generosas doações de Allen, a instalação requer fundos adicionais para operar com êxito. Insuficiências orçamentárias forçaram-na a interromper as operações em abril de 2011, mas com a obtenção de fundos suficientes elas foram retomadas em dezembro do mesmo ano. Enquanto escrevo, a continuidade de seu funcionamento segue em

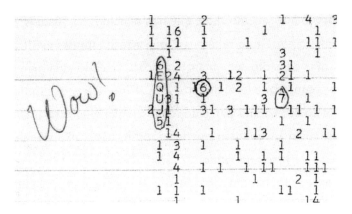

Figura 7.3. O sinal "Uau!" foi registrado por um pesquisador do SETI no centro de radioastronomia de Big Ear. Rádio Observatório da Universidade Estadual de Ohio e Observatório Astrofísico Norte Americano (NAAPO).

dúvida. Dadas as consequências indiscutíveis de uma medição bem-sucedida da detecção de um sinal SETI, e as necessidades modestas, parece-me que este é um lapso condenável nas prioridades de pesquisa. Os custos são pequenos, e o retorno potencial é incalculavelmente grande.

Assim, qual é a situação das pesquisas SETI na atualidade? Bem, até aqui não encontramos um sinal de rádio originário de inteligência extraterrestre ou, se o fizemos, não pudemos reconhecê-lo. Podemos também descartar as teorias da conspiração que sugerem que o governo norte-americano está em contato com Alienígenas e não nos contou. As grandes iniciativas SETI são mantidas por civis, bem como por pessoas com uma paixão vitalícia pela busca por nossos vizinhos interestelares. Em um mundo de blogs, vazamentos e boatos, acho totalmente inconcebível que um segredo dessa magnitude consiga ficar oculto. Nenhum sinal de ETs está sendo acobertado pelo governo.

Mas o que sabemos hoje que não sabíamos há 50 anos? Bem, a primeira coisa que sabemos é que não há muitas civilizações emissoras de rádio semelhantes à nossa vivendo atualmente em nossa comunidade local de estrelas. As expectativas de um universo repleto de vizinhos parecidos conosco não se mostraram verdadeiras. Por mais que isso me deixe muito triste, não vivemos no universo de *Jornada nas Estrelas*.

Entretanto, não importa quão fácil seja para os oponentes do SETI destacar o fracasso do projeto após meio século de esforços, os defensores da iniciativa podem fornecer muitas explicações possíveis para o fato de ainda não termos tido êxito. Temos concentrado o grosso dos estudos numa faixa limitada do espaço de rádio. Talvez os Alienígenas tenham escolhido transmitir em uma faixa diferente. Talvez os sinais dos Alienígenas ainda não tenham nos alcançado. De fato, no filme *Contato* (*Contact*, 1997), os Alienígenas situados perto da estrela Vega souberam da existência da Terra quando a transmissão das Olimpíadas de 1936 em Berlim os alcançou. Eles gravaram a transmissão e a enviaram de volta a nós, muito amplificada. Na retransmissão, eles criptografam sua própria mensagem entre os frames da transmissão original.

Embora não façamos ideia de como iremos um dia encontrar uma transmissão de rádio extraterrestre (se é que encontraremos), dentro de semelhante cenário plausível talvez a transmissão apenas não tenha chegado ainda. Se Alienígenas que vivem sob o sol de Aldebaran (a 65 anos-luz de distância) receberem a transmissão das Olimpíadas de 1936 e responderem de imediato, não ouviremos a resposta senão em 2062 (sendo uma gigante vermelha, Aldebaran é um local improvável onde encontrar uma civilização extraterrestre nativa, mas claro que é possível que os Alienígenas tenham ido até lá, de modo que pode abrigar uma antena transmissora).

Enquanto os entusiastas do SETI com muita razão nos recordam que existem diversos motivos perfeitamente razoáveis pelos quais até hoje não ouvimos nenhuma transmissão de rádio dos Alienígenas, de modo que devemos continuar buscando, é seguro dizer que os dados obtidos até agora podem descartar a possibilidade de uma civilização vizinha de nível Kardashev II ou III. Também parece igualmente seguro dizer que provavelmente não há nenhuma civilização em nossa vizinhança estelar que venha fazendo transmissões de rádio por centenas de anos. Vida inteligente próxima, ao menos da variedade que transmite por rádio, parece ser rara. Mas a galáxia é grande, e não há motivo para desistir por enquanto.

Onde podem estar os Alienígenas?

Se a vida inteligente e tecnologicamente avançada é rara nas vizinhanças, qual a explicação para isso? Mesmo que imperfeita, a equação de Drake nos indica quais parâmetros são os mais importantes. Sabemos que o universo fabrica estrelas e sabemos que fabrica planetas. Enquanto escrevo este livro (primavera de 2012), a sonda *Kepler*, da NASA, já observou 2.321 planetas orbitando estrelas distantes. Em dezembro de 2011, a NASA anunciou a primeira observação de um planeta que circunda uma estrela distante na "zona habitável", o que significa que o planeta pode conter água líquida. Esse planeta é chamado "Kepler-22b" e sem dúvida será o primeiro de muitas observações semelhantes.

Quando você estiver lendo isto, estes números estarão desatualizados. A equipe da *Kepler* já anunciou outros 50 candidatos a planetas extrassolares potencialmente habitáveis que precisam ser mais estudados para termos certeza de que são reais.*

O fato mais importante é que os cientistas não precisam mais especular quanto aos planetas que orbitam ao redor de outras estrelas. Nós os estamos observando diretamente. A equipe da *Kepler* estima que ao menos 5% das estrelas incluem pelo menos um planeta do tamanho da Terra e pelo menos 20% das estrelas têm múltiplos planetas. Dado que esse campo de pesquisa é tão recente, é muito provável que, à medida que aumenta a sensibilidade do equipamento, venhamos a descobrir que os números reais são ainda mais elevados. A sonda *Kepler* está observando cerca de 150 mil dentre os aproximadamente 300 bilhões de estrelas da galáxia. Esta é, sem dúvida, uma época fascinante para ser um astrônomo que estuda os planetas extrassolares, e a diversão está apenas começando.

Se existem muitas estrelas e muitos planetas, então a próxima pergunta é quantos desses planetas abrigam vida e quantos dos planetas com vida abrigam vida inteligente? Tais números são muito mais difíceis de estimar, mas permanecem sendo o xis da questão.

Para que os Alienígenas possam existir, eles necessitam de um ambiente estável. A vida na Terra desenvolveu-se há 3,5 bilhões de anos. A vida animal complexa foi preservada pela primeira vez no registro fóssil há cerca de 530 milhões de anos. Os mamíferos

---

* Segundo a NASA, em janeiro de 2017, o número de candidatos a planetas extrassolares confirmados detectados pela *Kepler* era de 2.851. [N. T.]

apareceram há cerca de 210 milhões de anos, e os primeiros primatas tiveram origem talvez há 50 milhões de anos. Finalmente, os primeiros hominídeos surgiram há 17 milhões de anos, e nossa própria espécie, Homo sapiens, tem apenas entre 50 e 100 mil anos de idade. Ou seja, a inteligência levou bilhões de anos para se desenvolver na Terra. Se, em algum momento durante todas essas eras, a Terra se tornasse inabitável para uma forma de vida como a nossa, não estaríamos aqui. Isso não significa que o clima do planeta deve ser estável, pois afinal de contas houve longos períodos durante os quais toda a Terra ficou gelada, e tremendas erupções vulcânicas e choques de cometas e meteoritos extinguiram grande número de espécies. Mas não ocorreram "eventos de esterilização".

O que poderia constituir um evento de esterilização? Bem, uma teoria para a origem da Lua da Terra é que um planetoide do tamanho de Marte se chocou com uma versão anterior da Terra, talvez 4,5 bilhões de anos atrás. Essa colisão teria fundido totalmente qualquer crosta que já houvesse se formado àquela altura. Um impacto como aquele teria extinguido toda a vida eventualmente presente nesse ambiente primitivo.

Outro perigo para a biosfera de um planeta seria ter uma supernova por perto. Se uma supernova ocorresse dentro de poucas dezenas de anos-luz da Terra, ela poderia esgotar uma porção considerável do ozônio presente na atmosfera da Terra. Uma vez que o ozônio protege a Terra da luz ultravioleta esterilizante do Sol, a perda maciça de seu ozônio seria um evento catastrófico.

Ainda mais perigosa (embora muito mais rara) é uma erupção de raios gama, uma classe especial de supernovas que ocorrem quando uma estrela de grande porte e de rotação muito rápida explode. Em vez de sua energia se expandir em um padrão esférico, a energia é lançada em dois raios que saem dos polos da estrela. Para dar uma ideia da quantidade de energia sobre a qual estamos falando, uma explosão de raios gama pode ser observada a bilhões de anos-luz de distância. A energia de uma explosão típica libera em uns poucos segundos tanta energia quanto nosso Sol vai liberar durante toda sua vida de dez bilhões de anos. A liberação de energia de uma explosão de raios gama é uma ocorrência absurdamente perigosa. Por sorte, é um evento raro, que ocorre talvez a cada 100 mil ou um milhão de anos em uma galáxia do tamanho da Via Láctea, e é perigoso apenas se os raios apontam diretamente para nós. A mais próxima candidata a uma explosão de raios gama é uma de duas estrelas no sistema estelar binário WR 104. Ele está localizado a cerca de 8 mil anos-luz de nós, na direção geral do centro galáctico, e seu eixo parece estar apontando vagamente em nossa direção geral. As chances de que a explosão aponte exatamente para nós são bem pequenas, de modo que não há razão para preocupação. Mas se apontasse, ela poderia causar um grande dano à camada de ozônio, e assim devastar a biosfera.

Não são necessários eventos dramáticos como supernovas e explosões de raios gama para provocar danos sérios a um planeta. Pequenas coisas como a evolução das emissões de uma estrela ao longo de sua vida também podem ser uma fonte de destruição da vida. Em torno de qualquer estrela, há um intervalo de distâncias no qual a água pode permanecer líquida. As estimativas variam, mas atualmente o intervalo habitável para nosso Sol está entre mais ou menos 0,97 e 1,37 vezes a órbita da Terra. Assim, a Terra está no limite da zona habitável. Se o raio da órbita da Terra fosse apenas 10% menor, o planeta seria quente demais para a vida.

Na verdade a coisa é um pouco mais complicada do que isso. A emissão de energia do Sol evoluiu com o passar do tempo. Supõe-se que, há muitos bilhões de anos, a emissão de energia do Sol era de 80% do que é hoje. Isso sugere que a zona habitável do Sistema Solar existiria para um raio menor do que o de hoje. Na época, as distâncias habitáveis mínima e máxima a partir do Sol seriam de 0,80 e 1,15 vezes o raio da órbita terrestre, respectivamente.

O que importa é a "zona continuamente habitável", que é o maior raio mínimo e o menor raio máximo ao longo da vida do Sol dentro do qual a vida pode existir. Até o momento, a zona continuamente habitável é a estreita faixa de cerca de 0,97 a 1,15 vezes o raio da órbita terrestre. Um planeta fora dessa pequena região não permaneceria habitável por tempo suficiente para que a vida inteligente se desenvolvesse.

Tenha em mente que os números apresentados aqui na verdade são objeto de grande discussão dentro da comunidade de astrobiologia. Diferentes especialistas chegam a estimativas diferentes. Considerações como composição química da atmosfera e efeitos decorrentes da tectônica de placas podem mudar o resultado dos cálculos. Além do mais, a discussão aqui diz respeito à energia da estrela central. Há outras fontes de energia, como o aquecimento por oscilação das marés, que ocorre nas luas em órbitas muito próximas a um planeta grande. É por essa razão que luas como Europa, de Júpiter, são consideradas candidatas a locais onde pode ter surgido vida.

Mas a ideia ainda é válida em linhas gerais. Para a vida como a nossa, que depende do calor do Sol para viver, há uma "Zona

Cachinhos Dourados"* ao redor da estrela central – não muito quente e não muito fria. Outras estrelas são mais quentes ou mais frias e os detalhes da zona habitável vão se ajustar de forma correspondente. Mas ainda assim, a emissão de energia da estrela deverá ser estável o suficiente de modo que um planeta onde surja vida continuará sendo um local hospitaleiro para que a vida evolua.

Mesmo que uma estrela seja muito estável, é igualmente imperativo que a órbita do planeta seja estável e bastante circular. Uma órbita altamente elíptica levará o planeta alternadamente muito perto e muito longe da estrela central. As órbitas dos planetas do Sistema Solar são elípticas, mas estão perto o suficiente de serem circulares para que a diferença seja indistinguível a olho nu. Uma órbita ligeiramente elíptica é aceitável, desde que não saia da zona habitável.

Ademais, não é suficiente que a órbita do planeta que contém vida seja quase circular. Se outro planeta no sistema planetário tiver órbita excêntrica, a gravidade dele pode ejetar o planeta hospitaleiro ou rumo à estrela ou para o frio do espaço interestelar.

Há uma lista muito longa de coisas que têm que dar certo para haver um planeta que pode (1) ter o surgimento de vida em sua superfície e (2) permitir que a vida persista tempo suficiente para evoluir até uma inteligência inquisitiva como a nossa. Pode muito bem acontecer de ser uma situação extremamente rara.

---

* Em inglês, *Goldilocks Zone*, referência ao personagem do conto "Cachinhos Dourados (em inglês, Goldilocks) e os três ursos", que ao escolher algo em grupos de três itens ignora os extremos e escolhe sempre o do meio (por exemplo, nunca o maior ou o menor, mas o médio, e nunca o mais quente ou o mais frio, e sim o de temperatura média). [N. T.]

Conclusão

Se você levar em conta o mais simples dos fatos, por exemplo, a estimativa de Carl Sagan, sempre citada, de existirem "bilhões e bilhões" de estrelas no universo, e que há cerca de 300 bilhões delas somente em nossa galáxia, parece impossível que não exista vida em nenhum outro lugar do universo. Se não existir, repetindo outra afirmação muito comum, com certeza parece um tremendo desperdício de espaço.

A história da ciência tem sido um massacre incansável do princípio da mediocridade. A humanidade no passado achava que a Terra ocupava um lugar especial no Sistema Solar e no cosmos, mas hoje sabemos que em muitos aspectos ela é um pequeno planeta que circunda uma estrela inexpressiva, orbitando em uma posição inexpressiva em uma galáxia inexpressiva. A humanidade no passado pensou ser uma espécie de tipo totalmente diferente, à qual fora dado o domínio sobre cada ser vivo que se movia na Terra. Hoje sabemos que a humanidade é uma única espécie, com uma herança genética compartilhada com todos os organismos no planeta.

Se a Terra e a humanidade são, de fato, totalmente comuns, parece inevitável que deva existir vida em outros planetas; que estamos fadados a, um dia, encontrar espécies em muitos aspectos parecidas a nós, movidas pelos instintos de reproduzir e sobreviver, e sem dúvida totalmente alienígenas em forma e pensamento.

Mas nossas buscas iniciais por vizinhos estelares não deram resultado. Apesar das tentativas diligentes e criativas de captar as conversas de nossos companheiros viajantes, não temos nenhuma evidência de que exista alguém lá fora.

Estes são tempos interessantes no campo da astrobiologia. Embora o financiamento para buscas SETI diretas seja menos estável do que deveria, os descobridores de planetas estão a todo vapor. Novos objetos candidatos a planeta são encontrados praticamente todos os dias. A tecnologia e as técnicas foram aprimoradas a tal ponto que podem ser capazes de encontrar planetas parecidos com a Terra dentro dos próximos anos. Técnicas para observar a atmosfera de planetas extrassolares são concebíveis. Pode ser que em alguns anos ou décadas a questão "Estaremos sozinhos?" seja respondida de uma vez por todas.

EPÍLOGO

OS VISITANTES

"Por favor, leve-nos a seu presidente."
— Alex Graham, em uma charge na *New Yorker*,
de 21 de março de 1953, na qual
dois Alienígenas falam com um cavalo.

Imagine que um dia um astrônomo amador está tirando fotos do céu e descobre que um dos milhares de pontinhos na tela se moveu. Depois de checar on-line as efemérides, ele relata ter achado um novo cometa. Os profissionais voltam seus maiores telescópios para o candidato a cometa e descobrem que ele vai passar perto o suficiente da Terra para deixá-los nervosos. Por todo o planeta, os líderes mundiais são notificados de que um cometa terá um quase encontro com a Terra. Aos líderes preocupados é dada a garantia de que o espaço é grande e a Terra é pequena. A precisão das previsões para a rota do cometa não é grande, e provavelmente ele vai passar bem perto; um espetacular *show* de luzes, com certeza, mas ainda assim vai passar reto.

Estudos adicionais revelam que a rota do cometa realmente parece estar cruzando a da Terra. Talvez a Terra tenha mesmo um enorme alvo pintado nela. Nos centros do poder discute-se se o público deve ser notificado ou se preparativos discretos devem ser feitos para garantir a sobrevivência da civilização caso, como aconteceu há 65 milhões de anos, um cometa ou quem sabe um pedaço de cometa despenque do céu, atingindo a Terra e causando dano suficiente para levar as espécies à extinção.

Sendo este o século XXI, segredos são quase impossíveis de esconder, se uma postagem aparece no Facebook ou em um blog, a imprensa descobre a história e as pessoas ficam sabendo. Como no caso do Y2K, o *bug do milênio*, a mídia vai escrever matérias histéricas. Os sobrevivencialistas e organizações religiosas recebem uma enxurrada de adesões, enquanto algumas pessoas minimizam a situação como um típico sensacionalismo da mídia.

Astrônomos do mundo todo mantêm o cometa sob vigilância constante e confirmam as previsões de trajetória. Já não há dúvida. O cometa está em rota de colisão com a Terra. Só há um problema. À medida que se aproxima, o objeto parece estar reduzindo a velocidade. Não há explicação para isso em termos de dinâmica orbital, e o fato deixa os físicos perplexos. Para a comunidade ufológica, a mensagem está clara. Não se trata de nenhum cometa, é uma espaçonave Alienígena. Embora a afirmação pareça bem ridícula, os cientistas admitem que isso explicaria tudo. Nessa altura, o cometa (ou nave) está sob a observação de telescópios amadores e seu tamanho é conhecido. O que quer que seja, é bem grande.

Enquanto os astrônomos observam, o objeto vai perdendo velocidade e instala-se em uma órbita elevada ao redor da Terra. Esse comportamento responde à pergunta. Não é um cometa ou asteroide, mas algum fenômeno sob um controle inteligente.

Sob a observação do radar, um pequeno objeto solta-se do maior e se aproxima da Terra, descendo devagar. Ele entra na atmosfera e parece dirigir-se para Washington, D.C. A patrulha de combate aéreo, estacionada de forma permanente sobre a cidade desde setembro de 2001, aproxima-se para interceptá-lo, enquanto caças partem às pressas de bases aéreas próximas para dar apoio. O comandante da Força Aérea solicita as ordens à presidente. Ela é durona, e ordena que o vice-presidente embarque no Air Force 2, diz à Força Aérea que não atire e espera na Sala Oval da Casa Branca. Os caças convergem para o objeto que está descendo, e veem que tem forma de ovo, com a ponta mais rombuda para a frente.

Cercada por dezenas de caças da Força Aérea, a nave desconhecida desce diante da Casa Branca, aterrissando no gramado da Elipse. O Exército já havia enviado tropas de resposta rápida, que agora cercam o ovo. Agentes do Serviço Secreto no alto da Casa Branca apontam para ele mísseis Stinger, enquanto a presidente, pensativa, observa pela janela a cena lá embaixo. Por cima, o céu está relativamente calmo, entrecruzado por linhas de condensação dos jatos que afastaram os helicópteros das emissoras de televisão locais. E todos esperam. Uma nave extraterrestre pousou na Terra. Se fosse um filme, um pequeno ser cinzento sairia e diria: "Leve-me a seu líder".

Mas isto não é um filme. Não é um livro. É real. Com todos os olhares direcionados para a nave, uma fenda brilhante aparece na superfície imaculada, revelando o que é sem dúvida uma porta com uma rampa. A multidão prende a respiração e vê emergir um... um o quê? Esta é, de fato, a questão por trás deste livro. O que vamos ver quando encontrarmos nosso primeiro exemplo de vida extraterrestre inteligente? Será um *gray* humanoide? Serão os Irmãos do Espaço, de Adamski? Será algo parecido com Jabba, o Hutt de *Star Wars*, com ET – *O Extraterrestre* ou com o Sr. Spock?

Sem dúvida não será nada disso. E tampouco posso lhe dizer o que será. Será um Alienígena, com certeza. Lembrando a famosa citação de Haldane, não apenas será mais estranho do que imaginamos, mas talvez seja mais estranho do que *podemos* imaginar. Mas vamos tentar.

O Alienígena será inteligente. Terá tecnologia superior à nossa. Terá membros para manipular o mundo à sua volta e não vai respirar água. É quase certo que será capaz de ver a luz no espectro de sua estrela-mãe. Não será capaz de reproduzir-se com humanos, e talvez não conseguirá comer e digerir comida terrestre. Será um ser dotado de curiosidade e com toda a probabilidade consumirá recursos, talvez recursos encontrados aqui na Terra.

É provável que seja baseado em carbono e que use oxigênio para respirar. Provavelmente não será uma planta tradicional, embora um animal fotossintético seja uma possibilidade.

Mas será uma alma gêmea, pensando como um humano, embora diferente de um humano. Será um companheiro de viagem no universo. Será um aliado e um inimigo. Vai ser uma oportunidade de aprender e de ensinar.

A distância entre estrelas é grande e pode ser difícil viajar entre elas. Talvez nosso primeiro encontro com uma espécie Alienígena não seja uma aterrissagem no gramado da Casa Branca, mas esteja oculto em um chiado de uma transmissão de rádio.

Talvez o mais perto que possamos chegar dos Alienígenas seja vê-los em seus sinais de vídeo. De algum modo acho difícil de acreditar que, se algum dia descobrirmos que temos vizinhos Alienígenas, não tenhamos vontade de visitá-los. Assim, aquela transmissão hesitante das profundezas do espaço interestelar pode um dia evoluir para uma visita aos vizinhos.

Ou podemos estar sozinhos na galáxia, ou pelo menos isolados o suficiente para que o encontro com uma raça Alienígena seja improvável pelos próximos mil anos. A equação de Drake calculada com números modernos sugere que pode não haver muitas espécies inteligentes tecnologicamente avançadas lá fora. De certa forma isso seria uma pena, um terrível desperdício de espaço, e por outro lado uma oportunidade maravilhosa para a humanidade. À medida que os caçadores de planetas encontram planetas parecidos com a Terra, os humanos terão lugares aonde ir, novos panoramas a explorar.

Não saberemos a resposta até encontrarmos um Alienígena. Até que isso ocorra, a humanidade vai continuar a ocupar algumas de suas melhores mentes com essa questão. Mas nesse meio-tempo, teremos que fazer o que sempre fizemos, que é voltar nosso olhar para cima e sonhar. Enquanto esperamos, talvez o melhor seja seguir o conselho do filme clássico O *Monstro do Ártico*.

Vigie os céus. Em qualquer lugar, fique atento. Vigie os céus...

LEITURAS SUGERIDAS

Geral

Steven J. Dick, *Life on Other Worlds: The Twentieth-Century Extraterrestrial Life Debate*, Cambridge University Press, Cambridge, Reino Unido, 1998.

Steven J. Dick, *The Biological Universe: The Twentieth-Century Extraterrestrial Life Debate and the Limits of Science*, Cambridge University Press, Cambridge, Reino Unido, 1996.

Os primeiros Alienígenas

Michael J. Crowe, *The Extraterrestrial Life Debate, 1750–1900*, Dover, Cambridge, Reino Unido, 2011.

Michael J. Crowe, *The Extraterrestrial Life Debate, Antiquity to 1915: A Source Book*, University of Notre Dame Press, Notre Dame, IN, 2008.

Robert Crosley, *Imagining Mars: A Literary History*, Wesleyan, Nova York, 2011.

Óvnis

Carl Sagan, *The Demon-Haunted World: Science as a Candle in the Dark*, Ballantine Books, Nova York, 1997.

Charles Berlitz, William L. Moore, *The Roswell Incident*, Grosset & Dunlap, Nova York, 1980.

Curtis Peebles, *Watch the Skies!*, Berkeley, Nova York, 1995.

Dugald A. Steer, *Alienology*, Candlewick, Somerville, MA, 2010. Para crianças de 8-12 anos.

Erich von Däniken, *Chariots of the Gods*, Bantam Books, Nova York, 1972.

George Adamski, *Inside the Space Ships*, Abelard-Schuman, Nova York, 1955.

George Adamski, Leslie Desmond, *The Flying Saucers Have Landed*, Werner-Laurie, Newcastle, DE, 1953.

George Adamski, *Pioneers of Space: A Trip to the Moon, Mars and Venus*, Leonard-Freefield, Los Angeles, 1949.

Jodi Dean, *Aliens in America: Conspiracy Cultures from Outerspace to Cyberspace*, Cornell University Press, Ithaca, NY, 1998.

John Fuller, *The Interrupted Journey: Two Lost Hours "Aboard a Flying Saucer"*, Dial Press, Nova York, 1966.

John Moffitt, Picturing Extraterrestrials: Alien Images in Modern Mass Culture, Prometheus Press, Amherst, NY, 2003.

Kenneth Arnold, The Coming of the Flying Saucers, edição do autor, 1952.

Stanton T. Friedman, Kathleen Marden, Captured: The Betty and Barney Hill UFO Experience, New Page Books, Pompton Plains, NJ, 2007.

Susan Clancy, Abducted: How People Came to Believe They Were Abducted by Aliens, Harvard University Press, Cambridge, MA, 2007.

Ficção

Patricia Monk, Alien Theory: The Alien as Archetype in the Science Fiction Short Story, Scarecrow Press, Nova York, 2006.

Wayne Douglas Barlowe, Ian Summers, Beth Meacham, Barlowe's Guide to Extraterrestrials, Workman Publishing, Nova York, 1987.

Vida na Terra

Angeles Gavira Guerrero, Peter Frances, Prehistoric Life: The Definitive Visual History of Life on Earth, Dorling Kindersley, Nova York, 2009.

Simon Conway Morris, The Crucible of Creation: The Burgess Shale and the Rise of Animals, Oxford University Press, Oxford, Reino Unido, 1998.

Stephen Jay Gould, Wonderful Life: The Burgess Shale and the Nature of History, Norton, Nova York, 1989.

Tim Haines, Paul Chambers, The Complete Guide to Prehistoric Life, Firefly Books, Ontario, Canadá, 2006.

Bioquímica

Clifford Pickover, The Science of Aliens, Basic Books, Nova York, 1999.

Erwin Schrödinger, What Is Life?, Cambridge University Press, Cambridge, Reino Unido, 1992.

Iain Gilmour, Mark A. Sephton, An Introduction to Astrobiology, Cambridge University Press, Cambridge, Reino Unido, 2003.

Jeffrey Bennett, Seth Shostak, Life in the Universe, 2ª ed., Addison-Wesley, Boston, 2007.

Kevin W. Plaxco, Michael Gross, Astrobiology: A Brief Introduction, 2ª ed., Johns Hopkins University Press, Baltimore, 2011.

National Research Council, The Limits of Organic Life in Planetary Systems, <http://www.nap.edu/catalog/11919.html>.

SETI

Albert Harrison, After Contact: The Human Response to Extraterrestrial Life, Basic Books, Nova York, 2002.

H. Paul Shuch, Searching for Extraterrestrial Intelligence: SETI Past, Present and Future, Springer, Little Ferry, NJ, 2011.

Marc Kaufman, First Contact: Scientific Breakthroughs in the Hunt for Life Beyond Earth, Simon and Schuster, Nova York, 2011.

Peter Ward, Donald Brownlee, Rare Earth: Why Complex Life Is Uncommon in the Universe, Springer, Nova York, 2003.

Seth Shostak, Confessions of an Alien Hunter: A Scientist's Search for Extraterrestrial Intelligence, National Geographic, Washington, D.C., 2009.

Seth Shostak, *Sharing the Universe: Perspectives on Extraterrestrial Life*, Berkeley Hills Books, Nova York, 1998.

Steven Webb, *If the Universe Is Teeming with Aliens... Where Is Everybody? Fifty Solutions to Fermi's Paradox and the Problem of Extraterrestrial Life*, Springer, Nova York, 2002.

ALIENÍGENAS ICÔNICOS. *No sentido horário, a partir do alto à esquerda:* Marvin, o marciano (de *Haredevil Hare*, Warner Brothers); Yoda (de *Guerra nas Estrelas*, Lucas Films); Neytiri (de *Avatar*, 20th Century Fox); Homenzinhos verdes (de *Toy Story*, Pixar/Disney); Alien (de *Alien,* 20th Century Fox); Spock (de *Jornada nas Estrelas*, Desilu Productions); Super-Homem (de *Superman*, National Allied Publications); E.T. (de *E.T. – O Extraterrestre*, Universal Pictures); e (*centro*) um *gray* estereotipado (múltiplas fontes, como discutidas no texto).

Impresso por :

Graphium
gráfica e editora
Tel.:11 2769-9056